JN111410

DO DICE PLAY GOD?
THE MATHEMATICS OF UNCERTAINTY
IAN STEWART

不確実性を飼いならす

予測不能な世界を読み解く科学

イアン・スチュアート［著］
徳田 功［訳］

白揚社

不確実性を飼いならす　目次

不確実性を飼いならす

［　］は著者による補足、〔　〕は訳者による注です。

1　不確実性の六つの世代

不確実　よくわかっていない、あるいは完全には明らかでない状態。疑わしさ、曖昧さ。

オックスフォード英語辞典

不確実性はいつも悪いものとは限らない。予測できない意外なことであっても、喜ばしいものであれば歓迎される。馬に乗って予測不能な揺れを楽しむ人は多いし、誰が勝つのか最初からわかっているスポーツには面白みがない。生まれてくる子供の性別を知らされたくない親もいる。私たちのほとんどは、自分の死ぬ日を事前に知りたいとは思わないだろうし、自分の死に方を知らされるなど、もってのほかだ。しかしこれらは例外的な事例だ。人生は宝くじのようなものと言われる。不確実性はしばしば疑いを生み、疑いは私たちを不安にする。だから私たちは、不確実性を消し去るか、少なくとも減らしたいと思う。これから何が起こるのか心配なのだ。天気の予測が難しいのはよく知られているし、天気予報が外れることも多いが、それでも私たちはついつい天気予報に見入ってしまう。テレビでニュースを見たり、新聞を読んだり、ネットサーフィンをすると、これから何が起こるか、わからないことだらけだ。航空機事故はランダムに起こる。地震や火山の噴火が起こると共同体が破壊され、都市の大部分が壊滅することさえある。景気には波があり、良くなったり悪くなったりする。不況のあとに好況が続き、その後にまた不況になるが、景気と不況がいつ入れ替わるのかはほとんどわからない。乾季と雨季の繰り返しや、天気予報についても同じだ。選挙が近づくと私たちは世論調査に注目し、誰が勝つかを予想しようとする。近年、世論調査の信頼性は下がっているようだが、それでも私たちを一喜一憂させる力がある。

　単にわからないだけではない場合もある。何がわからないのかすら、はっきりしない場合だ。たとえば、私たちのほとんどは気候変動について心配しているが、声高な少数派（ボーカル・マイノリティ）はすべてデマだと主張している。でっち上げたのは、エセ科学者か、中国人、火星人と主張するのかもしれない（お好きな陰謀論をどうぞ）。とはいえ、気候変動を予測する気象学者ですら、その正確な実態には確信が持てないでいる。彼らは気候変動の全般的な性質をきちんと把握していて、現実に対して警鐘を鳴らすには十分な確信を持っている。そんな学者にも、正確な予測はできないのだ。

　母なる自然が私たちに何をもたらすのかはっきりわからないだけでなく、私たちが自分自身に何をもたらすのかもはっきりしない。世界経済はいまだに２００８年の金融危機の影響でぐらついているのに、それを引き起こした張本人たちは以前と同様の事業を行い、そのせいで前よりも大きな金融危機がもたらされようとしている。それにもかかわらず、国際金融をどのように予測すればよいのか、私たちはほとんどわかっていない。

（歴史的にも珍しい）比較的安定した期間が過ぎたあと、世界政治は急速に分断が進み、かつては信じられたことにも揺らぎが生じている。フェイクニュースで連発される偽情報のなかに、真実は覆い隠されてしまう。そして案の定、声高に文句をいう人が、デマを拡散した張本人であることが多い。インターネットが民主化したのは、知識ではなく、無知と偏見だった。インターネットによって、ゲートキーパー〔新聞・放送・インターネットなどで、ニュースや記事の取捨選択をする人や組織〕は取り払われ、情報を管理するゲートは開けっ放しになっている。

人間の問題には混乱がつきまとうのが常だが、科学においてさえ、自然が法則に厳密に従うという古い考え方は、もっと柔軟な考えに取って代わられた。私たちは、近似的に正しい規則やモデルを見つけることができるが（分野によって「近似」とは「小数点第10位まで」を意味することもあれば、「10分の1の小ささから10倍の大きさの間」を意味することもある）、それらはすべて暫定的なものであり、新しい証拠が現れたときには新しい規則に取って代わる。カオス理論によると、たとえシステムが厳密な規則に従っていても、その動きを予測することは不可能だ。量子論によると、物質の大きさが最小となるレベルの世界では、宇宙は本質的に予測不可能である。不確実性は、単に人間が無知であることを表わしているのではない。不確実性は、世界の構成要素なのだ。

不確実性の第一世代

多くの人がそうであるように、未来に起こることはすべて運命だと考えることもできる。しかし、ほとんどの人は、そうした生き方に抵抗を感じている。いずれ大惨事が起こるだろうと危惧していても、ちょっとした先見の明があれば、それを回避できるかもしれないと密かに考えている。嫌なことに直面したときに人類がとる共通の戦略は、そうならないように用心するか、状況を変えようとするかだ。だが、何が起こるかわからないときには、どのような予防措置をとればよいのだろう？　タイタニック号の事故のあと、船舶には余分の救命ボートを積み込むことが義務づけられた。すると、その重さが原因でイーストランド号〔シカゴを母港としていた遊覧客船〕はミシガン湖で転覆し、８４８人が死亡した。「意図せざる結果の法則」〔何事も思い通りにはいかないという格言〕のせいで、善意が裏目に出た事例である。

私たちが未来について懸念するのは、私たちが時間に縛られた生き物だからだ。私たちは、時間の流れの中で自分がどこにいるかを強く意識し、将来起こる出来事を予想し、その予想に基づいて行動する。タイムマシンは持っていないが、あたかも持っているかのように振る舞うことで、将来の出来事が起こる前に行動を起こす。もちろん、私たちの現在の行動を真に引き起こしているのは、結婚や雷雨、家賃の支払いといった明日起こる予定の出来事ではない。それらが起こると考えている、私たちの現在の信念だ。進化と個々の学習によって形作られた脳は、明日の生活が楽になるように、私たちに今日の行動を取捨選択させている。脳は、意思決定を行う機械として、未来を推量する。

脳は、ほんの一瞬先んじた決断を下す。クリケットや野球の選手がボールをキャッチする際、ボールを検知する視覚系とボールの位置を算定する脳の間には、わずかだが明らかな時間の遅れが存在する。彼らがボールをキャッチできるのは、脳がボールの軌道を予測するのに優れているからだ。簡単なボールを取り損ねたときは、脳の予測が外れたか、予測結果に反応するのに失敗したかのどちらかである。キャッチボールのすべてのプロセスは無意識のうちに行われ、途切れることがないため、脳よりも一瞬先んじて動いている世界で生きていることに私たちは気づかない。

数日、数週間、数ヵ月、数年、あるいは数十年も先駆けて下される決断もある。私たちは、出勤のバスや電車に間に合うように、目覚ましをかけて起きる。明日や来週の食事用に、食べ物を買う。今度の休みに家族で出かける計画を立て、そのときのために今準備をする。英国の裕福な親は、子供が生まれる前に、上流階級の人が行く学校に入学申し込みをすませる。もっと裕福な人々は、立派に成長するまでに数百年はかかる樹木を植え、5世代先の末裔が見事な眺めを楽しめるようにする。

　脳はどのようにして未来を予測するのだろう？　脳は、世界の仕組み（あるいは、世界の仕組みと推測できるもの）を簡略化した内部モデルを構築する。そして、自分の知っていることをモデルに入力し、その結果を観察する。たとえば、絨毯がめくれているのを見つけると、これらのモデルの一つが、誰かがつまづいて階段から落ちるかもしれないから、このままでは危険だと伝える。そこで私たちは予防措置を講じ、正しい位置に絨毯を固定する。この予測が本当に正しいかどうかは問題ではない。実際、絨毯を固定してしまったら、この予測は正しくなくなってしまう。このモデルに与えた条件はもう適用できないからだ。しかし、進化あるいは個人的な経験に基づいて、同様のケースで予防措置が講じられなかったときに何が起こるかを予想することによって、モデルを検証し、改善することができる。

　この類のモデルでは、世界の仕組みを正確に記述する必要はない。このモデルが示しているのは、世界の仕組みに関する**信念**なのだ。ヒトの脳は数万年をかけて、このような信念に基づいて決定を下す機械に進化した。だから驚くことでもないが、不確実性に対処するために私たちが最初に学んだのは、超自然的な存在が世界を支配していると考え、その存在について体系的な信念を作り上げることだった。人間は、自然を支配しているのが自分ではないことを知っていた。自然は常に私たちを驚かせ、不愉快なこともしばしば起こった。したがって、人間以外の存在（魂、精霊、神、女神など）が自然を支配していると仮定するのが至極当然であるように思われた。するとほどなく特殊な階級の人々が出てきて、自分たちは人類が目的を達成できるように、神との間を取り持つことができると主張した。未来を予言できると主張した預言者や占い師は、共同体の中で特に信望を集める存在となった。

これが不確実性の第一世代だ。人間は信念の体系を発明した。すべての世代の人々がより強力な信念を欲したため、その体系はさらに精緻なものになっていった。私たちは、自然の不確実性を神の御旨として説明づけたのだ。

不確実性の第二世代

人間が不確実性を意識し始めた第一世代は数千年続いた。そこには証拠の裏付けもあった。何が起こったとしても、それは神の御旨と信じられたからだ。もしも神々がお喜びになれば良いことが起こり、お怒りになれば悪いことが起こるというわけだ。したがって、もしもあなたに良いことが起こったならば、それはきっとあなたが神を喜ばせたからだし、悪いことが起こったならば、それは神を怒らせたあなた自身のせいなのだ。このようにして、神々に対する信念は道徳規範と深く結びつくようになった。

そうこうするうちに、これほど融通の利く信念体系は、実は何の説明もしていないということに多くの人が気づき始めた。空が青いのは、神がそのように創造したからだというのなら、ピンクでも紫でもよかったかもしれない。人々はこれまでとは異なる方法を模索するようになり、観測に基づく証拠に裏付けられた（あるいは否定された）論理的推論に基づいて世界を考え始めた。

これが科学だった。空が青いのは、上層大気の細塵によって光が散乱するからだ、と科学は説明する。ただし、なぜ青が青に見えるのかについてはまだ説明できておらず、神経科学者がこの問題に取り組んでいる。このように、科学はすべてを理解したと主張したことはない。科学は進展するにつれて数多くの成功をおさめ、それとともに恐ろしい失敗も犯しながら、次第に自然のある側面をコントロールする能力を私たちに与え始めた。電気と磁気の関係に関する19世紀の発見は、科学における最初の革新的な事例の一つであり、すべての人々の生活に影響を及ぼす技術につながった。

科学によって、私たちが考えていたほど自然は不確実ではないことがわかってきた。惑星が空をさまようのは、神の気まぐれによるものではない。互いにわずかの外乱を与え合うことを除けば、惑星は楕円の周期軌道に従う。どのような楕円が適切かを定め、こうしたわずかな外乱の効果を理解すれば、数世紀後の惑星の位置を予測できる。とはいえ、実際にはカオスによる限界があるので、予測が可能なのは数百万年先までだ。自然には法則が存在し、私たちはそれを発見し利用することで、何が起こるかを予測できる。基礎となる法則を見つけ出せれば、ほとんどの物事は説明できるという信念が、先行きが不透明であるという不快感に取って代わった。宇宙のすべては、果てしなく長い時間にわたってこれらの法則が作動しているだけなのではないかと、哲学者たちは思い始めた。自由意志は幻想で、すべては巨大な時計仕掛けの機械なのかもしれない。

おそらく、先行きがわからず不確実なのは、無知による一時的なものにすぎない。十分な努力と思考によって、すべては明らかにできる。これが不確実性の第二世代だった。

不確実性の第三世代

科学によって、私たちはある事象がどのくらい確かなのか、あるいは不確かなのかを定量化する方法を見出した。それが確率である。不確実性に関するこの研究は、新しい数学分野になった。本書では、世界をより確かなものにするために編み出された数々の数学的方法を検証していく。政治、倫理、芸術など、数学以外の多くの分野も貢献したが、私は数学の果たした役割に焦点をあてる。

確率論が発展したのは、二つの異質なグループに属する人々がそれを必要とし、経験を積み上げたおかげだ。その人々とは賭博師と天文学者である。賭博師が勝ち目（オッズ）を上げたかったのに対して、天文学者は、不完全な望遠鏡から正確な観測結果を得ようとした。確率論の概念に関する理解が深まるにつれて、それが扱うテーマはサイコロや小惑星の軌道といった元々の興味の範囲を越え、物理の基本原理にも影響を及ぼすようになった。たとえば私たちは、数秒ごとに酸素やその他の気体を吸い込む。空気を構成する莫大な量の分子は、小さなビリヤード玉のように飛び回る。もしもすべての分子が部屋の一隅に集まってしまい、自分がその反対側にいたなら、（空気がなくて）大変なことになる。原理上は起こりうることだが、確率の法則によると非常に稀なことなので、実際には起こらない。熱力学第二法則により、空気は一様に混ぜ合わさった状態に留まる。ちなみに熱力学第二法則は「宇宙は常に無秩序へと向かっている」と解釈されることが多い。この法則は、時間の進む方向に関するパラドックスとも関係しており、深い問題をはらんでいる。

熱力学は、科学では比較的新参者であった。熱力学が登場するまでに、確率論は生死、離婚、自殺、犯罪、身長、体重、政治など、人間に関わる事柄を扱うようになっていた。そして、確率論の応用として、統計学が生まれた。統計学は麻疹の流行から、次の選挙での投票の動向に至るまで、あらゆる物事を解析する強力な道具になった。先の見えない金融の世界に対しても、満足するまでには至らないにせよ、ある程度の光明を投じた。統計学により、私たちは確率の海を漂う生き物であることが明らかになった。

確率論とその応用である統計学が、不確実性の第三世代を支配した。

不確実性の第四世代

20世紀の初めになると、不確実性の第四世代が華々しく登場した。それまでに私たちの直面してきたさまざまな形の不確実性はすべて、人間の無知を反映したものと考えられていた。私たちが何かについて確信が持てないのは、それを予測するのに必要な情報を持ち合わせていないからだ。たとえば、コイン投げについて考えよう。コイン投げは昔から「ランダムネス（偶然性）」の象徴だが、その力学的なメカニズムは非常に単純で、決定論に基づいている〔決定論とは、背後に存在する法則に確率的な要素が含まれず、すべてが確定的に表されることをいう〕。そして原理的には、決定論的なプロセスはいかなるものであれ、すべて予測可能である。コインに作用するすべての力を理解し、投げる際の初速度や方向、回転の速さと回転軸などがわかれば、私たちは力学の法則を用いて、どちらの面が上になった状態で着地するかを計算できるはずだ。

しかし、基礎物理学における新発見により、このような物の見方には修正が必要になった。コインについてはこのやり方で問題ないかもしれないが、必要とする情報が入手できない場合がある。なぜなら、自然ですらそれを知らないからだ。１９００年頃、物理学者たちは、極小スケールの物質の構造について理解し始めていた。原子だけでなく、原子を構成する素粒子についても知るようになったのだ。アイザック・ニュートンの発見した運動および重力の法則というブレークスルーは古典物理学を生み出し、これによって物質の世界について幅広く理解できるようになった。一方で、ますます高精度化する計測技術を用いて、古典的な物理現象は検証された。そうすると、理論や実験から、世界について二つの異なる見方ができることがわかってきた。それが粒子と波（波動）である。

粒子は物質の微小な塊で、局在化〔限られた一部の空間に存在すること〕しており、正確に定義できる。波は、移動する擾乱〔時間的に変わらない定常な状態からの乱れ〕であり、水面に生じる波紋のようなものだ。粒子よりも刹那的で、広い空間に広がっていく。たとえば、惑星を粒子と捉える。これは、惑星や恒星の間の距離は膨大なので、人間のサイズで考えると惑星は粒子になるからだ。一方で、音は空中を伝搬する擾乱であり（すべての空気はほぼ同じ場所に留まるが）、したがって波である。粒子と波は古典物理学の象徴的存在だが、まったく異なった概念である。

１６７８年、光の性質について大きな論争が起こった。クリスティアーン・ホイヘンスは、光は波であるとする理論をフランス科学アカデミーで発表した。ニュートンは光は粒子の流れと確信しており、彼の見方が優勢だった。見当違いの議論で１００年が浪費されたあと、新しい実験によりこの問題は解決した。ニュートンの考えは間違いで、光は波だった。

もう一方で１９００年頃、物理学者は光電効果を発見した。光がある種の金属に衝突すると、微小電流が流れる。光は微小な粒子、すなわち光子の流れであるとアルベルト・アインシュタインは推論した。ニュートンはやはり正しかったのだ。しかし、ニュートンの理論は正当な理由があって破棄されてきたのであり、多くの実験が光は波であることを明確に示していた。また論争を一からやり直さなければならなくなった。光は波なのか、あるいは粒子なのか？　最終的な答えは、「両方」だった。光はときには粒子のように振る舞い、ときには波のように振る舞う。どちらなのかは実験に依存する。これはまったくもって不可解だった。

数人の先駆者たちがすぐさま、このパズルを解き明かす方法を考え始め、量子力学が生まれた。そして、粒子の位置やその速さといった、古典物理学では確実とされてきたものがすべて、原子よりも小さなスケールの物質には当てはまらないことが判明した。量子の世界は、不確実性で満たされている。粒子の位置をより正確に測定しようとすると、それだけ粒子の速さがはっきりしなくなる。いっそう悪いことに、「どこに存在するか?」といった問いに対してさえ、きちんとした答えがない。与えられた場所に粒子が局在している確率を示すのが関の山だ。量子的な世界に属する粒子は、古典的な世界の粒子とは程遠い存在で、ぼんやりと広がる確率の雲のようなものでしかない。

物理学者が量子の世界をより深く調べようとするほど、すべてがさらにぼやけていった。数学的な記述はできたが、奇妙な数学だった。数十年の間に、彼らは量子現象が規則で表せないほどランダムであることを確信するようになった。量子の世界は真に不確実性からできており、欠けている情報もなければ、それ以上深いレベルで記述することもできない。「黙って計算せよ」が標語(モットー)となった。「それがいったい何を意味するのか」といった面倒な質問はするな、ということだ。

不確実性の第五世代

物理学が量子論の問題で足踏みしている間に、数学が新しい道を切り開いた。それまでは、ランダムなプロセスの反対は、決定論的なプロセスだと考えられていた。決定論では、現在の状態が与えられれば、可能な未来はただ一つしか存在しない。不確実性の第五世代が現れたのは、決定論的なシステムであっても予測困難な問題が生じることに、数学者と少数の科学者が気づいたときだった。これが非線形動力学、すなわちカオス理論だった。数学者たちがもっと早い時期にこの重要な発見をしていたら、量子論の発展の仕方は異なっていただろう。実は、量子論が登場する以前にカオスの事例が一つ発見されていたのだが、珍しい現象として放置されていたのだ。カオスについて整然とした理論が現れたのは、１９６０年代~70年代になってからだった。とはいえ本書では、説明のしやすさを重視して、量子論よりも先にカオスの問題に取り組むことにする。

「予測は、特に未来を予測するのは、とても困難だ」と物理学者のニールス・ボーアは言った（あるいはヨギ・ベラだったかもしれない。ほら、この程度のことでも私たちが不確かということがわかる）[1]。冗談みたいに聞こえるかもしれないが、実はそれほど単純な問題ではない。科学における予測のほとんどは、一定の条件下で、ある事象が起こることを予測するものであり、いつかを予測するものではない。たとえば、私は地震が起こることを予測できるが、それは岩石にストレスが蓄積されていくからだ。そして、ストレスを計測することによってこの予測を検証できる。でもそれは本当の意味で地震を予測する方法ではない。地震を予測するには、それがいつ起こるかを事象に先んじて決めなければならないのだ。また、ある事象が過去に起こったことを「予測」することも可能である。これは昔の記録を遡って調べることを意味し、その事象が起こっていたことに誰も気づいていなかった場合には、理論の正しさを検証する正当な手段となる。このような検証はしばしば「後付け（ポストディクション）」と呼ばれるが、科学仮説の検証という意味では、通常の予測（プレディクション）と変わらない。１９８０年にルイス・アルヴァレズとウォルター・アルヴァレズ（息子）は、６５００万年前に隕石が地球に衝突し、恐竜が絶滅したと予測した。これは正真正銘の予測であった。その後、仮説を支持あるいは否定する証拠を求めて、地質記録や化石記録を調査することができたからだ。

数十年にわたる観察によって、ガラパゴス諸島に生息するダーウィンフィンチ類のくちばしの大きさは、完全に予測可能であることがわかった。ただし、年平均降雨量が予測できればという条件がつく。その年に雨が多かったか（あるいは少なかったか）に忠実に従って、くちばしの大きさは変動する。降雨量の少ない年には餌の種子が硬くなるため、大きなくちばしが必要となる。その一方で、雨量の多い年には、小さなくちばしの方が便利だ。このように、くちばしの大きさは条件付きで予測可能と言える。信頼できる賢者が来年の降雨量を教えてくれれば、私たちは確信を持ってくちばしの大きさを予測できるだろう。これは、くちばしの大きさが明らかにランダムではないことを意味する。もしもランダムだったならば、降雨量には従わないはずだ。

システムの一部の特徴が予測可能で、残りは予測不可能ということは珍しくない。私の好きな天文学の例を紹介しよう。2004年に天文学者たちは、アポフィスと呼ばれるあまり知られていない小惑星が2029年4月13日に地球に衝突する恐れがあると発表した。彼らによると、2029年にうまい具合に逸れたとしても、2036年4月13日に2度目の危機が訪れるという。すると、あるジャーナリストが次のような質問をした（公正を期すと、ユーモアたっぷりのコラムでの話だ）。「衝突の起こる年がわからないのに、どうしてそれほどはっきり日付がわかるのか？」

読むのを中断して考えてほしい。「1年は何か？」がヒントだ。

とても簡単だ。衝突の可能性があるのは、小惑星の軌道が地球の軌道と交わるか、あるいはほぼ交わるときだ。その軌道は時間の経過とともに少しずつ変化し、二つの天体がどれだけ接近するかに影響を及ぼす。十分な精度で小惑星の軌道を決定できるだけの観測技術がなければ、小惑星がどれだけ地球に近づくのかを確実に知ることはできない。天文学者は十分な精度の軌道データを持ち合わせていたので、今後数十年について、ほとんどの年は衝突の危険はないと除外することができたが、20

29年と2036年は除外できなかったのだ。これとは対照的に、衝突の起こる日付は別の特徴で決まる。1年経つと、地球はその軌道の（ほぼ）同じ位置に戻る。これが「年」の定義だ。具体的に言うと、小惑星の軌道との交点に、地球は1年間隔で近づく。つまり、毎年の同じ日に接近するのだ（交わるタイミングが真夜中近くであれば、1日のずれはあるかもしれない）。アポフィスと接近するのはたまたま4月13日だったわけだ。

したがって、ボーア（あるいはベラ）はまったく正しかった。彼の言葉はまさに核心を突くものだ。物事の仕組みが詳細にわかっているときでさえ、翌週、翌年、あるいは次の世紀に何が起こるか、まったくわからないかもしれないのだ。

そして、不確実性の第六世代へ

私たちは今や不確実性の第六世代に突入した。さまざまな形の不確実性があり、それぞれはある程度まで理解可能だ、ということに私たちは気づいた。これが第六世代の特徴である。私たちは広範な数学的手法を駆使して、依然として恐ろしく不確実な世界で賢明な選択をすることができる。高速で強力なコンピュータは、莫大な量のデータを速やかに正確に解析してくれる。大流行している「ビッグデータ」については、今のところ私たちはそれで何か有益なことをするよりも、データを集める方が得意だ。私たちの地力はコンピュータによって増強され、歴代の数学者がこれまで紙と鉛筆で計算してきたよりも多くの演算を、今ではわずか1秒で実行することができる。さまざまな形の不確実性に関する数学的理解と、パターンや構造を解析したり、不確実性を定量化する複雑なアルゴリズムとを組み合わせたりすることによって、私たちはある程度、この不確実な世界を飼いならすことができるようになった。

私たちは以前よりもはるかに正確に未来を予測することができるようになった。天気予報が外れるのは困りものだが、1922年にルイス・フライ・リチャードソンという先見の明のある科学者が『数値処理による天気予報』を著して以来、天気予報の精度は目覚ましく改善している。予報の精度が上がっただけでなく、その予報が当たる確率も査定してくれる。たとえば天気予報のサイトが「25%の確率で雨」と言うとき、こうした予報が出た場合の4回に1回はちゃんと雨が降ることを意味する。「80%の確率で雨」と言った場合、5回に4回は予報が当たる可能性が高い。

イングランド銀行がインフレ率の変動予想を公表する際には、その予想の信頼性に対する評価も同様に付け加えられる。この評価を一般に公開する効果的な方法として、「ファンチャート」というものがある。このグラフは、予測されたインフレ率の時間発展を示すが、1本の線ではなく、濃淡のある帯で描かれている。時間が経過するにつれて、帯の幅は広くなり、正確性が失われていくことを示している。色の濃さが確率の高さを示し、暗い領域は明るい領域よりも確率が高いことを表す。濃淡のある帯には、予想の90%が含まれている。

ここでのメッセージは二つある。第一は、進歩した技術を活用すれば、より正確な予測が可能になるということ。第二に、予測の信頼性を考慮することによって、不確実性に対処できるということ。

第三のメッセージは、不確実性が役立つ場合もあるということだ。この点についても理解が進み始めている。多くの技術分野では、機器や作業の効率が上がるように、制御可能な程度の不確実性が故意に付加されている。工業での問題に対する最適解を見つけるための数学的手法では、ランダムな擾乱が用いられる。これによって、局所解（近傍の解と比べるとよいが、大域的に見るとそれほどよく

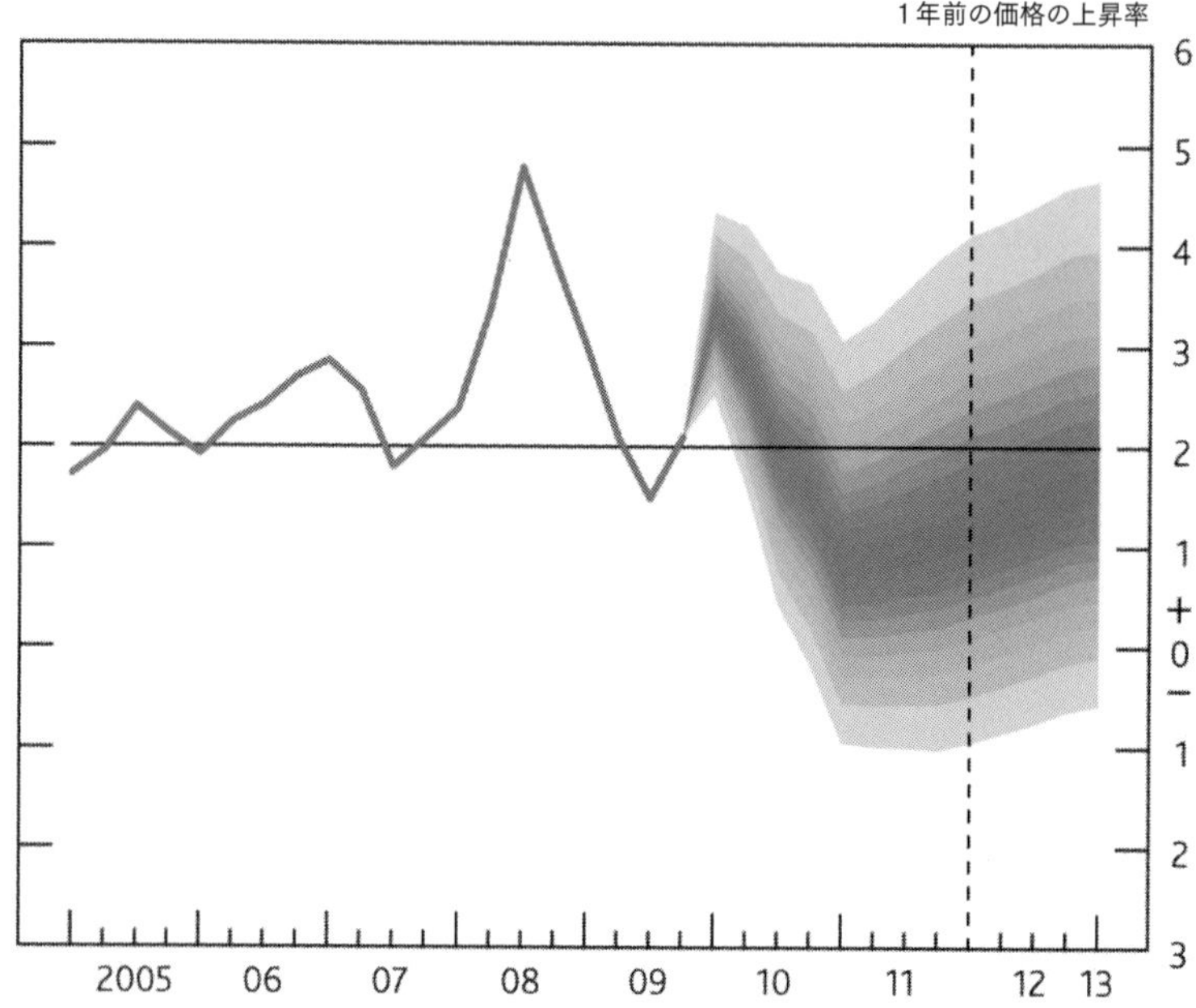

2010年2月の消費者物価指数に基づく、イングランド銀行のインフレ予想を示すファンチャート

ない戦略）にはまるのを防ぐことができる。天気予報でも、記録されているデータにランダムな変動を加えることによって精度が改善できる。衛星測位システムでは、電波干渉の問題を防ぐために擬似乱数の系列が用いられる。高価な燃料を節約するために、宇宙飛行ではカオスが活用されている。

不確実性はどこまで解明できるのか？

とはいうものの、ニュートンの言葉を借りると、私たちは依然として「海岸で遊んでいる子供のようなもの」だ。「なめらかな小石を見つけたり、きれいな貝殻を見つけたりして、はしゃいでいるだけだ。目の前には真理の大海原が誰にも知られないまま広がっているというのに」。いまだに答えられていない難解な問いはたくさんある。たとえば、地球上のすべてが依存しているにもかかわらず、世界金融の仕組みを私たちはよくわかっていない。医学の専門知識によって、ほとんどの伝染病の流行に早い段階で気づき、その病状を和らげることが可能になったが、その広まり方は必ずしも予測できない。ときおり新しい病気が発生するが、いつどこでその姿を現すのか、私たちには見当もつかない。地震や火山活動についても非常に正確な計測ができるようになったが、予測した実績は私たちの足下の地面がぐらぐら揺れるのと同じくらい心許ない。

量子の世界に関する理解が深まると、より深遠な理論への足掛かりが得られ、量子論に内包されているパラドックスが解けるようになるかもしれない。量子論の不確定性の問題は、現実にはより深い層があると考えても解決できないことを物理学者は数学的に証明している。しかし、この証明には、反論の余地のある仮定が含まれており、抜け穴が見つかっている。古典物理系で発見された新しい現象は量子の奇妙な振る舞いに酷似しており、その仕組みは既約な〔単純化できない〕ランダムネスとはまったく関係ないことがわかってきた。量子の奇異な性質を発見する前に、私たちがこのような現象、すなわちカオスについて知っていたら、今日の量子論はまったく異なるものになっていただろう。あるいは、ありもしない決定論を探し求めて、数十年を無駄にしていたかもしれない。

私はこれらすべてのことを、6世代の不確実性としてきれいにまとめたが、現実はそれほど整然としたものではない。それぞれの原理は、最終的には非常に単純であることが判明したが、それがわかるまでの道のりは複雑で混乱に満ちていた。予期せぬ紆余曲折、大きな躍進、そして行き詰まりがあった。さまざまな数学的進展のなかには、人騒がせな間違いだと判明したものもあった。その意義が認識されるまで、数年放置されていたものもあった。数学者たちの間ですら、イデオロギーの分裂があった。政治、医学、金融、法律がすべて関わったこともあった。

このような物語を個別の章に分けて語るとしても、年代順に話すのは賢明ではない。時間の流れよりも、アイデアがどう展開されるかの方が重要だ。そのため、不確実性の第四世代（量子）の前に、第五世代（カオス）を扱うことにする。また、基礎物理学の古い発見に遭遇する前に、統計学の近代的応用について考察することにする。ときには横道に逸れて、好奇心をそそるクイズや、簡単な計算、驚きの事実についても紹介する。このような次第ではあるが、本書の物語にはすべて理由があり、それぞれがきちんと組み合わさっている。

不確実性の六つの世代へようこそ。

2　腸を読む

家人嗃嗃たり。厲しきを悔ゆれば吉なり。婦子嘻嘻たれば、終には吝なり。
『易経』（高田真治・後藤基巳訳、岩波文庫）

そびえ立つ城壁に取り囲まれた都市バビロンで、正装に身を包んだきらびやかな国王が手を上げる。巨大な聖堂の中庭にひしめきあう貴族や官僚たちの間に、静寂が走る。

聖堂の外では、庶民が日々の仕事をこなし、これから起こることが彼らの生活を根本から変えてしまうかもしれないなどとは露程も気づかず、のほほんとしている。何があろうとかまわない。彼らは慣れているのだ。神の御旨なのだから。心配しても不平を言っても仕方ない。考えることすらほとんどない。

生贄を捧げる祭壇で待ち受ける神官の手にはナイフが光る。古式にのっとり注意深く選ばれた羊が、つながれて引きずり出される。羊は何かよからぬことが起ころうとしていることを察し、逃れようとして鳴きもがく。

ナイフが喉を切り裂き、鮮血が噴き出す。群衆は一斉にうめき声を上げる。流れ出す血の勢いがおさまり、ポタリとしたたるようになると、神官は注意深く羊を切開し、肝臓を取り出す。そして、血の飛び散った石の上にうやうやしく肝臓を置くと、身を屈めて摘出された臓器を詳しく調べる。群衆は息をのんで見守る。国王は大股で数歩進み、神官のそばにやってくる。彼らは身ぶり手ぶりを交えながら低い声で協議し、ときどき取り出された臓物の特徴を指さす。ここに一つ傷、あそこに珍しい突起。観察結果を記録するため、神官は肝臓を模した特別な粘土板の穴に木くぎを差し込む。満足した様子の神官は国王ともう一度話し合いをすると、国王が貴族の方に向き直る間に、うやうやしく後ずさりする。

隣国への攻撃は成功するだろうという神のお告げが出た、と国王が発表すると、群衆は勝ち誇って喝采する。その後、戦場で「お告げと全然違うじゃないか」と思う者もいたかもしれないが、時すでに遅しだ。

バビロンの肝臓占い

このような感じだったのだろうか。バビロン第一王朝（古バビロニア王国）については、王朝末期の紀元前1600年頃のことについてさえ、ほとんどわかっていない。しかし、だいたいにおいてこのような儀式が古代都市では共通して行われていたに違いない。バビロンはこの儀式で有名だった。聖書には「バビロンの王は道の分かれ目、二つの道のはじめに立って占いをし、矢をふり、テラピム〔家族神の偶像〕に問い、肝を見る」とある。(1) バビロンの人々は、特別な訓練を受けたバルゥと呼ばれる神官が羊の肝臓を読み解き、未来を予言できると信じていた。バルゥたちは、バルトゥと呼ばれる膨大なお告げのリストをまとめ上げた。実際の占いでは、持ち運びが便利で、すぐに答えを探し出せるように、簡約版で間に合わせた。儀式は体系立っており、伝統の重みがあった。彼らは肝臓の特定の部位を調べた。それぞれの部位には独自の意味があり、特定の神や女神を表していた。バルトゥは現存している。くさび形文字の刻まれた100枚以上の粘土板が残っていて、8000以上のお告げがリストアップされている。バビロニア人が、死んだ羊の臓器に刻み込まれていると信じた情報の豊かさは、その多様性、曖昧さ、ときには陳腐さにおいても特筆すべきものであった。

バルトゥは全10章からなる。最初の2章では、生贄となる気の毒な羊の肝臓以外の部分について述べられ、残りの8章では、肝臓の特定の特徴について記載されている。ベナ（局）は肝臓の左葉の溝、ベジル（径）はベナと直角に交わる左葉のもう一つの溝、ベジス・トゥクル（幸運の印）は小さな突起といった具合だ。こうした部位はさらに細分化される。肝臓のそれぞれの部位に関連づけられたお告げは、予言として述べられた。あたかも神官が肝臓の部位と過去に起こった出来事との関連を記録していたかのように、史実に基づいた予言が多かった。具体的なお告げもあった。「アマル＝スエナ王のお告げ。雄牛に突かれたが、靴に嚙まれて死亡」（この訳のわからない記述はおそらく、彼がサンダルを履いていたときにサソリに嚙まれたことを意味する）。今日でも真実味のあるものもある。「会計士は宮殿を奪う」。具体的だが肝心な部分が抜けているものもある。「名高い人がロバに乗って現れるだろう」。曖昧で役に立たないものもあった。「長期予報　悲嘆」。信頼できないとか、意味が不明瞭と分類された肝臓の部位もあった。リストは整然としており、奇妙だが科学的にすら見える。長い期間をかけてリストはまとめられ、繰り返し編集され、拡張され、その後、書士によって複写された。このようにして、私たちの代まで伝わったのだ。これ以外に残ったものもある。特に大英博物館には、紀元前１９００年から１６００年までに作られた羊の肝臓の粘土模型が展示されている。

このように未来を占う方法は、現在、「肝卜（かんぼく）」、すなわち「肝臓占い」と呼ばれる。より一般に、生贄の動物（主に羊や鶏）の腸を調べて占うことを「腸卜（ちょうぼく）」といい、臓器一般を用いて、その形状や位置に着目して占うことを「臓卜（ぞうぼく）」という。これらの方法がエトルリア人に引き継がれたことは、イタリアで発見された紀元前１００年のブロンズ製の肝臓が、エトルリアの神々の名前が刻まれた領域に分割されていることなどからもわかっている。この伝統はローマ人にも引き継がれた。ローマでバルゥに当たる語はバルスペック（腸卜僧）だ（バルは腸、スペックは観察を意味する）。腸を読み解く慣習はユリウス・カエサルやクラウディウスの時代には記録があるが、西暦３９０年頃のテオドシウス一世の時代には終わっていた。このとき、最後まで残存していた古い儀式に取って代わったのがキリスト教だった。

占いと未来の予言

不確実性の数学を扱う本で、なぜ私はこのような話をしているのだろう？　占いは、未来を予言したいという人間の渇望が大昔から存在していたことを示している。起源がそれより古いことは疑いもないが、バビロニアの粘土板に詳細に記されている通り、占いが行われていた事実は揺るぎない。歴史を見ると、宗教的な慣習は時間が経つにつれて洗練されていくことがわかる。バビロニアの王族と神官がこの占いを信じていたことは、記録を見れば明らかだ。あるいは少なくとも、信じているように見せかける方が都合がいいと思っていた。しかし、肝臓占いが実践された期間の長さを考えると、この信仰が偽りのないものだとわかる。今日でさえ、似たような迷信は巷（ちまた）に溢れている。たとえば、

「黒猫とハシゴは避けよ」「塩をこぼしたら、つまんで肩越しに投げよ」「壊れた鏡は悪運を招く」などだ。移動遊園地では「ジプシー」たちが日銭を求めていまだに手相占いをしているが、彼らが使う運命線だの金星丘といった用語は、羊の肝臓の形状を細かく分類したバルトゥを思い出させる。私たちの多くはそのような信仰に懐疑的だが、「そこには何かあるかもしれない」と渋々認める人もいるし、星、お茶の葉、手相、タロットカード、あるいは筮竹（ぜいちく）（『易経』に記された占術で用いる細い棒）で未来が予測できると確信している人もいる。

古代バビロニアのバルトゥのように、複雑な体系を持つ洗練された占い術もある。時代は変わっても本質は変わらない。「ロバに乗って現れる名高い人」は、タブロイド誌の現代版星占いで出てくる決まり文句の「星の王子様」〔いつか出会える素敵な人〕を連想させる。こうした予言はとても曖昧なので、何らかの出来事と結びつけて、占いが当たったと「確認」できる可能性が高い。その一方、具体的でもあるので、神秘的な印象を与えるには十分だ。もちろん、そのおかげで占い師は安定した収入が得られる。

なぜ私たちは、未来を予測するのにそれほどこだわるのだろう？　私たちがこれまで生きてきた世界の不確かさを考えれば、このこだわりは理にかなっているし、自然なことだ。今でもそのことに変わりはないが、少なくとも現在の私たちは、この世界がなぜ、どのように不確かなのかをある程度は理解しており、培った知識をそれなりに活用できる。私たちの先祖の世界は今ほど確かではなかった。今では地震は断層で岩盤がずれるせいで起こるとわかっており、危険なレベルの応力ストレスを監視することができるが、昔は危険を監視することは不可能だった。地震は偶発的に起こる自然活動であり、それが予測できないのは、強大な超自然的存在の気まぐれによって起こるからだとされた。当時、はっきりした理由もなく偶発的に起こる出来事を理解するには、このように考えるのが一番簡単で、おそらく唯一の方法だった。それを引き起こす何かが存在するに違いない、それは自らの意志を持ち、何を起こすかを決め、確実に起こすパワーを持っている。そうした存在は神か女神である、というのが一番もっともらしい説明だ。神々は自然を支配する力を持っていた。彼らはやりたいときに何でもやりたいことができ、平民はその結果を受け入れるしかなかった。だが少なくとも神の力を借りれば、自然をなだめて、自然のすることに影響を及ぼせる可能性があった。あるいは、神官たちはそう主張した。権威に疑問を抱いてはならないし、背くなど論外だった。いずれにせよ、王族と神官が特権を握る正当な魔法の儀式によって、未来の扉が開かれ、不確実性の一部が解消できるとされたのである。

これらの背後には、私たち人間が他のほとんどの動物種と一線を画す、ある特性がある。それは、時間に拘束されているという特性だ。私たちは来たるべき未来を意識し、その未来を予期することによって、現在の行動を計画する。アフリカのサバンナの狩猟採集民であったときですら、部族の長老たちは、季節が巡り、動物たちが移動し、時が変われば手に入る植物も異なることを知っていた。嵐の兆候は遠くの空に現れ、早く気づくほど、嵐の到来する前に避難できるチャンスは高まった。未来を予想することで、最悪の事態をある程度は免れることができる。

社会と技術が発展するにつれ、私たちはますます時間に拘束されるようになり、私たちを縛る時間の正確さも範囲も広がっていった。現代の私たちは、平日にはいつも決まった時間に起きる。通勤電車に乗って職場に行くためだ。私たちは電車の出発時刻と目的地への到着時刻を知っており、段取りを調整して、就業時刻に間に合うように出社する。週末が来るのを楽しみにして、サッカー、映画、あるいは演劇のチケットを予約する。29日の土曜日はエスメレルダの誕生日だから、数週間前にはレストランの席を予約する。一番安い1月のセールでクリスマスカードを購入し、必要になるまで11ヵ月寝かせておく。そして使う段になって、どこにしまい込んだかを必死に思い出さなければならない事態になる。要するに、私たちの生活は、将来起こると考えている出来事に大きく左右される。このことを考慮に入れずに、自分の行動を説明することは難しいだろう。

時間に拘束された生き物である私たちは、未来が必ずしも予想通りにはいかないことを知っている。たとえば、通勤電車は遅延する。雷雨のせいでインターネット回線がつながらなくなる。ハリケーンが通過し、カリブ海の多くの島々に壊滅的な打撃を与える。選挙は事前の予想とは異なる結果に終わり、まったく同意できない人々が権力の座につき、生活が一変する。こうしたことを考えれば、私たちが未来の予測を最重要視するのは驚きではない。予測は自分や家族の身を守るのに役立ち、（幻想かもしれないが）自分の命運をコントロールしているという安心感を与えてくれる。待ち受けている未来を知りたくて必死になった挙句、本に書いてある昔からのイカサマにだまされ、未来のことを特別に知っていると主張する人たちを信じてしまう。神官が神に影響を及ぼすことができるなら、好ましい未来が来るよう手配できるだろう。呪術師が雨の降る時刻を予測できたら、無駄な待ち時間をなくして、前もって備えられる。千里眼の持ち主が占星図を作れたら、星の王子様かロバに乗ったセレブかはわからないが、理想の相手を待ち伏せできる。その能力が本物だと証明できる者がいれば、その業（わざ）の恩恵に預かろうと人々は一斉に群がるだろう。

それが昔からある、まったくの戯言だとしても。

盲信的な脳

なぜ私たちの多くは依然として運勢、運命、お告げを信じるのだろう？　神秘的なシンボル、長大なお告げのリスト、複雑怪奇な言葉、手の込んだ昔風の衣装、儀式、聖歌にすぐに感銘を受けてしまうのだろう？

広大で理解困難な宇宙が、何を好んで人間のことをとやかく言うことがあるだろう。私たちは、ありふれた恒星のまわりを周回する、水分の豊富な岩塊の上に暮らす、発達過多の類人猿にすぎないのに。宇宙には観測できる範囲だけでも10の17乗（10京）個もの恒星が存在しているし、おそらく宇宙はもっと広大なはずだ。そんな宇宙を、なぜ人間の言葉で解釈しようとするのだろう？　そもそも、人間がとやかく言うことができる類の存在なのか？

なぜ私たちは今日でも、明らかに馬鹿げたことをたやすく信じてしまうのだろう？

もちろん、私の話しているのはあなたの信念であって、私のではない。私の信念は理性的で、事実に基づく証拠にしっかり裏打ちされている。古代の知恵のおかげで、私は皆が見習うべき模範的な人生を送っている。一方、あなたの信念は愚かな迷信で、事実に基づく証拠を欠き、伝統に盲信的に従っているだけだ。そしてあなたは自分以外の人々に、どう振る舞うべきかを説き続ける。

私もあなたとたいして変わらないと思うだろう。当然だ。だが、そこには違いがある。私は正しい、という点だ。

これが信念の厄介なところだ。盲信しているがために、信念は本質的に検証不能であることが多い。検証できたとしても、私たちは結果を無視してしまう。あるいは、信念が間違っているという結果が出ても、その検証には意味がないと否定してしまう。この姿勢は合理的でないかもしれないが、進化とヒトの脳の構造を反映しているのだ。人の心の内側から見ると、信念は理にかなっている。外の世界から見れば馬鹿げていると思える信念でもだ。多くの神経科学者は、ヒトの脳はベイズの意思決定マシンとみなすことができると考えている（トマス・ベイズは長老派の牧師で、熟練した統計学者だった。彼については8章で詳しく紹介する）。大雑把に言うと、ここで私が言っている意思決定マシンとは、その構造に信念が組み込まれた装置のことだ。個人の経験や長きにわたる進化を通して、私たちの脳は「ある事象が起こると、どれくらいの確率で他の事象が起こるか」という仮定が相互に結びついたネットワークを構築した。たとえば、親指を金槌（かなづち）で叩いたら痛いだろうか？　その確率はかなり高い。傘やレインコートなしに雨の中に飛び出せば濡れるだろうか？　この確率も高い。曇り空だがまだ雨は降っていないときに傘やレインコートなしに外出すれば、濡れるだろうか？　うむ、そうなる確率はおそらく高くない。ＵＦＯ（未確認飛行物体）に乗った宇宙人が地球を定期訪問しているだろうか？　あなたがＵＦＯ信奉者ならば、その確率は１００％だが、信奉者でなければ確率はゼロだ。

新しい情報に出くわしたとき、私たちはそれを簡単には受け入れない。受け入れるなんてどうかしている。人間の脳は、作り話と事実、嘘と真実を見分ける必要性に大きな影響を受けて進化してきた。私たちは、自分がすでに信じていることに基づいて、新しい情報を判断する。たとえば、空に奇妙な光が見えて、ありえない速さで動いていたと誰かが言ったらどうだろう？　あなたがＵＦＯを信じているなら、これは宇宙人が来訪した明らかな証拠だ。ＵＦＯを信じていなければ、これは誤認か、あるいはまったくのでっち上げだろうと考える。私たちはこのような判断を本能的に行っており、実際の証拠に照らし合わさないことも多い。

明らかな不整合があることに脳の理性的な部分が気づき、矛盾をどうにかしようともがく人もいるかもしれない。苦しんで、自分の信念を完全に失ってしまう人もいる。新しい宗教、カルト、信念体系に改宗する人もいる。しかし私たちのほとんどは、自分が信じて育ってきたものに強く固執する。宗教を「疫学」として捉えた研究（特定の教派の会員数が世代を超えてどう変わるかを調べる）によると、私たちの信念は、親、兄弟、親戚、教師、自分の属する文化の権威者から感染するのだという。自分が強く抱いている信念が、部外者からは馬鹿げているように思われることが多いのはこのためだ。たとえば、あなたが猫の女神を崇拝するように育てられたとしよう。聖なるお香を薫いたり呪文を唱えることを忘れたら、悲惨な結末が待っていると毎日注意されれば、そうした行動や、そうしたときに得られる満足感がすぐに植えつけられる。実際、ベイズの意思決定マシンに配線されてしまったら、どれだけ矛盾した証拠が現れようとも、疑おうともしなくなるだろう。呼び鈴に配線された押しボタンが、突如として車の始動ボタンに変わることができないのと同じだ。徹底的な配線のやり直しが必要になるだろうし、脳の再配線はきわめて難しい。ましてや、この呪文が猫の女神を敬うどころか信じようとさえしない野蛮人と自分たちの文化を区別するものだとわかっていたら、なおさらだ。

また、信念は簡単に強化できる。あなたがいつも選り好みして注目していれば、必ず肯定的な証拠を発見できる。良いことも悪いことも含め、日々多くのことが起こっているので、そのなかにはあなたの信念を強化する出来事があるだろう。あなたのベイズ脳は、それ以外は無視せよ、気にするなと告げ、それらを除去してしまう。フェイクニュースの嘘にだまされるのはこのためだ。本当は、信念に合わないことにも目を向けなければならない。しかし、配線ずみの信念を覆すには、過剰なまでに理性的な判断を行う必要がある。

かつて、ケルキラ島のある迷信を聞いたことがある。カマキリを見ると良いことか悪いことのどちらかが起こるのだが、どちらが起こるかは状況によるというのだ。馬鹿げたことに聞こえるかもしれない（それに、真実ではないかもしれない）。自然災害でも、状況によって、神は人の命を救ったようにも、救わなかったようにも見える。生き延びた人は祈りを聞き届けて命を救ってくれたことを神に感謝できるが、見落とされがちなのは、亡くなった人はもはや不平を言うこともできないことだ。カマキリの姿勢が祈っている姿に似ているので、キリスト教ではカマキリを信心深さの象徴と解釈する宗派がある一方、死の象徴と考える宗派もある。これは、カマキリが祈っている理由をどう捉えるかによるし、あなたが祈りを信じるかどうかにももちろん左右される。

人類は、混沌とした世界でうまくやっていくように進化した。私たちの脳は、潜在的な問題を急場しのぎで乗り切る策で溢れている。鏡が割れると不吉というが、本当に悪いことが起こるのだろうか？　まわりにある鏡をすべて割って検証するのは高くつく。それに、もし迷信が間違いだとわかっても得るものは少ない反面、万が一正しいと判明したら、自ら災いを招くことになる。だから、念のために鏡を割るのはやめておく方が無難だ。このような決断が、ベイズ脳の確率ネットワークの配線構造を強めていく。

昔は、ベイズ脳の配線はうまく機能していた。私たちの生きる世界も生活スタイルもシンプルだった。たとえば、ヒョウを見つけて命からがら逃げたものの、実は木の茂みが風に揺れているだけだった、ということが何度かあったとしても、少々馬鹿みたいに見える程度で事はすんだ。しかし、現在では、もしあまりに多くの人が客観的な証拠を無視して自分の信念に従って地球を動かそうとすれば、自分自身にも他の人々にも深刻な損害を与えることになるだろう。

占いに共通するもの

心理学者のレイ・ハイマンは十代の頃、お金を稼ぐために手相占いを始めた。そもそも彼は手相を信じていなかったが、信じている振りをしなければならなかった。さもなくば客は来なかっただろう。伝統的な手相の解釈法に従って占ったところ、彼の予言は（客の報告によると）とてもよく当たると評判になったので、ハイマンは「それなら手相見には何かすごいものがあるに違いない」と思うようになった。すると、この商売の秘訣を知り尽くしたプロのメンタリストのスタンリー・ジャクスが、客の手相を見たあと、試しに正反対の予言をしてごらんとハイマンに勧めた。そうすると、「恐ろしくも驚いたことに、私の予言はそれまでと同じく当たったのである」。ハイマンはたちまち手相を疑うようになった[2]。

だがもちろん、彼の客たちは手相を疑ったりしなかった。彼らは無意識のうちに、正しいと思われる予測のみを選び、間違った予測は無視していたのだ。いずれにせよ、予言はすべて漠然として曖昧だったため、さまざまな解釈が可能なので、手相占いを信じる者はそれが当たる証拠をいくらでも見つけることができた。ケルキラ島のカマキリの迷信は外れることがない。引き続き起こる出来事で迷信が間違いだと証明できないのだから、当然だ。

いくつかの古代文明で、なぜあれほど羊の肝臓が重要視されたのかはいささか不可解だが、肝臓占いは未来を占う者の数ある武器の一つにすぎない。エゼキエル書には次のように記されている。バビロン王は家族神の偶像、つまり神にお伺いを立て、（文字通りの武器である）「矢をふる」。これは矢占いである。矢占いは古バビロニア時代以降、アラブ人、ギリシャ人、スキタイ人に好まれた。矢占いには何通りかの方法があったが、どの方法でも魔術の象徴が施された特別な儀式用の矢が用いられた。不可解な象徴は秘密の力や隠れた知識をほのめかすので、特にあまり教育を受けていない人たちには強い印象を与えるものだ。占いでは、重要な質問に対する答えが何種類か書かれ、それぞれ異なる矢に結びつけられて、空中に放たれた。答えが何であれ、もっとも遠くまで飛んだものが正しいとされた。あるいは、遠くに飛んでいった矢を回収する時間を省くため、矢筒に矢を収めて、そこからランダムに取り出された矢を正解とした。

　肝臓、矢と来て、次は何だろう？　何でもいい。ジェリーナ・ダンウィッチの『オカルト辞典』には、100以上の異なる占い術が挙げられている。私たちに馴染み深いのは、占星術（生まれたときの星の配置から運命を予測する）、手相占い（手相から人の未来を読む）、茶葉占い（茶の葉で未来を読む）だろう。これらの例は、身のまわりのものから宇宙の行く末が予測できるかもしれないと考える、人間の想像力のごく一部にすぎない。手相がお気に召さなければ、足相占いで、足裏の線から運勢を予測してはどうだろう？　あるいは、雲占い（雲の形と流れていく方向から未来を推測する）、ネズミ占い（ネズミのキーキー声から予言する）、イチジク占い（イチジクで占う）、発芽占い（タマネギの芽で占う）もある。頭部占いまでとことんやってもよい。これはドイツ人やランゴバルド人の間で一時期流行した占いで、生贄にしたヤギかロバの頭部を切り取って焼く。そして、犯罪の容疑者の名前を読み上げながら、燃える炭で頭部を炙る。頭部がパチパチと音を立てたときに読まれていた名前の人物が、犯人だ[3]。この場合は、未来を予測するのではなく、過去の秘密を掘り起こすのだ。

　一見したところ、これらの方法はどれもバラバラで、共通点を見つけるのは難しい。同じなのは唯一、身のまわりのものを用いて儀式を行い、そこで起こることが何であれ、その秘められた意味を解読することだ。しかし、これらの占い術の多くは、同じ想定に基づいている。それは、「大きく複雑なことを理解するためには、小さく複雑なものを使って、それを真似ればいい」という考えだ。お茶の葉がコップの中で作る形は、多様でランダムで予測不能だ。両者につながりがあるのではないかと思うのに、そこまで大きな論理の飛躍はない。雲やネズミの鳴き声、足裏の線も同様だ。運命を信じるならば、あなたの運命は生まれたときにあらかじめ定められている。それならば、どこかに運命は書かれていて、名人が解読できてもよいではないか？　生まれた日付と時刻で変わるのは何だろう？　そういえば、月や、恒星を背景に横切る惑星の配置は、生まれた日時で異なる。なるほど、これで生まれたときの星の位置で運命が解読できるわけだ！

占いが流行ったのは、私たちが現在持ち合わせている膨大な科学的知識が古代文明には欠けていたからとは限らない。いまだに多くの人が星占いを信じている。星占いを必ずしも信じていないが、ホロスコープを読んで、それが当たるかを楽しんでいる人もいる。多くの国でたくさんの人たちが宝くじに興じる。当たる確率がきわめて低いことをみな知っているが（とはいえ、どれほど低いかは、きちんと理解してはいないかもしれない）、買わなければ当たることはないし、もしも当たれば、経済的な心配事は一瞬にして消え失せる。ほとんどの人が外れる宝くじを買うのが分別のある行為だと言うつもりはない。だが、50万ポンド当たった人を私は知っている……。

宝くじ（多くの国で、同じやり方で売られている）は、まさしく運が左右するゲームである。この見方は統計解析で裏付けられているにもかかわらず、宝くじを当てるうまい仕組みがあるに違いないと考えている人は多い[4]。なんなら、番号のついたボールをランダムに吐き出す、ミニチュアの抽選器を購入してはどうだろう。何に賭けるかを選ぶのに、それを使えばいい。「宝くじの機械は、ミニチュア抽選器と同じようにランダムな結果を出す。したがって、何か神秘的な方法で、ミニチュア抽選器は本物の宝くじの機械と同じように振る舞う」という筋書きに沿うはずだ。大きなシステムは、小さなシステムで再現できるに違いない。これは、お茶の葉や、キーキー鳴くネズミの場合と同じ論理だ。

3　サイコロの役割

一番よいサイコロの投げ方は、投げ捨ててしまうことだ。

16世紀のことわざ

　数千年にわたり、未来を予測したいと望む人々は、占い、予言、神にお伺いを立てる手の込んだ儀式、迷信などを無数に生み出してきた。しかし、これらが合理的な考え方に影響を及ぼしたことはほとんどなく、ましてや科学や数学の中身に影響を与えることなどまったくなかった。予測を記録し、実際に起きた出来事と比較しようと思いついた人がいたとしても、都合の悪いデータを無視する方法はいくらでもあった。神の機嫌を損ねたとか、予言者の言葉を間違って解釈したからなど、理由はいろいろとつけられる。人々はいつも確証バイアスの罠に陥っていた。予測や信念に合致するものだけに目を向け、そうでないものを無視したのだ。とはいえ、現代の何億もの人々も、実は同じことをやっている。

　しかし、人間の活動のなかで、真実を無視すると必ず大失敗を招くものがあった。それがギャンブルだ。ギャンブルにも、自己欺瞞がある程度入り込む余地はある。現在でも確率について誤った不合理な考え方をしている人は何百万もいる。しかし、オッズや複合オッズをきちんと理解している人はさらに多い。だから、賭博師や胴元が大金を儲けるには、確率の基礎を理解する必要がある。必ずしも正式な数学でなくてよいが、確率の基礎に加えて、経験則をいくつかと、経験から得た推論が必要だ。宗教的な予測（予言者など）や政治的な予測（事実に基づかない自信に満ちた主張、フェイクニュース、プロパガンダ）と違い、賭け事は確率に関するあなたの信念を客観的に検証してくれる。長期的に見て、お金を儲けられるか失うかを確かめることができるのだ。不利な形勢を逆転できると見越し、自信満々の予想を試してもうまくいかなければ、すぐに失敗したことがわかるので、あなたはそれを後悔するだろう。そのような当てにならない予想をだまされやすいカモに売りつけることはできるだろうが、それとこれとは別問題だ。もし自分の金で試せば、すぐに手痛い目に遭って懲り懲りするだろう。

これまでもずっとそうであったように、ギャンブルは今でも大きなビジネスだ。世界中で毎年10兆ドルもの大金が、合法的なギャンブルで費やされている（金融業界を含めれば、それ以上の金額になる）。そして大なり小なり、その金の大部分は再循環していく。客は馬に賭け、胴元は払戻金を支払うが、外れ馬券の掛け金は巻き上げる。多額の金が人々の手を通り抜けてあちこちを流れていき、最終的に大部分は胴元とカジノの懐（そして銀行口座）に収まる、というわけだ。したがって、最終的な儲けとなる正味の現金はかなりの額に上るとはいえ、やりとりの総額よりはやや少ない。

確率論に関する正真正銘の数学が最初に登場したのは、数学者が賭け事や、偶然に左右されるゲーム、特に長い目で見たときにある出来事が起こる可能性についてじっくり考え始めたときだった。人間は昔から偶然の出来事に対処するために、直感、迷信、急場しのぎの当て推量に頼ってきた。それらがごちゃ混ぜになったところから、確率論の創始者たちは合理的な数学原理を抽出しなければならなかったのである。しかし、社会や科学の問題に着手するとき、複雑に込み入った問題を丸ごと扱うのは得策ではない。たとえば、初期の数学者が天気予報を試みても、あまり成功はしなかっただろう。当時は利用できる方法論が不十分だったからだ。その代わり、当時の数学者は、現在の数学者がいつもしていること、すなわち「最も単純な例を考える」という手を使った。そうした例では、複雑に入り組んだ部分がほぼ取り除かれるので、問題が何かを明確に示せるのだ。そうした「トイモデル」は複雑な実世界とはかけ離れているように見えるため、一般の人からしばしば誤解される。しかし、歴史の中で、科学の発展に不可欠だった重要な発見はトイモデルから生まれてきたのだ。[1]

サイコロの誕生

偶然を象徴する典型といえば、ギャンブルの道具として古くから用いられてきたサイコロである。サイコロはインダス文明に起源を持ち、それより昔に使われていた距骨（占いや遊びに用いられた動物の骨のこと）を基にして生まれた。今日使われているサイコロと本質的に同じ六面体の物体が、古代イランのシャフレ・ソフテ（「焼かれた都市」という意味。この都市は紀元前3200年から紀元前1800年まで占領されていた）遺跡で考古学者によって発見されている。最古のサイコロは、紀元前2800年から2500年頃のもので、バックギャモン〔ボードゲームの一種〕と似たゲームで用いられていた。ほぼ同時期に古代エジプト人は、セネト（確認されている最古のボードゲーム）でサイコロを用いていた。セネトについてはいろいろ推定されているが、そのルールについてはよくわかっていない。

これら初期のサイコロがギャンブルに用いられたかどうかは定かでない。古代エジプト人は、いわゆる「お金」は持っていなかったが、複雑な物々交換の一環で、しばしば穀物を通貨として用いていた。一方、2000年前のローマでは、サイコロによるギャンブルが広く行われていた。ただ、ローマのほとんどのサイコロには奇妙な点があった。一見すると立方体なのだが、9割のサイコロの表面は正方形ではなく、長方形だったのである。真の立方体に備わる対称性が欠けているため、他の目よりも頻繁に出る目があった。このようなちょっとした偏りでも、長く続ければ賭けに大きな影響を与える。当時は、このようなサイコロを用いてゲームするのが普通だった。15世紀中頃になってようやく対称な立方体が標準となった。だが、偏りのあるサイコロを使ってゲームをしようと言われたとき、ローマの賭博師たちはなぜ異議を唱えなかったのだろう？　サイコロの研究を行ったオランダの考古学者ジェルマー・エールケンズによれば、物理に対する信念よりも、運命に対する信念の方が重要だったからだ。もしも運命が神に委ねられているのなら、神があなたを勝たせたければ勝つだろうし、神がそう望まなければ負けるだろう。サイコロの形状は関係ない、という考えだ。[2]

1450年までに、賭博師たちは知恵をつけたようだ。その証拠に、その頃までにほとんどのサイコロは立方体になっている。数字の配置すら標準化されたのは、おそらく六つの数字がすべて揃っていることを簡単に確認できるようにするためだろう（現在でも行われている、ある標準的なイカサマでは、サイコロを不正な細工を施したものと密かに入れ替える。細工されたサイコロには、同じ数字が二面に配置されているため、その数字の出現率が上がる。同じ数字を対面に配置すると、パッと見ただけでは気づかない。この操作を二つのサイコロに施すと、二つの目の和のいくつかが出なくなる。

他にもイカサマの方法はいろいろあり、完全に普通のサイコロを用いる方法すらある)。当初はほとんどのサイコロで、1の裏側が2、3の裏側が4、5の裏側が6だった。両面の和が3、7、11とすべて素数(プライムナンバー)になることから、この配置は「プライム」と呼ばれている。1600年頃に「プライム」は人気を失い、現在でも用いられている配置、つまり1の裏側が6、2の裏側が5、3の裏側が4という配置が後を継いだ。両面の和がすべて7になるので、この配置は「セブンス」と呼ばれる。「プライム」あるいは「セブンス」の条件を満たすような目の配置の仕方は2通りあり、それらは互いに鏡像対称な関係にある。

サイコロがより規則正しく、標準的になるにつれ、賭博師はより合理的なアプローチを導入するようになった。幸運の女神が偏ったサイコロに影響を及ぼしてくれると信じるのはやめ、神の介在なしに特定の結果が起こる確からしさ〔確率のこと〕に、より注意を払うようになった。そして、偏りのないサイコロを使うと、出る目を予測することは不可能だが、ある目の出やすさと他の目の出やすさがちょうど同じであることに気づいた。だとすると、多少の変動はあるとしても、大局的に見ればどの目も等しい頻度で出現するはずだ。このような考え方によって、先駆者たちはついに確率論という新しい数学分野を創造することになるのである。

賭博師、カルダーノ

こうした先駆者の最初の人物が、ルネサンス期のイタリアにいたジェロラモ・カルダーノだった。1545年に彼は『偉大なる術(アルス・マグナ)』を著し、数学界で名声を得た。その書は、現在では「代数学」と呼ばれる分野で3番目に重要な本となった。遡ること紀元250年頃、ギリシャの数学者ディオファントスは著書『算術』で未知数を表す記号を導入した。紀元８００年頃、ペルシャの数学者アル゠フワーリズミーは、著書『約分と消約の計算の書』の中で「代数」という単語を用いた。彼は記号を用いずに、方程式を解くための体系的な方法を発展させた。この方法の呼び名である「アルゴリズム」は、彼の名前のラテン語読み「アルゴリスムス」に由来する。カルダーノは二人の先人のアイデアを合わせ、未知数を記号で表すことと、これらの記号を数学で扱う新しい対象にする可能性とを結びつけたのである。より複雑な方程式を解くことで、彼は先人を超えた。

彼の数学的な経歴は申し分なかったが、性格には問題が多かった。賭博師で、暴力気質のならず者だったのだ。とはいえ、彼が生きていたのは賭博師とならず者の時代で、暴力は身近なものだった。カルダーノは医師でもあり、当時の基準ではとても成功していた。そして彼は占星術師だった。占星図でイエス・キリストの運勢を占い、教会と揉めたこともある。言い伝えによると、彼は自分自身の運勢を占い、取り返しのつかない事態に陥ってしまった。自分の死ぬ日を占ったあと、専門家としてのプライドゆえに、占いが現実になるように自死したのだという。この逸話を裏付ける客観的な証拠はないようだが、カルダーノの性格からしていかにもありそうではないか。

確率論に対するカルダーノの貢献を見る前に、用語についていくつか整理しておこう。あなたが馬に賭けるとき、胴元が教えてくれるのは確率ではない。胴元が提示するのはオッズだ。たとえば、フェイキンガム競馬場で4時30分に出走するルネサンス賞レースで、ギャロッピング・ジェロラモのオッズが３：２だったとしよう。これは、あなたが2ポンド賭けて勝つと、胴元は元々の賭け金の2ポンドに加えて、3ポンドをあなたに支払うことを意味する。つまり、勝てば3ポンドはあなたの儲けになり、負ければ2ポンドは胴元の儲けになる。

長い目で見て、勝った金額と負けた金額が相殺するならば、この配当は公平ということになる。したがって、3：2のオッズでは、馬は2回勝つごとに3回負けるべきである。言い換えると、5回レースをするごとに、平均して2回の勝ちがなければならない。したがって、勝つ確率は5分の2だ。

一般にオッズが$m:n$ならば、その馬の勝つ確率は

$$p=\frac{n}{m+n}$$

である。これはオッズが公平になるように配慮されていればの話だが、そんなことはもちろんめったにない。胴元は儲けるために商売しているのだ。ただしその一方で、オッズはこの公式に近い数だろう。胴元は、自分がむしり取られていることを客に気づいてほしくないからだ。

現実はどうあれ、この公式はオッズを確率に変換する方法を教えてくれる。逆方向の変換も可能だ。オッズは比率なので、6：4は3：2と同じということを念頭においてほしい。$m:n$という比率は分数m/nで表すことができ、これは$1/p-1$に等しい。確認してみよう。勝率が$p=2/5$ならば、

$$\frac{m}{n}=\frac{5}{2}-1=\frac{3}{2}$$

となり、オッズは確かに3：2となる。

カルダーノの先見

カルダーノはいつも金に困っており、賭博やチェスの腕を振るって金を調達していた。彼の著書『サイコロ遊びについて』は1564年に書かれたが、死後かなり時間が経過した1663年に著作集に収録され、ようやく出版された。これは確率について体系的に扱った最初の本だった。彼はサイコロを用いて基本概念を説明し、「サイコロが公平でない場合に対戦相手に有利になるならば、あなたは愚かだ。自分に有利になるならば、あなたは不正をしている」と記した。これが彼の定義する「公平性」だ。この本では、イカサマの方法についても説明されている。実際のところ、他人が被害を受ける限りは、不公平に反対していたわけではなかったようだ。とはいえ、正直な賭博師も、相手の不正を見抜くためにイカサマの方法を知っておく必要がある。カルダーノはこうした意見に基づき、なぜ公平なオッズは、勝ち数に対する負け数の比率（これは賭博師にとってで、胴元にとっては負け数に対する勝ち数の比率）で表すことができるのかを説明する。実質的に彼は、「ある事象の起こる確率とは、長期的に見たときにその事象が起こる比率である」と定義したのだ。そしてサイコロ賭博に応用して、この数学を説明した。

彼はこの本の序文で、「すべてのギャンブルで最も基本となる原理は、等価な条件である。たとえば、対戦相手、第三者、賭け金、状況、サイコロを入れるカップ、サイコロの条件はそれぞれ等しくなければならない」と記した。この取り決めに従えば、1個のサイコロを投げたときの結果は単純だ。サイコロでは6つの結果が起こり、サイコロが公平ならば、それぞれの結果は平均して6回に1回生じる。したがって、それぞれの起こる確率は$\frac{1}{6}$だ。2個以上のサイコロを使う場合についても、誤解していた数学者はいたが、カルダーノは基礎を正しく理解していた。2個のサイコロを振ると、等しい確からしさで起こる結果は36通りあり、3個のサイコロでは216通りある。現代の私たちは、$36=6\times6$（あるいは、6^2）および$216=6\times6\times6$（あるいは、6^3）と考えるが、カルダーノは次のように総和を計算した。「同じ面の出るサイコロの振り方は6通り、異なる面の出る組み合わせは15通りある。15通りの倍は30通りだから、全部で36通りだ」

なぜ倍にするのだろう？　一つのサイコロが赤で、もう一方を青としよう。このとき、4と5の組み合わせは2通りある。赤が4で青が5の場合と、赤が5で青が4の場合だ。しかし、4と4の組み合わせでは、赤が4で青が4の1通りしか起こらない。ここで色を導入したのは話をわかりやすくするためだ。サイコロの見た目が同じで区別できない場合でも、異なる数の組み合わせには2通りの出方があり、ゾロ目が出る組み合わせは1通りしかない。ここでとても重要なのは、数字の組を順序づけて考えていることだ[3]。一見すると単純に思えるかもしれないが、これは飛躍的な進歩だった。

3個のサイコロについて、カルダーノは長年未解決だった難問を解いた。3個のサイコロを投げると、総和が10になる方が9になるよりも起こりやすいことを、賭博師たちは以前から経験的に知っていた。しかしこの問題は彼らを悩ませていた。まず、総和が10になる組み合わせには次の6通りがある。

1+4+5　1+3+6　2+4+4　2+2+6　2+3+5　3+3+4

これに対して、総和が9になる組み合わせも6通り存在する。

1+2+6　1+3+5　1+4+4　2+2+5　2+3+4　3+3+3

では、なぜ10の方がより頻繁に起こるのだろう？　カルダーノは、総和が10になる順序づけされた三つの数字の組は27通り存在するのに対して、総和が9になる組は25通りしかないと指摘した(4)。

カルダーノは何度も繰り返しサイコロを振る場合についても論じ、非常に重要な発見をした。一つ目は、ある事象の起こる確率は、長期的に見るとその事象の起こる割合に等しいということだ。現在では、確率に対する「頻度論者」の定義として知られている。二つ目は、1回の試行である事象の起こる確率がpならば、n回試行して毎回その事象が起こる確率は、p^nということだ。正しい定式を得るにはかなりの時間を要し、彼の本には正解にたどりつくまでにしくじった数々のミスが残っている。

フェルマーとパスカルが解いた分配問題

読者は、弁護士やカトリック教会の神学者がギャンブルに特別な興味を抱くとは思わないだろう。だが、卓越した数学者だった（法律家の）ピエール・ド・フェルマーと（神学者の）ブレーズ・パスカルは、この挑戦に抗うことができなかった。1654年、「数学の域にまで達する」ほどの賭博の専門知識を持つことで知られた（こうした知識で賞賛されることはめったにないだろう）シュバリエ・ド・メレは、フェルマーとパスカルに「賭け金の分配問題」を解決してほしいと頼んだ。

勝率がそれぞれ50％の二人の賭博師が対戦する簡単なゲームを考えてみよう。たとえば、コイン投げでよい。最初、二人は同じ賭け金を「ポット」〔賭け金を置くテーブルの中央部〕に置き、先にある得点（勝った回数）をとった方がその賭け金を得る。しかし、終了前にゲームが中止になったとしたら、その段階での得点に応じて、どのように賭け金を分配するべきか？　たとえば、ポットに100フランあり、一人が10回勝つとゲームは終了する。しかし、得点が7対4のときに、勝負を中止しなければならない。賭博師はそれぞれいくらもらうべきか？

この問題をきっかけに、二人の数学者は膨大な書簡をやりとりした。パスカルがフェルマーに宛てた最初の手紙を除いて、これらの書簡は現存している。この最初の手紙で、パスカルはどうやら誤った解答を送ったようだ。(5)フェルマーは別の計算をして、その説に同意するかどうか教えてほしいとパスカルに返信した。フェルマーの望んだ通り、答えは次のようなものだった。

拝啓
君と同様、居ても立っても居られない気分だ。まだ床の中だが、君に伝えないわけにはいかない。分配問題に関する君の手紙をカルカヴィ氏から昨晩受け取ったが、言葉に表せないほどの賛辞を送りたい。長々と書く余裕はないが、一言で言うと、君の見つけた得点およびサイコロの二分配法は、完全に公平な配当を与える。

パスカルは自分の以前の答えが間違っていたことを認め、二人はピエール・ド・カルカヴィ（フェルマー同様、数学者であり議会弁護士でもあった人物）を介して意見をやりとりした。彼らの洞察の鍵は、過去の勝敗は（勝敗の数以外は）関係なく、残りの勝負で何が起こるかが重要ということだった。20勝を目標とし、得点が17対14で勝負が中断した場合でも、10勝を目標とし、得点が7対4で勝負が中断した場合とまったく同じように金を分配すべきだ、というのである（どちらの場合も、一方はあと3点、もう一方はあと6点必要である。この段階に至るまでの勝敗の経緯は関係ない）。二人の数学者はこうした設定で解析を行い、それぞれの賭博師に対して、現在「期待値」と呼ばれているもの（勝負が何度も繰り返された場合に、彼らが勝利するであろう回数の平均）を計算した。この例題に対する答えは、賭け金は219：37の比率で分配し、リードしていた賭博師が大部分を得るべきだ、というものだ。これは当て推量で得られる答えではない(6)。

ホイヘンスと期待値

次の重要な貢献は、1657年に出版されたクリスティアーン・ホイヘンスの著書『運まかせゲームの計算』によってもたらされた。ホイヘンスは分配問題についても論じ、期待値の概念を明確にした。彼の定式をそのまま示すのではなく、典型例で考えることにしよう。以下の条件に従い、サイコロ遊びを何度も繰り返すとする。

1か2の目が出たら、4ポンド負ける。
3の目が出たら、3ポンド負ける。
4か5の目が出たら、2ポンド勝つ。
6の目が出たら、6ポンド勝つ。

長期的に見たときにこの勝負が有利かどうかは、すぐには判然としない。有利かどうか調べるために、計算してみよう。

4ポンド負ける確率　$\frac{2}{6}=\frac{1}{3}$

3ポンド負ける確率　$\frac{1}{6}$

2ポンド勝つ確率　$\frac{2}{6}=\frac{1}{3}$

6ポンド勝つ確率　$\frac{1}{6}$

ホイヘンスによると、この期待値を求めるには、獲得金額（負けはマイナスとして数える）に対応する確率を掛け合わせ、それらを足し合わせればよい。したがって、

$$\left(-4\times\frac{1}{3}\right)+\left(-3\times\frac{1}{6}\right)+\left(2\times\frac{1}{3}\right)+\left(6\times\frac{1}{6}\right)$$

を計算すると、$-\frac{1}{6}$が得られる。つまり平均すると、1回につき$\frac{1}{6}$ポンド負けることになる。

なぜこれが正しいかを確かめるため、600万回サイコロを振り、平均すると各数字が100万回ずつ出ると想像してみてほしい。これは6回サイコロを振って、各数字が1回ずつ出るのと同じである。なぜなら、両者の比率は同じだからだ。6回のサイコロ投げでは、1と2の目が出たとき4ポンド負け、3の目が出たとき3ポンド負け、4と5の目が出たとき2ポンド勝ち、6の目が出たとき6ポンド勝つ。したがって、合計の獲得額は、

$$(-4)+(-4)+(-3)+2+2+6=-1$$

となる。これを6（勝負した回数）で割り、負けと勝ちをそれぞれ同じ項にまとめると、ホイヘンスの式が復元できる。期待値は、個々の勝敗のある種の平均だが、それぞれの結果は確率に応じて「重みづけ」されなければならない。

ホイヘンスはその数学を現実の問題にも応用し、弟のローデヴァイクと共同で、ジョン・グラントが1662年に刊行した著作の表に基づき、確率を用いて平均余命の解析を行った。そのグラントの著作『死亡表に関する自然的および政治的諸観察』は、人口統計学に関する最初期の重要な研究であり、また最初の疫学研究の一つと考えられている。この時点ですでに、確率と人間社会のさまざまな事柄はつながりを持ち始めていたのだ。

4　コイン投げ

表が出たらぼくの勝ち、裏が出たらきみの負け。

子供が遊びでよく言う台詞

ヤコブ・ベルヌーイの大著『推測法』を前にすると、それ以前に行われた確率の研究はどれも色褪せてしまう。ベルヌーイの『推測法』は１６８４年から１６８９年にかけて執筆され、死後の１７１３年に甥のニコラス・ベルヌーイによって出版された。すでに確率について幅広い論文を発表していたヤコブは、当時に知られていた主要なアイデアや結果をまとめた上で、彼独自の結果を盛り込んだ。この本は、確率論という新たな数学分野の登場を告げた書だと一般に考えられている。ベルヌーイはまず順列と組み合わせの特性について論じ（本書でも、現代表記を使ってまもなく検討する）、次に期待値に関するホイヘンスの考えを修正した。

コイン投げは、確率論の教科書の定番だ。親しみやすく単純であると同時に、たくさんの基本概念を説明してくれる。「表が出るか裏が出るか」は、偶然のゲームで出てくる二択問題のなかでも基本中の基本だ。ベルヌーイは、現在「ベルヌーイ試行」と呼ばれているものを解析した。このモデルでは、二つの結果が出るゲーム（たとえば表か裏が出るコイン投げ）を繰り返す。コインは偏っていてもよい。たとえば、表の出る確率が$2/3$であれば、裏の出る確率は$1/3$となる。コインを投げると表か裏のどちらかが出るので、二つの確率を足すと1にならなければならない。「コインを30回投げたとき、少なくとも20回表が出る確率は？」といった問いに対して、ベルヌーイは「順列・組み合わせ」として知られる数え上げの公式を用いて答えた。そして、これらの組み合わせの概念の妥当性を示したあと、その数学を深く掘り下げて展開した。彼はそれらを代数学の二項定理と関連づけた。つまり、二項からなる式$x+y$をべき展開する問題と組み合わせが関係することを示したのだ。たとえば、

$$(x+y)^4 = x^4+4x^3y+6x^2y^2+4xy^3+y^4$$

の各項の係数は組み合わせで表される。ベルヌーイは本の第3部で、当時普及していたトランプやサイコロのゲームにそれまでの成果を応用した。第4部と付録でも引き続き応用に重点を置いたが、今度は法律や金融などの社会的な文脈での意思決定について論じている。ここでのベルヌーイの大きな貢献は、「大数の法則」を見つけたことだった。大数の法則とは、膨大な回数の試行を行うとき、特定の事象が起こる（たとえば表か裏が出る）回数は、試行回数にその事象が起こる確率を掛けたものに非常に近くなる、というものだ。「20年間にわたって真剣に取り組んだ問題」という思いを込めて、ベルヌーイはこの法則を黄金の定理と呼んだ。この結果は、確率を「事象の起こる回数の割合」と定義する頻度論者の考え方を正当化するものと捉えることができる。しかし、ベルヌーイの見方は違っ

た。彼は、実験の背後に存在する確率を、割合を用いて推定することが、大数の法則で理論的に正当化できると考えた。この考えは、現代における確率論の公理の考え方に近い。

ベルヌーイは、その後の研究者の基準となるものを打ち立てたが、重要な未解決問題もいくつか残した。一つは実践的な問題だった。ベルヌーイ試行を用いた計算は、試行回数が多くなると、とても複雑になった。たとえば、表と裏が等しい確率で出るコインを１０００回投げるとき、表が６００回以上出る確率はいくつか？　この公式では、６００個の整数をすべて掛け合わせ、別の６００個の整数で割らなければならない。コンピュータなしで手計算するのは、ひいき目に見ても退屈で時間がかかる作業であり、悪くすると人間には無理である。このような問題を解決することが、確率論を用いて不確実性を理解する上で、次の大きなステップとなった。

表と裏の系列を並べる

昔の用語を使って確率論の数学を説明すると話がややこしくなる。なぜなら、よりよく理解しようと数学者たちが手探りで模索するなかで、表記の仕方や用語、さらには概念そのものまでが、何度も変わっていったからだ。したがって、ここでは確率論が発展する歴史の中で生まれた主要なアイデアをいくつか、現代の用語を使って説明したい。そうすれば、本書の続きで必要になる概念を明確にし、整理することができるだろう。

表と裏が等しい確率で出るコインを何度も投げたとき、長い目で見ると表と裏が同じ回数出ることは、直感的に明らかなように思われる。個々のコイン投げの結果は予測不能だが、何度もコイン投げを続けて累積した結果は、平均すると予測が可能だ。したがって、特定のコイン投げの結果については確信が得られないが、長期的に見た場合に不確実性を抑えることができる。

私が10回コインを投げて、表と裏が出た結果を記したところ、次のようになった。

裏表裏裏裏表裏表表裏

この系列には、4つの表と6つの裏が含まれている。表と裏の割合はほぼ半々だが、完全な均等ではない。このような4対6の比率の結果が出る確率はいくつか?

順を追って、ゆっくりと答えを出すことにしよう。最初のコイン投げでは、$\frac{1}{2}$の等しい確率で表か裏が出る。最初の2回のコイン投げでは、表表、表裏、裏表、裏裏のうちのどれかが出る。4通りの結果が出る可能性があり、すべての起こりやすさは等しいため、それぞれの起こる確率は$\frac{1}{4}$である。最初の3回のコイン投げでは、表表表、表表裏、表裏表、表裏裏、裏表表、裏表裏、裏裏表、裏裏裏のどれかが出る。8通りの可能性があり、すべての起こりやすさは等しいため、それぞれの起こる確率は$\frac{1}{8}$である。最後に、最初の4回のコイン投げを見てみよう。16通りの可能性があり、それぞれの起こる確率は$\frac{1}{16}$である。表の出る回数に従って、何通りの系列があるか、リストを作ってみよう。

0回　1通りの系列　裏裏裏裏
1回　4通りの系列　表裏裏裏　裏表裏裏　裏裏表裏　裏裏裏表
2回　6通りの系列　表表裏裏　表裏表裏　表裏裏表　裏表表裏　裏表裏表　裏裏表表

3回　4通りの系列　表表表裏　表表裏表　表裏表表　裏表表表
4回　1通りの系列　表表表表

先ほどの私のコイン投げの系列を見ると、最初の4回は裏表裏裏であり、表が出たのは1回だけだった。表が1回出るのは、16ある可能性のうち4通りの系列だから、確率は$4/16=1/4$である。ちなみに、表が2回、裏が2回出るのは、16の可能性のうち6通りの系列だから、確率は$6/16=3/8$である。つまり、表と裏は等しい確率で出るのだが、表と裏がそれぞれ2回出る確率は$1/2$ではなく、もっと小さいのだ。一方で、表の出る回数が2に近い数になる（ここでは、表が1回、2回、あるいは3回出る）確率は、

$$\frac{4+6+4}{16}=\frac{14}{16}$$

すなわち87・5％である。

10回のコイン投げでは、$2^{10}=1024$通りの表と裏の系列が存在する。同様に計算し（近道の計算方法がある）、表の出る回数に応じて系列を分類すると、以下のようになる。

0回　1通りの系列　確率　0.001
1回　10通りの系列　確率　0.01

2回　45通りの系列　確率　0.04
3回　1 2 0通りの系列　確率　0.12
4回　2 1 0通りの系列　確率　0.21
5回　2 5 2通りの系列　確率　0.25
6回　2 1 0通りの系列　確率　0.21
7回　1 2 0通りの系列　確率　0.12
8回　45通りの系列　確率　0.04
9回　10通りの系列　確率　0.01
10回　1通りの系列　確率　0.001

私の系列では、表が4回、裏が6回出たので、確率0・2 1の事象ということになる。表の出る回数のうち最も確率の高いのは5回で、その確率は0・2 5である。表の出た回数に注目しても、たいした情報は得られない。もっと興味深いのは、「表と裏の出る回数がある範囲内、たとえば4回と6回の間にある確率はいくつか？」といった問題だ。答えは、

0.21＋0.25＋0.21＝0.66

となる。別の言い方をすると、コインを10回投げれば、3分の2の割合で、両者の出る回数が5対5か6対4に分かれることが期待できる。裏を返すと、表と裏の出る回数の比がもっと不均衡になる系

列は、3分の1の割合で起こるということだ。したがって、表の出る回数が、理論的な平均（ここでは5回）から少しずれることは十分に起こりうる。

理論的な平均からずれる範囲をもう少し広げ、たとえば、5対5、6対4、あるいは7対3（表対裏、あるいは裏対表どちらの比でもよい）を考えると、この範囲に留まる確率は、

$$0.12+0.21+0.25+0.21+0.12=0.91$$

となる。こうなると、表と裏の出る回数の比がもっと不均衡になる確率は約0・1、すなわち10分の1だ。これは小さな値だが、ありえないほどではない。10回コイン投げをするとき、表（あるいは裏）の出る回数が2回以下になる確率が$\frac{1}{10}$もあるとは驚きだ。平均すると、10回の試行に1回起こることになる。

順列と組み合わせ

これらの例が示すように、確率に関する初期の研究は、確率の等しい事例を数え上げることに主に焦点が置かれていた。さまざまな事象の数え上げ方を研究する数学分野は「組み合わせ論」と呼ばれ、初期の研究では、**順列**と**組み合わせ**という概念が中心となっていた。

順列は、いくつかの記号や物を順番に並べる方法である。たとえば、A、B、Cという記号の並べ方には以下の6通りが存在する。

ABC　ACB　BAC　BCA　CAB　CBA

同じようにリストを作ると、4つの記号の並べ方は24通り、5つの記号の並べ方は120通り、6つの記号の並べ方は720通りあることがわかる。一般則は単純だ。たとえば、6つの文字A、B、C、D、E、Fを並べるとしよう。最初の文字の選び方は6通りある。AかBかCかDかEかFのどれかだ。最初の文字を選んだあとは、残りの5文字で並べる作業を続ける。したがって、2文字目の選び方には5通りある。これらの5通りは、それぞれが最初に選択した文字に追加されるため、最初の2文字の選び方は全体で

$$6\times5=30$$

となる。その次の文字については4通りの選択肢、その次の文字には3通りの選択肢、その次の文字には2通りの選択肢が存在し、6文字目には1つの選択肢しか残らない。したがって並べ方の総数は

$$6\times5\times4\times3\times2\times1=720$$

となる。この計算は、標準的には6!と表記され、「6の階乗」と読む。

同じ論法から、52枚のトランプカードを順番に並べる方法の数は、

$$52! = 52 \times 51 \times 50 \times \cdots \times 3 \times 2 \times 1$$

となる。忠実なるわがコンピュータは驚くほどの速さで計算してのけた。それによると、答えは、

80,658,175,170,943,878,571,660,636,856,403,766,975,289,505,440,883,277,824,000,000,000,000

である。この答えは正確だが、膨大な数なので、すべての並べ方を列挙して見つけ出すのは無理だろう。

より一般的な問題では、6つの文字A、B、C、D、E、Fから、(すべての文字ではなく)任意の4文字を順番に並べる方法が何通りあるかを数えることもできる。このような配置の方法を、「(6文字から4文字を並べる)順列」と呼ぶ。先ほどの計算の仕方と同様だが、4文字選んだあとで計算を止める。したがって、4文字を並べる方法は、

$$6 \times 5 \times 4 \times 3 = 360$$

となり、全部で360通りである。これを数学の記号を使ってきれいに表すと、

$$\frac{6 \times 5 \times 4 \times 3 \times 2 \times 1}{2 \times 1} = \frac{6!}{2!} = \frac{720}{2} = 360$$

と書くことができる。2!で割るのは、6!の最後の×2×1の不要部分を取り除くためだ。同じ論法から、52枚のトランプカードから13枚を選んで順番に並べる方法は、

$$\frac{52!}{39!}=3,954,242,643,911,239,680,000$$

通りある。

組み合わせの考え方は、順列ととても似ているが、ここでは並べ方を数えるのではなく、順番は無視して、異なる選び方を数える。たとえば、52枚のカードから13枚を選ぶとき、異なる手札はいくつあるだろう？　秘訣は、最初に順列を数えて、順番以外が同じものはいくつあるかを考えることだ。すでに見たように、13枚のカードの並べ方は13!通りある。これは、13枚のカードを順番に並べた3,954,242,643,911,239,680,000通りのリストのうち、(順番以外は)同じ組み合わせのカードが、それぞれ13!回出てきていることを意味する。したがって、順序を問題にしないなら、手札の組み合わせの総数は、

$$\frac{3,954,242,643,911,239,680,000}{13!}=635,013,559,600$$

となり、これが異なる手札の数である。

確率を計算するとき、13枚のカードが特別な組み合わせになる確率を求めたいこともあるだろう。たとえば13枚すべてがスペードとなる確率を考えよう。これは、6350億通りの手札のうちで、たった1つしかない組み合わせなので、この手札が配られる確率は、

$$\frac{1}{635,013,559,600}=0.000000000001574\cdots$$

すなわち、1兆分の1・5になる。世界を見回しても、平均して6350億回に1回しか起こらない手札だ。

この答えを書き表すのに有益な方法がある。52枚のカードから13枚を選び出す方法の総数（52枚から13枚を選ぶ組み合わせの総数）は、

$$\frac{52!}{13!39!}=\frac{52!}{13!(52-13)!}$$

で求めることができるのだ。代数演算を使うと、異なるn個の集合からr個を選ぶ組み合わせの総数は、

$$\frac{n!}{r!(n-r)!}$$

と表せるので、この数は階乗を用いて計算できる。くだけた言い方をするなら、「n個からr個選ぶ」でよい。しゃれた表記をしたいなら、次のような**二項係数**

$$\binom{n}{r}$$

を使って表す。二項係数という名前は、代数学の二項定理に由来する。数ページ前の$(x+y)^4$の式を見てほしい。展開した各項の係数は1、4、6、4、1だが、これらはコイン投げを4回行って、表が出る回数が0回、1回、2回、3回、4回になる並べ方の総数とそれぞれ同じである。4回の数字を別の整数で置き換えても同様のことが言える。

コインとサイコロの確率分布

理論武装ができたので、コインを10回投げたときの1024通りの表と裏の系列をもう一度見てみよう。すでに分類したように、表が4回出る系列は210通りある。組み合わせを使えばこの数字が求められるが、どのように計算すればよいかは判然としない。これは、繰り返し現れてもよい記号を順序づけて並べる系列であり、これまで検討してきた系列とはずいぶん違ったものに見える。ここでは、4つの表が系列の何番目の位置に来るかを考えるのがコツだ。ふむ、1、2、3、4番目ならば、表表表表に6つの裏が続くだろう。1、2、3、5番目ならば、表表表裏表のあとに5つの裏が続く。どの位置だろうと、4つの表が現れる位置は、1、2、3、……、10の中から4つの数字を選んで表せる。つまり、10個の数字から4個を選ぶ組み合わせの数だ。そうとわかれば、計算の仕方はもう知っている。

$$\frac{10!}{4!(10-4)!}=\frac{10!}{4!6!}=210$$

まるで魔法だ！　このような計算を繰り返せば、すべての組み合わせが求められる。

$$\frac{10!}{0!10!}=1 \quad \frac{10!}{1!9!}=10 \quad \frac{10!}{2!8!}=45 \quad \frac{10!}{3!7!}=120 \quad \frac{10!}{4!6!}=210 \quad \frac{10!}{5!5!}=252$$

これ以降は逆順で同じ数字が繰り返される。これは式からもわかるし、次のような説明もできる。たとえば6回表が出る場合で考えると、これは4回裏が出ることと同じである。4回裏が出る組み合わせの総数は、4回表が出る組み合わせの総数に等しいのは明らかだ。

これらの数字の一般的な「形状」を考えてみよう。最初は小さな値から始まり、真ん中で最大となり、再び小さくなる。全体を見ると、真ん中を中心に左右対称になる。表の出る回数に対して、対応

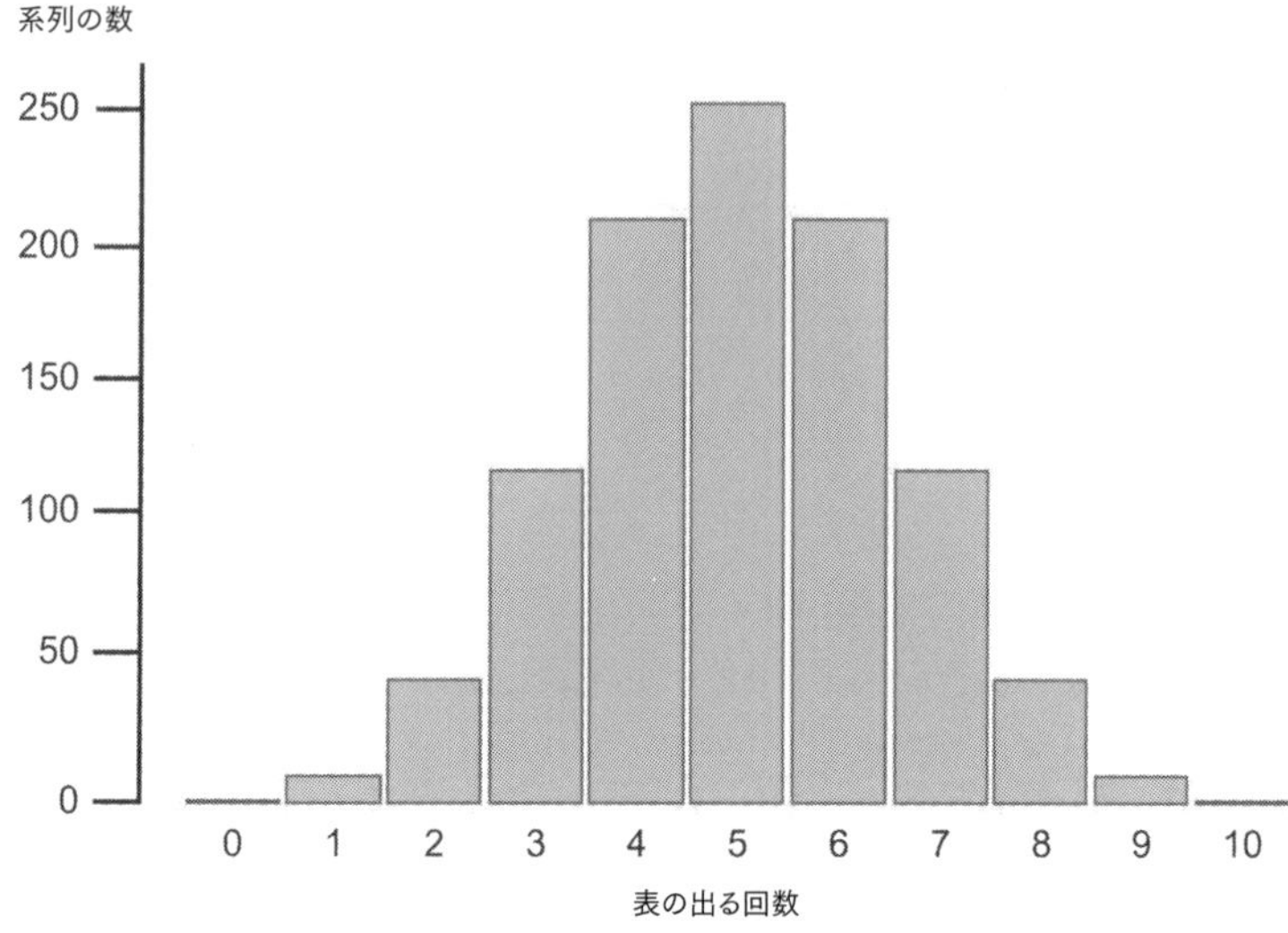

表と裏が等確率で出るコイン投げを10回試行したときの二項分布。縦軸の値を1024で割れば確率が得られる。

する系列の総数を棒グラフ（気取った言い方をすればヒストグラム）にプロットすると、このパターンは明瞭になる。

起こりうる事象に幅があるシステムに対して、ランダムに計測して得られる値を、**確率変数**と呼ぶ。確率変数がとる値と、その値をとる確率とを結びつけて表したものを、**確率分布**と呼ぶ。ここでは「表の出る回数」が確率変数、棒グラフが確率分布に対応する。ただし確率を表すためには、棒グラフの縦軸の値を1024で割らなければならない。二項係数と関連することから、この確率分布を特に**二項分布**と呼ぶ。

問題が変われば、分布の形状も変わる。たとえばサイコロ投げの場合には、1、2、3、4、5、6のいずれかの目が出て、それぞれの起こる確率は等しい。このような分布を一様分布と呼ぶ。

二つのサイコロを投げ、出た目を足し合わ

せると、和は2から12までの値をとり、それぞれの出方を列記すると次のようになる。

2＝1＋1　1通り
3＝1＋2, 2＋1　2通り
4＝1＋3, 2＋2, 3＋1　3通り
5＝1＋4, 2＋3, 3＋2, 4＋1　4通り
6＝1＋5, 2＋4, 3＋3, 4＋2, 5＋1　5通り
7＝1＋6, 2＋5, 3＋4, 4＋3, 5＋2, 6＋1　6通り

和が増えるごとに、出方は1通りずつ増えるが、これ以降は減っていく。これは1、2、3、4、5が順に出なくなっていくからだ。

8＝2＋6, 3＋5, 4＋4, 5＋3, 6＋2　5通り
9＝3＋6, 4＋5, 5＋4, 6＋3　4通り
10＝4＋6, 5＋5, 6＋4　3通り
11＝5＋6, 6＋5　2通り
12＝6＋6　1通り

それゆえ、これらの総和に対する確率分布は三角形のような形になる。図ではこれらの数字を棒グラ

フにしたので、ご覧いただきたい。対応する確率を得るには、縦軸の値を組み合わせの総数である36で割ればよい。

三つのサイコロを投げ、出た目の総和を求めて確率分布のグラフにすると、形状は丸みを帯び、まったく同じではないが、二項規分布のように見え始める。投げるサイコロの数を増やすと、その目の和はさらに二項分布に近づく。なぜこうなるかは、5章で扱う中心極限定理で説明できる。

コイン投げはランダムか？

コインとサイコロはともに、偶然性（ランダムネス）の象徴的な存在である。「神は宇宙相手にサイコロ遊びなどしない」というアインシュタインの言葉は有名だ。あまり知られていないが、これは彼が語ったそのままの言葉ではない。だが、彼の主張の意図するところは同じだ。アインシュタインは、宇宙の法則に偶然性が含まれているとは考えなかった。だから、彼が偶然をたとえるのに間違った象徴を選んだのかもしれないと気づくと、ハッとする。コインとサイコロには、知られたくない秘密が隠されている。実は、この二つは私たちが考えるほどランダムではないのだ。

2007年に、パーシ・ダイアコニス、スーザン・ホームズ、リチャード・モンゴメリーは、コイン投げの動力学〔物体が動くメカニズム〕について研究した。[1] 彼らは物理的な実体として、コイン投げ機を構築することから始めた。この機械で空中に弾き出されたコインは、自由回転し、弾むことなく平らな表面に着地する。彼らはコイン投げを高い精度で制御できるように機械を組み上げた。そのため、コインの表を上にして機器にセットすると、中空でどれだけ回転しても、必ず表を上にして着地する。裏を上にしてセットすると、必ずコインの裏が出る。この実験によって、コイン投げはあらか

投げ方の数
5
0
2
3
4
5
6
7
8
9
10
11
12
二つのサイコロの目の和

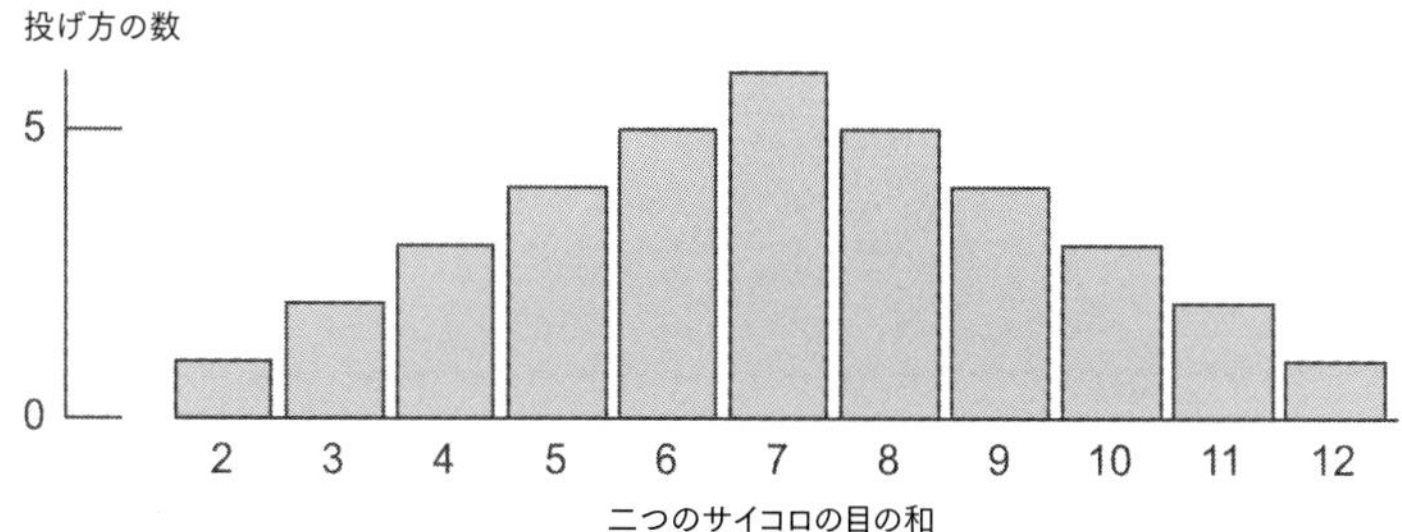

二つのサイコロを投げて得られる総和。縦軸の値を36で割れば確率が得られる。

投げ方の数
25
20
15
10
5
0
3
4
5
6
7
8
9
10
11
12
13
14
15
16
17
18
三つのサイコロの目の和

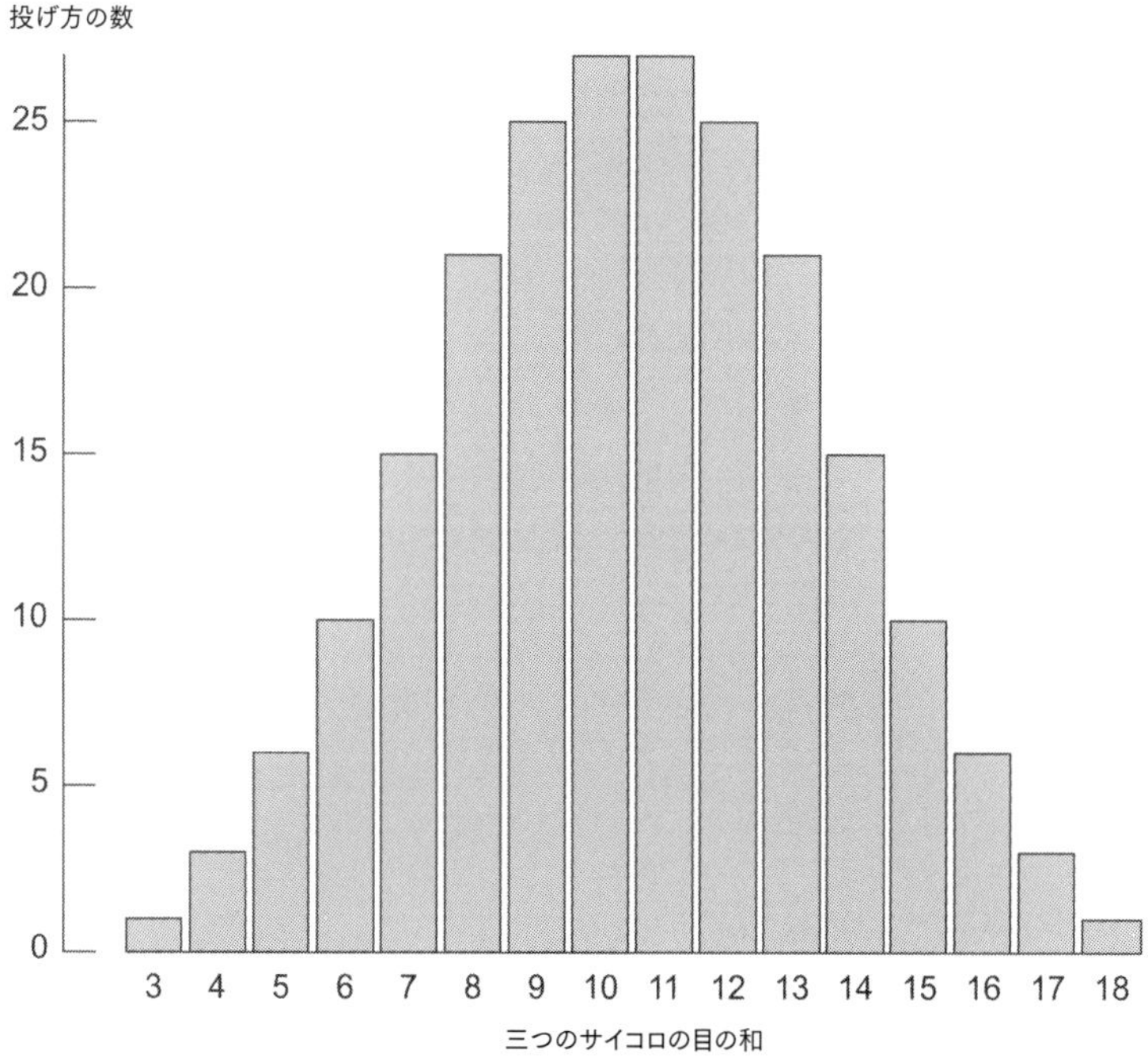

三つのサイコロを投げて得られる総和。縦軸の値を216で割れば確率が得られる。

じめ決められた力学的なプロセスであり、ランダムではないことが明らかになった。

応用数学者のジョセフ・ケラーは、ある特別な場合について解析した。中空に投げられたコインが、完全な水平軸を中心にして何度も回転したあとで、人の手の上に落ちる、という場合だ。ケラーの数理モデルによると、コインの回転が十分速く、中空での滞在時間が十分長ければ、初期条件にほんの少し変動を加えるだけで、表と裏の出る割合が等しくなる。つまり、表が出る確率は、期待される1/2の値にとても近くなり、裏が出る確率も同様となる。その上、表か裏を常に上にして弾き出しても、この確率は変わらない。したがって、勢いよく弾き飛ばされたコインは、ケラーのモデルが仮定した特別な回転の仕方をする限りは、ランダムな挙動を示すのである。

その一方で、同じくらい強く弾き飛ばしたコインが、アナログレコードの回転盤のように、垂直軸まわりに回転する場合も考えられる。弾かれたコインは中空を舞ったあとに落下するが、決してひっくり返ることはなく、手を離れたときとまったく同じ面を上に向けた状態で常に着地する。現実のコインはこの二つの場合の中間にあり、水平でも垂直でもない軸のまわりを回転する。イカサマをしない限りは、おそらく水平に近い軸を回転するだろう。

話をわかりやすくするため、常に表を上にした状態でコイン投げを始めることにする。ダイアコニスの研究チームによると、コインがケラーの仮定に厳密に従い、完全に水平な軸のまわりを回転する(実際には不可能だが)ことがない限り、全体の半分以上の割合で、コインは表が上になった状態で着地する。人が普通のやり方でコインを投げる実験では、表が出る割合は全体の約51%、裏が出る割合は約49%だった。

「公平」であるはずのコインが実は公平ではないと案ずる前に、他の三つの要素を考慮に入れなければばならない。一つ目として、人間は機械ほど正確にコインを投げることはできない。二つ目としてさらに重要なことに、人間は常に表を上にしてコインを投げたりしない。表か裏をランダムに上にしてコイン投げを始める。そのおかげで、最終的に表か裏が出る確率は均等化され、結果は半々に（とても近く）なる。等しい確率を作り出すのは投げる操作ではない。コイン投げをする人間が、コインを弾く前に親指に載せるときに、無意識にランダムネスを作っているのだ。自分が優位に立ちたければ、正確にコイン投げができるようになるまで練習して、出てほしい面を常に上にしてコインを投げればいい。三つ目として、こうした可能性をうまく排除するためには、通常のコイン投げの手続きにもう一つランダムネスを導入すればいい。一人がコインを投げ、もう一人はコインが宙を舞う間に表か裏を宣言するのだ。コインを投げる人は、相手がどちらを選ぶか事前にはわからないので、投げるときにコインの面を選んで確率に影響を及ぼすことはできない。

サイコロ投げはランダムか？

コイン投げよりもサイコロを振る方が複雑だ。起こりうる結果の数が多いからである。ただし、サイコロの問題を同様に検証してみてもよいだろう。サイコロを振るとき、どの面が上にくるかを決める最重要な要素は何だろう？

可能性はたくさんある。空中でどれだけ速く回転するか？　何回跳ね返るか？　２０１２年にマーシン・カピタニアックらは転がるサイコロについて、空気抵抗や摩擦などの要素を含めた詳細な数理モデルを構築した。[2] 彼らは角の尖った、数学的に完全な立方体としてサイコロをモデル化した。そしてモデルを検証するため、転がるサイコロの高速動画を撮影した。研究でわかったのは、これらの要素よりもはるかに単純なことの方が重要ということだった。それは、サイコロの初期配置だ。1の面が上になった状態でサイコロをつまんで転がすと、1が出る回数が他の面よりもわずかに多くなった。サイコロの各面が対称であることを考えると、1以外の目についても同じことが言える。

従来の仮定では、サイコロが「公平」であれば、それぞれの目が出る確率は1/6＝0.167にならなければならない。理論モデルによると、テーブルが柔らかく、サイコロが跳ねない極端な条件では、開始時に上を向いていた面が転がしたあとも上を向いている確率は0・558となり、0・167よりもはるかに大きな値になる。設定をもっと現実的にして、4回か5回跳ねると仮定すると、この確率は0・199となる。これでも有意に大きい。サイコロが空中で高速回転する場合、あるいは着地後に約20回跳ねる場合にようやく、確率は0・167に近づく。速さ、方向、初期配置を高い精度で設定できる特別なサイコロ投げ機を用いた実験でも、同様の結果が得られることが示された。

5 情報が多すぎる

確実なのは、合理性のある確率だけだ。

エドガー・ワトソン・ハウ『罪人の説教』

カルダーノの『サイコロ遊びについて』は、パンドラの箱の中をのぞき見した。ベルヌーイの『推測法』は、箱の中身を詳らか（つまび）にした。確率論はそれまでの流れを一変させた。ギャンブルゲームで使われたことを考えれば、文字通りゲームチェンジャーだったと言えよう。だが、偶然の出来事が起こる確率を査定するという考えは非常に急進的だったので、皆がよく理解するまでには長い時間を要した。確率論の応用分野と言ってよいであろう統計学が脚光を浴びるようになったのは、つい最近のことだ。その「前段階」に当たる進展があったのは1750年頃のことで、最初の大きなブレークスルーは1805年にもたらされた。

統計学は、天文学と社会学というまったく異なる二つの分野から生まれた。この二つの分野に共通するのは、不完全な観測データから有益な情報を抽出しなければならないということだ。天文学者たちは、惑星や彗星などの天体の軌道を見つけ出そうとした。その結果、天体における現象を説明する数理モデルを検証できるようになったほか、実用上の問題（特に、海上での航海）に応用することもできるようになった。確率論の社会学への応用は少し遅れて、１８２０年代後半にアドルフ・ケトレーの研究で現れた。

天文学と社会学にはつながりがあった。ケトレーは、ブリュッセルにある王立天文台で天文学と気象学を研究していたが、その一方でベルギー統計局の地方調査員としても活動しており、科学的に高い評価を得ていた。ケトレーの仕事には1章を割くだけの価値があるので、その考えについては7章で説明することにする。本章では、天文学からどのように統計学が生み出されたかという点に的を絞ることにしよう。天文学は統計学の確固とした基礎を構築し、その際に生み出された方法のいくつかは現在でも用いられている。

天文学と多すぎるデータ

18世紀および19世紀における天文学の研究対象は、主に月と惑星の運動であり、その後、彗星や小惑星に対象を広げていった。天文学者はニュートンの万有引力の法則を用いることによって、高い精度を持った数理モデルでさまざまな公転運動を表すことができた。そこで最大の問題になったのが、数理モデルと観察結果との比較だった。望遠鏡は数十年の間に精度が向上し、機器も改良されていた。だがそうした道具を使ってデータを集めても、恒星や惑星の位置を寸分の狂いなく測定することは不可能であったため、すべての観測結果には制御不能な誤差が含まれていた。たとえば、温度変化が機器に影響を及ぼしたし、地球の大気は絶え間なく変わり、それによって光が屈折するため、望遠鏡が捉える惑星の像にはブレが生じた。さまざまな計測機器を動かすのに使われているネジにはそれぞれわずかな誤差があり、つまみをひねって動かそうとしても、反応するのに時間がかかる。同じ機器で同じ観測を繰り返しても、得られる結果は少しずつ異なることが多かった。

計測機器の精度が向上しても、知識の限界を常に押し広げようとする天文学者たちにとっては、根本的な問題解決にはならなかった。理論を進展させるには、それまで以上に精度の高い観測が必要だった。そんななか、天文学者に幸いするはずの要素が一つあった。それは、同じ天体を何度も計測するという技能である。だが残念なことに、当時の数学の技法は、そうした繰り返される観測には向いていなかった。データが多すぎると、問題を解決するよりもむしろ問題を生み出すようだった。今にして思えば、当時の数学者の知識は確かに正しくはあったのだが、誤った方向に導くものでもあった。つまり、違う問題を解く方法を使っていたのだ。数学者は天文学者と同様に、新しい方法を見つけてこの難題を乗り越えたが、その斬新な考え方が皆に十分に理解されるまでには時間がかかった。

数学者たちを誤った方向に導いた二つの技法は、代数方程式の解と誤差解析で、どちらも当時すでに確立されていた。私たちは学校で「連立方程式」の解き方を学ぶ。例を挙げると、

$$2x-y=3,\quad 3x+y=7$$

という連立方程式を解くと、答えは

$$x=2,\quad y=1$$

になる。xとyの値を求めるには、2つの方程式が必要である。1つの方程式では、2つの変数の関係を規定することしかできないからだ。未知の変数が3つある場合、唯一の解を得るには3つの方程式が必要である。未知変数の数がもっと多くなっても、このパターンは拡張できる。すなわち、未知数と同じ数の方程式が必要だ（ただし、技術的な条件として、互いに矛盾する方程式の組を排除しなければならない。また、ここで論じているのは「線形の」方程式で、x^2やxyなどの項は含まない。でも、こうした詳細に深入りするのはやめておこう）。

代数学の最悪の特性は、未知変数の数よりも多くの方程式がある場合には、原則として解が存在しないということである。専門用語では、このような問題は「優決定系」と呼ばれる。未知変数に関する情報が多すぎ、それらが矛盾している状況だ。たとえば先に挙げた連立方程式の問題に、$x+y=4$も付け加えると、問題が生じる。なぜなら他の2つの方程式から、すでに答えは$x=2, y=1$となっているので、$x+y=3$となるからだ。これはまずい。追加された方程式が問題を起こさないのは、その式が最初の2つの方程式から得られた結果と整合するときだけだ。第三の方程式が$x+y=3$や、それと等価な$2x+2y=6$であったならば、何の問題もない。しかし和がそれ以外の値のときは問題だ。したがって、追加される式は、他の式に適合するものでなければならない。

誤差解析では、単一の式、たとえば$3x+y$に注目する。$x=2$および$y=1$だとわかっていたら、この式の答えは7である。しかし、xが1・5と2・5の間の値をとり、yが0・5と1・5の間の値をとることしかわからないと仮定しよう。このとき、$3x+y$について何が言えるだろう？　そうだな、この場合、xとyがとりうる値のうち、それぞれが最大の値をとるときに、次のようにしてこの式の最大値が得られる。

$$3\times2.5+1.5=9$$

同様に、xとyがとりうる最小の値をとるときには、次のようにして最小値が得られる。

$$3\times1.5+0.5=5$$

したがって、$3x+y$が7 ± 2の範囲に存在することがわかる（ここで±は「プラスかマイナス」を意味し、可能な値の範囲は$7-2$から$7+2$までとなる）。**誤差**の最大値と最小値を組み合わせれば、同様の結果がもっと簡単に得られる。ここでは、xとyのそれぞれの誤差は±0.5であるから、$3x+y$の誤差の範囲は次のようになる。

$$3\times0.5+0.5=2,\quad 3\times(-0.5)-0.5=-2$$

18世紀の数学者は、このことをすべて知っていた。変数同士の乗算や除算が含まれる場合や、負の値が推定にどう影響するかについても、より複雑な公式で誤差を解析することができた。これらの公式は、当時最も強力な数学理論であった「微分積分」を使って導き出されていた。そうした研究から判明したのは、誤差を含む数を複数組み合わせると、結果に含まれる誤差はもっと大きくなる、ということだった。先ほどの例では、xとyの単体では±0.5だった誤差が、$3x+y$では±2の誤差となる。

オイラー、多すぎるデータに挑む

では、あなたが当代きっての数学者で、8つの未知数を含む75個の方程式に遭遇したと想像してほしい。この問題で、すぐに「わかる」ことは何だろう？

自分がとても困った状況に陥っていることはすぐにわかるだろう。8つの未知数を見つけるのに必要な数より67個も多い方程式があるのだから。すぐにできるのは、8個の方程式だけを解き、その答えが（奇跡的に）残りの67個の式に適合するかを検証することだ。（もし理論式が正しく、）観測が非常に正確であったならば、整合がとれているだろうが、これらの数は観測値なので誤差は避けられない。実際、私が想定している例では、最初の8個の式の答えは、それ以外の67個の式に合致しなかった。それらは近い値をとるかもしれないが、十分に近いとは言えない。いずれにせよ、75個の式から8個を選ぶ方法は170億通りある。どれを選べばいいだろう？

方程式を組み合わせて数を減らす戦略をとることはできるが、当時の見解に従えば、式を組み合わせると誤差は増大してしまう。

こうした事態は実際に起こった。この問題に直面した数学者は、史上最も偉大な数学者の一人、レオンハルト・オイラーだった。1748年、フランス科学アカデミーは、毎年恒例の数学の懸賞問題を発表した。その2年前、エドモンド・ハレー（彼の名を冠した彗星で有名な天文学者）はあることに気づいた。それは、木星と土星は、交互に影響を及ぼし合っているため、どちらかが存在しなかった場合よりも、軌道速度が少し速く（あるいは遅く）なっている、ということだった。そして、万有引力の法則を用いてこの効果を説明せよ、というのが懸賞問題の課題だった。オイラーはいつも通り懸賞に応募し、１２３ページに及ぶ研究論文を提出した。彼の理論の主要な成果は、８つの「軌道要素」（木星と土星の軌道に関係する量）を結びつける方程式を編み出したことだった。そして、理論と観測結果を比較するために、これらの軌道要素の値を見つけ出す必要があった。観測結果には事欠かなかった。彼は１６５２年から１７４５年までの天体観測の保存記録から、75個の観測結果を見つけ出した。

このようにして、８つの未知数を持つ75個の方程式が得られた。これはとてつもない優決定系だ。オイラーはどうしたのだろう？

彼はまず方程式を操作して、８つの未知数のうちの２つの値を求めた。この２つについては、彼には正しいという確信があった。それができたのは、59年ごとにデータがとても似通った値になる傾向があると気づいたからだった。したがって、（59年隔てた）１６７３年と１７３２年のデータを使った式はとても似ており、一方からもう一方を引くと、２つの重要な未知数だけが残った。（59年の倍である１１８年隔っている）１５８５年と１７０３年のデータでも同じことが起こり、同じ２つの未知数が残った。２個の方程式に２つの未知数であれば問題ない。オイラーはこれら２個の方程式を解いて、２つの未知数を推定した。

これでオイラーの手元には、以前と同じ75個の方程式と、未知数が６つ残るのみとなった。だが、そのせいで問題がさらに難しくなってしまった。方程式の優決定性がさらに強くなってしまったのだ。彼は残りのデータに対して同じ解法を試みたが、未知数の大部分が消えるような式の組み合わせを見つけることはできなかった。彼はがっかりしてこう記した。「これらの式から結論づけられるものは何もない。その理由はおそらく、私が観測結果に正確に合わせようとしたためだ。実際には、観測を近似的に満たすだけでよかったのだ。そして、これによって、誤差は自己増幅してしまった」。ここでオイラーは「式を組み合わせると誤差が拡大する」という、誤差解析でよく知られた事実にはっきり言及している。

この後、彼は式をいじくり回したが、その甲斐もなく徒労に終わった。統計学者で歴史学者のスティーヴン・スティグラーは、「オイラーは手探りで解を探すしかなかった」と述べ、天文学者のヨハン・トビアス・マイヤーが1750年に行った解析とは対照的だと指摘した。マイヤーの解析とは、次のようなものだ[(1)]。月は常に同じ面を地球に向けているとよく言われるが、これは少し単純化された見方である。月の裏側の大部分は常に隠れていて見えないが、地球の方を向いた面は、多様な現象による効果でわずかに揺らいでいるように見える。このような揺らぎは秤動(ひょうどう)と呼ばれ、マイヤーの興味を惹いた。

1748年から1749年の約1年の間に、マイヤーは月面のいくつかの特徴的な地形、特にマニリウスと呼ばれるクレーターの位置を観測した。1750年の論文では、3つの未知数を含む方程式を編み出し、自分の観測データを使って未知数を求めることによって、月の軌道に関するいくつかの特徴を推定した。そして彼もまた、オイラーを悩ませたのと同じ問題に直面した。というのも、彼の手元には27日分の観測データがあったからである。つまり、3つの未知数を含む方程式が27個あったわけだ。そして、彼はオイラーとはかなり違う方法でこの問題に取り組んだ。彼はまず9日分の観測データを1グループとして、全データを3つのグループに分けた。それから、各グループで9個の方程式をすべて足し合わせ、1個の式にした。その結果、3つの未知数を含む3個の方程式が得られた。

これは優決定系ではないので、通常の方法で解くことができる。

この手続きはやや恣意的であるように思える。3つのグループをどのように選べばよいのだろう？　マイヤーの選び方は（恣意的ではなく）筋道立っており、似ているように見える式を選んで同じグループに分けていた。これは実践的で、理にかなった方法だった。このようにグループ分けをすることで、この類の問題を解くときの悩みの種である「数値不安定性」を避けることができたのだ。互いにとてもよく似ている大量の方程式を解く場合、最終的には大きな値を小さな値で割ることになり、それによって誤差が非常に大きくなる可能性がある。彼はそのことに気づいていたのだ。それは、次の言葉からわかる。「［このようなグループの選び方の］利点は、3組の式の違いをできるだけ大きくできることだ。違いが大きいほど、より正確に未知数の値を決定できる」。マイヤーの方法は非常に合理的に見えるため、それがどれだけ革新的だったのかわかりにくいかもしれない。実際には、このようなことをした人は、それまで誰ひとりとしていなかったのだ。

だがちょっと待てよ。9個の方程式を組み合わせると、誤差は拡大するのではないか？　それぞれの式について誤差がほぼ同じならば、9個の式を組み合わせることで、全体の誤差は9倍になるのではないか？　マイヤーはまったくそうは考えなかった。「9回の観測で得られた値は、……9倍正確だ」と彼は主張した。つまり、誤差は9倍になるのではなく、9分の1になるのだ。

彼の考えは間違っていたのだろうか？　あるいは、古典的な誤差解析に誤りがあったのか？　どちらにも多少の真実が含まれていた、というのが答えだ。統計的な観点から考えると、要点は、当時の誤差解析が最悪の状況を重視していたことにある。つまり、個々の誤差がすべて組み合わさって、誤差の総和が最大になる状況を重視していたのである。しかし、これでは誤った設定の問題を

（正しく）解くことになってしまう。天文学者が必要としていたのは、典型的なあるいはもっとも確からしい全体の誤差である。そして、そこにはたいてい反対の符号を持つ誤差も含まれるので、ある程度は互いを打ち消し合うのだ。たとえば、10個の観測値があり、それぞれは5±1の値、すなわち4か6をとるとしよう。そうすると、10個の観測値の総和は40から60の範囲に存在することになり、正しい総和が50であるのに対して、誤差は10である。実際の観測では、約半数の観測値が4、残りの半数が6、という形になるだろう。もし観測値が4と6で正確に半々になれば、総和は50になるので、これは正しい総和にぴったりと一致する。また、たとえば10個の観測値のうち4になったのが6個、6になったのが4個ならば、総和は48となり、これも悪くない。個々の観測値はすべて20％の誤差を含んでいるのに、全体の誤差はたった4％でしかない。

マイヤーのアイデアは正しかったが、技術的には一つだけ小さな誤りがあった。それは「9回の観測で得られた値なら、総和の誤差は9で割る」という主張だ。その後、統計学者によって、9の平方根である3で割るべきだということが発見された（これについては、もう少しあとで説明する）。しかし、マイヤーの方向性は正しかった。

ルジャンドルと最小二乗法

優決定系に対処するマイヤーの方法は、オイラーの方法（実際には、方法と呼べるような代物ではなかったが）よりも体系的であり、正しく観測値を組み合わせれば、精度を悪化させるのではなく、改善できるという重要な洞察を含んでいた。この技法を最終的にまとめ上げたのはアドリアン＝マリ・ルジャンドルで、1805年の小論文『彗星の軌道決定のための新方法』の中で発表された。ルジャンドルは問題を次のように定式化し直した。線形方程式の優決定系が与えられたとき、これらの式を満たす未知数のうち、全体の誤差を最小にするものはどれか？

この考え方で、流れは完全に変わった。誤差を完全に取り除くことはできないが、誤差を許容してよいならば、常に答えを見出すことができるからだ。重要なのは、誤差をどれだけゼロに近づけられるかだ。当時の数学者はどうすればこの問いに答えられるかを知っていた。微分積分を使えばいい。あるいは、代数計算を使うだけでも解ける。だがその前に、もう一つすべきことがある。全体の誤差の定義だ。ルジャンドルは最初、個々の誤差をすべて足せばよいと考えたが、あまりうまくいかなかった。たとえば正解が5であるときに、4と6という値を得たとしよう。その場合、それぞれの誤差は−1と+1である。この二つの誤差を足すと0になる。正の誤差と負の誤差は相殺されるのだ。これを防ぐため、ルジャンドルはすべての誤差を正の数に変換する必要があった。

そうするには、誤差をその絶対値で置き換えればよい。つまり、負の誤差の符号を反転させるのだ。残念ながら、このように定式化すると面倒な代数計算が現れ、きれいな解が得られない（現在ではコンピュータを使って計算できる）。絶対値を使う代わりに、彼はすべての誤差を二乗して、それらを足し合わせた。正の数も負の数も二乗すれば常に正になるし、二乗の計算は代数でも扱いやすい。誤差の二乗の総和を最小化するのは簡単だ。単純な定式があるので、それを使えば解が得られる。ルジャンドルはこの技法を（フランス語で）「最小二乗法」と呼び、これで「真実にきわめて近似したシステムの状態を明らかにすることができる」と述べた。

この技法の一般的な応用として、数値データの集まりに直線を当てはめ、変数同士を関係づける問題を考えよう。数値データに二つの変数しかない場合、この問題はルジャンドルの問題と数学的に等価となる。たとえば、ガソリンの価格は原油価格とどう関係しているだろう? 本日の価格を調べると、1バレル〔1バレルは159リットル〕当たりの原油価格は52・36ドル、1リットル当たりのガソリン価格は1・21ポンドだったとしよう。そうすると、原油価格を横軸、ガソリンの価格を縦軸にとった二次元座標では(52.36, 1.21)という点となる。数日間ガソリンスタンドを訪れて、この二つの価格を20組集めることにする(実際の応用では、100組あるいは100万組になるかもしれない)。そして、未来のガソリン価格を未来の原油価格から予測したい、と考えたとしよう。二次元座標のグラフに20組の価格をプロットすると、散らばった点になる。そのグラフを見るだけでも、全体的な動向は見てとれる。当然のことではあるが、原油価格が高いほど、ガソリンの価格も高くなる(しかし、原油価格が下がっても、ガソリンの価格は同じままか、あるいは上がる場合もある。私の経験上、原油価格が上がるときにガソリン価格が下がることは決してない。原油価格が上がるとすぐにガソリン価格も上がるくせに、原油価格が下がっても、それがガソリン価格に反映されるのにはずっと時間がかかる)。

ルジャンドルの数学を使うと、もっと動向がつかめる。誤差の二乗の総和を最小にすることで、散らばった点の集まりの中を通り抜け、しかもそれぞれの点のできるだけ近くを通る直線を求めることができるのだ。この直線の方程式は、原油価格からガソリン価格を予測する方法を教えてくれる。たとえば、原油価格(1バレル当たりのドル)に0・012を掛けて0・56を足すと、ガソリン価格(1リットル当たりのポンド)に最も近い値になる。完璧ではないかもしれないが、可能な限り誤差は小さくなるだろう。変数の数が増えるとグラフはわかりにくくなるが、同じ数学技法を使って、考えうる最良の答えが得られる。

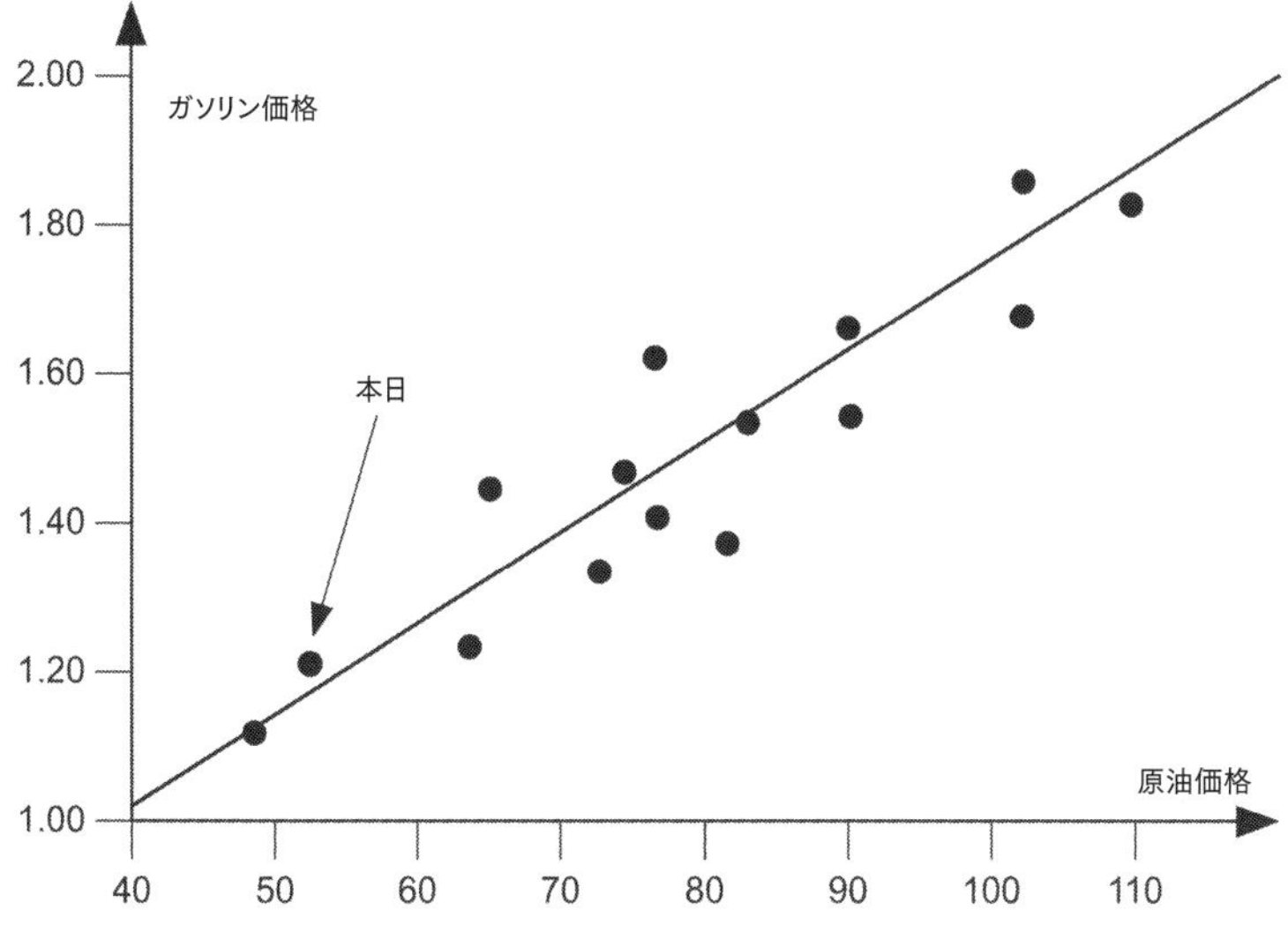

原油価格に対するガソリン価格の仮想データ。点がデータ、実線がデータに適合した線形関係を表す。

ルジャンドルのアイデアはとてもシンプルだが、本書で論じている「不確実性にどう対処することができるか？」という難問に役立つ答えを教えてくれる。彼の答えは、「不確実性をできる限り小さくせよ」だ。

もちろん、それほど容易なことではない。ルジャンドルの方法で得られる答えは、特定の尺度で測った誤差全体に対して「考えうる最良」なものではあるが、尺度が異なれば、誤差を最小にする直線も変わる。その上、最小二乗法には欠陥もある。誤差を二乗する技法で代数計算を見事に単純化できるのだが、「外れ値」に重きを置きすぎるきらいがあるのだ。外れ値とは、他の点に比べて直線から大きく外れた点のことだ。たとえば、すべてのガソリンスタンドで1リットルあたりの価格が1・20ポンドなのに、1軒のガソリンスタンドだけ、2・50ポンドだったとしよう。誤差を二乗すると、暴利を貪るガソリンスタンドの価格の誤差は、二乗しない場合よりもはるかに大きくなり、全体の誤差の評価式を歪めてしまう。実践的な解決策は、外れ値を捨ててしまうことだ。しかし、科学や経済学では外れ値が重要なときもあるので、それを破棄してしまうと要点を逃す可能性もある。たとえば、億万長者以外の人たちに関するデータをすべて捨ててしまったら、世界中の人々が億万長者であると証明できてしまう。

また、データを破棄することが許されるならば、あなたが証明しようとしていることと矛盾する観測結果は捨ててしまってもよいことになる。現在、多くの科学雑誌は、どの論文に対しても、関係するすべての実験データをオンラインで公表するように命じ、不正行為がないか誰でも検証できるようにしている。そうすれば不正がすべてなくなると期待しているわけではないが、公正な雑誌と見られるためにはいいやり方だ。それに、科学者が不正を行うことも実際にあるのだから、そうした行為を防ぐのに役立つ。

ルジャンドルの最小二乗法は、データの関係性を統計解析する決定的な方法ではない。しかし、最初の一歩としては十分であり、優決定系の方程式から意味のある結果を初めて抽出することができた、まさに体系的な方法だった。その後に一般化されると、より多くの変数が扱えるようになり、直線ではなく多次元の「超平面」をデータに適合できるようになった。一方で、変数が一つしかない場合でも最小二乗法は有効だ。1変数のデータの集まりが与えられたとき、最小二乗法の枠組みでデータに最も適合する値を一つ求めよ、という問題を考えてみよう。たとえば、与えられるデータ点が2、3、7のとき、データ点からの差の二乗の和を可能な限り小さくする値は何か？　ちょっと計算すると、それはデータの平均であることがわかる。すなわち、

$$\frac{2+3+7}{3}=4$$

となる。[2] 同様の計算をすれば、任意のデータの集まりに対して、最小二乗法で求められる最適な推定値は、データの平均であることがわかる。

ド・モアブルと正規分布

さて、物語の時間を巻き戻して、新しい話題を取り上げよう。4章で扱った二項係数は、数が大きくなると手計算が困難になるため、先駆者たちは精度の高い近似解〔誤差を含むが、厳密解に近い結果を与えるもの〕を模索した。今日でもよく用いられている近似解は、アブラーム・ド・モアブルによって発見された。彼は1667年にフランスで生まれたが、宗教上の迫害を逃れるために、1688年にイングランドに亡命した。1711年から確率に関する論文を発表し始め、1718年に考えを『偶然の学理』にまとめた。その段階では、彼はベルヌーイの洞察を経済や政治といった分野に応用するのを諦めていた。試行回数が膨大になると、二項分布を計算することが困難になるからだ。しかしその後すぐに、二項分布をより扱いやすいもので近似することによって、考えが進展し始めた。1730年に彼は予備的な結果を『解析集』にまとめ、3年後に完成させた。そして1738年に、この新しいアイデアを『偶然の学理』に加筆した。

彼は、分布の真ん中に位置する、最も大きな二項係数の近似値を求めることから始め、それがおよそ$2^{n+1}/\sqrt{2\pi n}$であることを発見した（nは試行回数）。それから、分布の真ん中から外側に向かって計算を行い、他の二項係数の値も推定しようと試みた。そして、1733年に近似式を導き出し、ベルヌーイの二項分布を「正規分布」と現在呼ばれているものに関係づけた。この式は、確率論と統計学のどちらにとっても、発展する上で欠かせない存在になる。

正規分布は、二項分布のようにエレガントな曲線を形成し、真ん中に頂点がただ一つある。頂点を中心に左右対称で、左右いずれの側でも中央から離れると急速に減少する。このため、この曲線で作られる総面積は有限となり、その面積は1となる。この形はどことなく釣鐘（ベル）の形に似ているため、別名「ベル曲線」と呼ばれる。正規分布は（飛び飛びの離散的な値ではなく）連続的な値をとる。これは、任意の実数（すなわち無限小数）の値がとれるということだ。正規分布は、特定の値が観測される確率を与えるものではない（同じことが、すべての連続的な変数の分布についても言える）。そのような確率はゼロである〔実数には無限の細かさがあるため、その値が観測される確率は0になる〕。その代わり、観測結果が与えられた値の範囲内に含まれる確率を教えてくれる。この確率は、その範囲の曲線の下の部分の面積に相当する（左の図を参照）。

統計学者はさまざまな形状を持つ正規分布曲線を利用する。そのため、平均と標準偏差に関わるパラメータを用いて、軸の「縮尺」を変える。このような曲線の定式は、

$$\frac{1}{\sqrt{2\pi\sigma^2}}e^{-(x-\mu)^2/2\sigma^2}$$

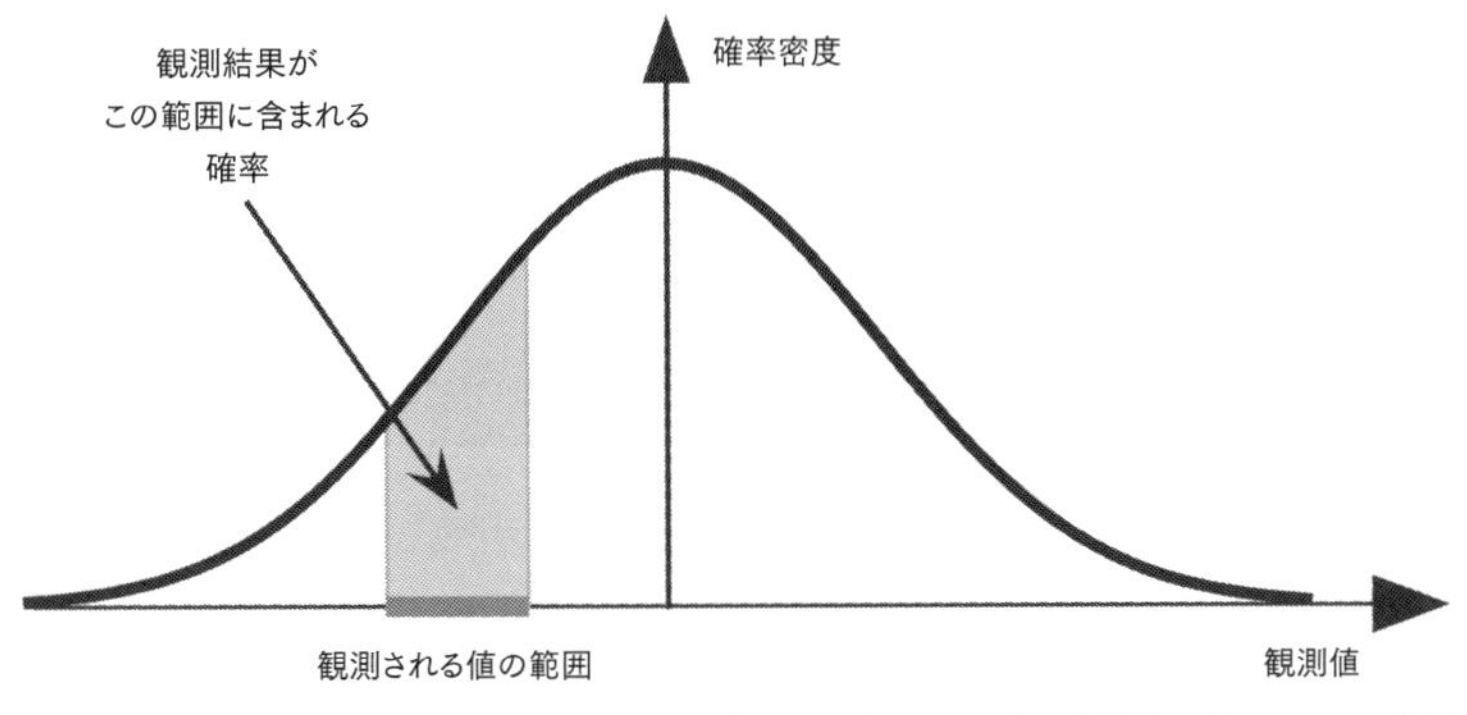

太線で示された値の範囲における正規分布曲線の下の部分の面積（斜線部分）が、その範囲で値が観測される確率に相当する。

で与えられ、$N(\mu, \sigma^2)$ と略記される。ここで、μ は平均で、曲線の中央にある頂点の位置に対応する。σ は標準偏差で、曲線の「広がり」、すなわち頂点まわりの領域がどれくらい広いかを測る。平均は、正規分布に従うデータの平均化された値を意味し、標準偏差は、平均を中心に値がどの程度散らばっているかを示す（標準偏差の二乗 σ^2 は分散と呼ばれ、こちらで計算する方が楽な場合もある）。π を含む因数によって、総面積は1に等しくなる。確率の問題に π が出てくるのは注目に値する。π は円との関係で定義されるのが通例だが、円が正規分布とどう関係しているかは明らかではない。いずれにせよ、この π は、円の直径に対する円周の長さの比とまったく同じ数である。

ド・モアブルの大発見は、試行回数 n が大きくなると、二項分布の棒グラフが正規分布 $N(\mu, \sigma^2)$ と同じ形になることだった（ただし、$\mu = n/2, \sigma^2 = n/4$）(3)。試行回数 n が小さいときでも、二項分布は正規分布にかなり近くなる。次のページの左側の図は、試行回数 $n=10$ の場合の二項分布の棒グラフとそれを近似した正規分布の曲線である。右側は、試行回数 $n=50$ の場合だ。

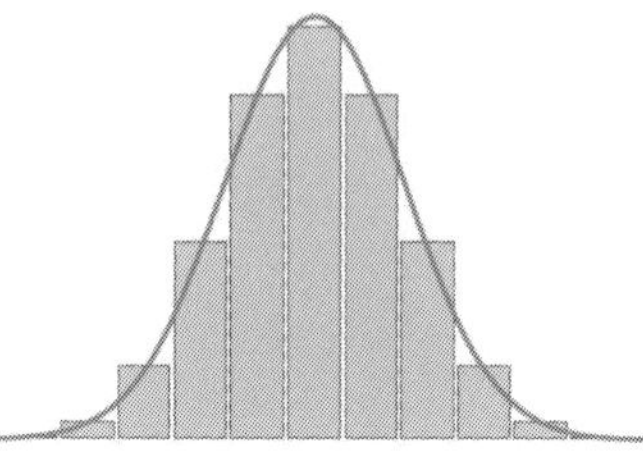

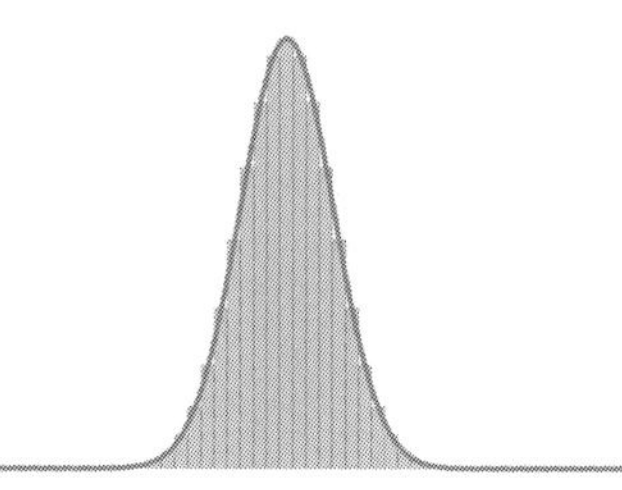

（左）表と裏の出る確率が等しいコイン投げを $n=10$ 回試行した場合について、二項分布を正規分布で近似し、重ね書きした結果。
（右）試行回数を $n=50$ にすると、近似はさらに近くなる。

ラプラスと中心極限定理

ピエール＝シモン・ラプラスは、天文学と確率論に強い興味を持ったもう一人の数学者である。彼は1799年から1825年にかけて出版された全5巻の大作『天体力学概論』に、ほとんどの時間を注ぎ込んだ。それでも、1805年に第4巻を刊行したあと、以前から考えていた問題に取りかかって完成させ、1810年にフランス科学アカデミーで発表した。ド・モアブルの仕事を大幅に一般化した彼の成果は、現在では「中心極限定理」と呼ばれている。この定理によって、正規分布は統計学および確率論で特別な役割を果たすことになった。ド・モアブルが示したように、試行回数が多い場合に二項分布は正規分布に近づくことをラプラスは証明した。さらには、同じ確率分布から抽出されたどんな確率変数の標本の総和も、正規分布に近づくことも証明したのだ。このときの確率分布は何でもよい。標本の総和を試行回数で割った平均についても同じことが言える。ただしこの場合、横軸の縮尺は調整しなければならない。

整理して説明しよう。天文学などで得られる個々の観測値は、誤差のために、ある範囲の中で変動する。こうした観測に伴う「誤差の分布」がわかれば、ある大きさの誤差がどれくらい起こりやすいかがわかる。しかし、誤差の分布がどうなっているかは、わからないことがほとんどである。そして中心極限定理によれば、観測を何度も繰り返してその平均をとれば、誤差分布がどうだろうと問題にならない。観測を繰り返し行えば、観測の平均が得られる。このような手続きを何度も繰り返すと、結果としてたくさんの平均が得られ、この平均自体も固有の確率分布に従う。ラプラスが証明したのは、この分布が常に正規分布に近づき、十分な回数の観測を組み合わせれば、よりいっそう正規分布に近くなるということだった。未知の誤差分布は、正規分布の平均と標準偏差に影響を及ぼすが、全体の形状には影響しない。実際のところ、正規分布の平均は誤差分布の平均と同じ値になり、正規分布の標準偏差は、誤差分布の標準偏差を観測回数の平方根で割ったものになる。観測回数が大きくなるほど、平均された観測値は平均値のまわりに密集するようになる。

これで、観測を9回組み合わせると誤差は1/9になるというマイヤーの主張がなぜ間違っていたのかがわかる。誤差を割るのは9ではなく、その平方根の3でなければならないのだ。

同じ時期に、ドイツの偉大な数学者カール・フリードリヒ・ガウスは、『天体運行論』（1809年に出版された天文学の大作）で最小二乗法を論じた際、ベル形の正規分布を用いた。彼は確率論を用いて最小二乗法の動機づけを行い、データに最も適合した直線を求めた。直線がデータに適合する確率を計算するためには、誤差曲線を表す式が必要だった。そこで、多数の観測結果を平均することで、真の値を最もよく推定できると仮定し、そのような誤差曲線は正規分布だと推論した。そして、直線の適合率（尤度）を最大化することによって、標準的な最小二乗の定式が導かれることを証明した。

これは奇妙なやり方だった。循環論法〔証明すべき結論を前提として用いる論法〕に陥っており、論理に欠落があるとスティグラーは指摘している。ガウスは、誤差が正規分布に従っていれば、平均（前出の通り、平均は1変数のデータに対する最小二乗推定だ）だけが「最も適合する」と主張した。一方で、観測結果を組み合わせて平均をとると、誤差の分布は正規分布になることがわかっている。つまり、誤差が正規分布に従うとする仮定は、最小二乗推定による平均化の操作で誤差が正規分布になることに後戻りしているのだ。後の論文で、ガウスは自分のアプローチを批判している。しかし、彼の出した結果にラプラスはすぐさま反応した。

その瞬間までラプラスは、自分の発見した中心極限定理が「データに最も適合する直線を求める問題」と関係するとは夢にも思わなかった。しかし、ここで初めて、彼は中心極限定理がガウスのアプローチを正当化することに気づいた。もしも観測誤差が多数の小さな誤差の組み合わせの結果であるならば（これは理にかなった仮定だ）、誤差曲線は（近似的に）正規分布に従うはずだ、と中心極限定理は示唆している。同様に中心極限定理は、最小二乗法（による平均化の操作）が、標準的な確率論の枠組みにおいて、最良の推定であることを示唆している。これは、誤差のパターンが一連のランダムなコイン投げで決まってくるようなものだ。表が出るたびに、観測値は正しい値よりもわずかだけ大きくなり、裏が出るたびに同じ分だけわずかに小さくなる。このようにして、最小二乗法と中心極限定理の物語は一つに整理され、まとめ上げられた。

4章で私たちは、1個、2個、3個のサイコロを振ったときの総和について考えた。中心極限定理を確認するために、これらのサイコロの分布の平均と標準偏差を計算してみよう。正規分布の図を見たとき、平均は真ん中に位置する。1個のサイコロの場合、真ん中は3と4の間、つまり3・5となる。2個のサイコロの場合、総和の平均は7だ。3個のサイコロの場合、総和の平均は10と11の間、つまり10・5になる。2個のサイコロを振ることは、1個のサイコロを2回観測することだと考えることができる。このとき、観測の平均を出すには、2回の観測値の総和を2で割ればよい。7を2で割ると3・5が得られ、これは1個のサイコロの平均に等しい。同様のことが3個のサイコロについても言える。10・5を3で割るとやはり3・5が得られる。これは、ある与えられた分布から観測された値の平均をとると、その分布の元々の平均と同じ値が得られることを示している。標準偏差は、1個、2個、3個のサイコロについてそれぞれ1・71、1・21、0・99となる。中心極限定理によると、これらの比率は1対$\frac{1}{\sqrt{2}}$対$\frac{1}{\sqrt{3}}$である。

正規分布と事象の起こりにくさ

正規分布が確率的なプロセスのよいモデルならば、正規分布を用いて、計測結果がある特定の範囲に含まれる確率を計算することができる。特に、観測値が平均からある特定の幅だけ隔たっている確率は、対応する正規分布曲線の下の部分の面積を計算して求めることができる。ここで求める面積は、どんな正規分布にも適用できる。正規分布の横軸は標準偏差σで縮尺できるため、標準偏差σを単位にして、知りたい範囲の幅を測ればよい。図の斜線部の面積の大きさからわかるように、約68%の確率で観測値は平均$\pm\sigma$の範囲に存在し、約95%の確率で平均$\pm 2\sigma$の範囲に存在する。これらの数字が意味するのは、観測結果と平均の差がσよりも大きくなる確率は32%であるのに対して、差が2σよりも大きくなる確率は、わずか5%ということである。次に示すように、平均との差が大きくなるほど、確率はより急速に減少する。

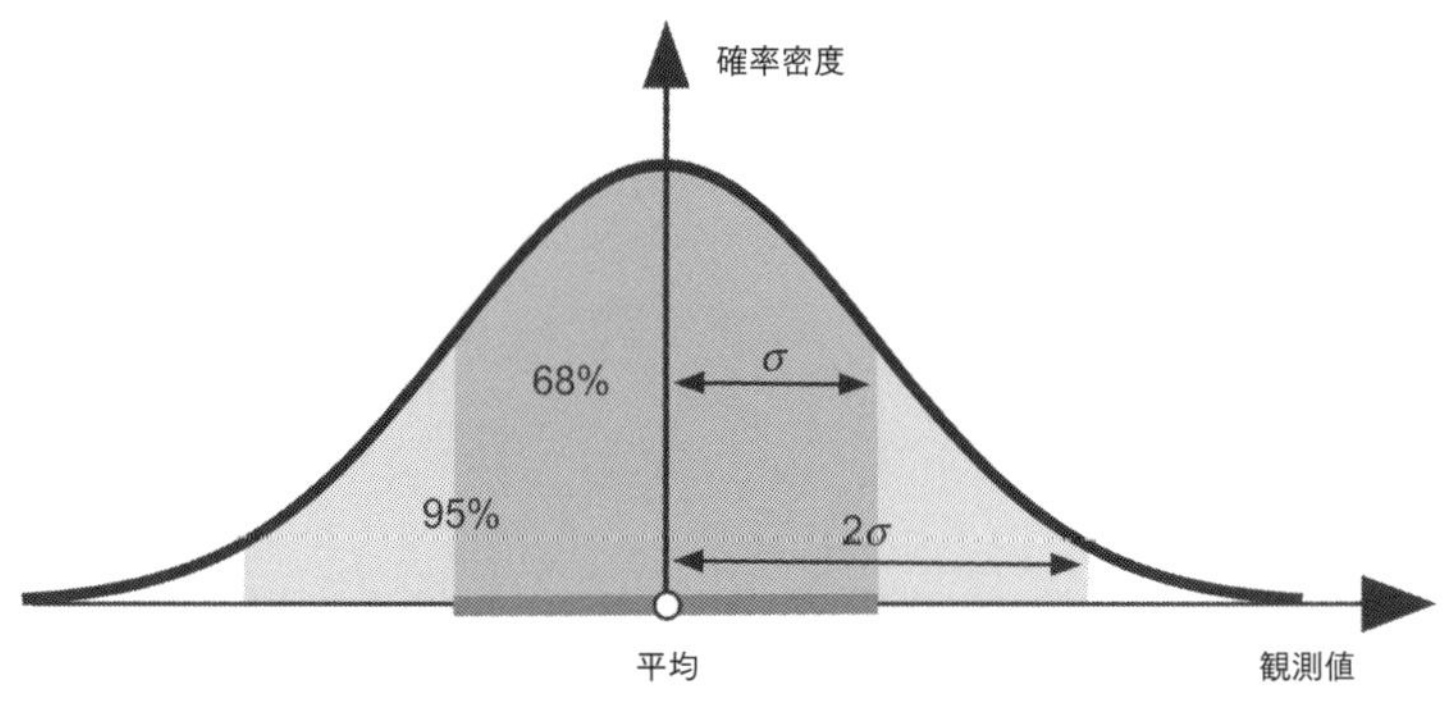

正規分布曲線では、平均は真ん中に位置し、標準偏差σは平均からの観測値の散らばり具合を示す。平均から±σの範囲内で事象が起こるのは、全体の約68%を占め、平均から±2σの範囲内で事象が起こるのは、全体の約95%である。

平均との差がσよりも大きくなる確率　31.7%
平均との差が2σよりも大きくなる確率　4.5%
平均との差が3σよりも大きくなる確率　2.6%
平均との差が4σよりも大きくなる確率　0.006%
平均との差が5σよりも大きくなる確率　0.00006%
平均との差が6σよりも大きくなる確率　0.0000002%

医学や生物学の研究では、平均との差が2σよりも大きい事象は興味深いもの、3σよりも大きい事象は決定的に平均とは異なるものと捉えられる。特に金融市場では、ある事象がどれくらい起こりにくいかを表すときにσが使われている。たとえば、数秒の間に株価が10%下落するといった事象は、「4シグマ（標準偏差四つ分のずれの事象）」というふうに表現される。このような事象の起こる可能性は、正規分布によると、わずか0・006%である。だが13章では、正規分布は必ずしも金融データを表すのに適しているとは限らない、という事例を見ることになる。金融システムでは、分布の「裾の厚さ（ファット・テール）」が原因で、正規分布が予測するよりもはるかに頻繁に、極端な事象が起こりうる。素粒子物理学では、新しい基本粒子の存在を示せるかどうかは、無数の粒子衝突から統計的な証拠を引き出すことにかかっている。重要な新発見も、それが統計的な偶然である可能性が5シグマのレベルより下がるまで、公表（論文出版やプレスリリース）する価値があるとは考えられない。これは、おおよそ100万分の1の確率でしか起こらない検出結果が得られたとしても、それを偶然と考えるということだ。2012年に検出されたヒッグス粒子についても、データが5シグマの信頼性に到達するまで発表されなかった。3シグマの結果はすでに予備段階で出ていたが、信頼性を上げるために、ヒッグス粒子の存在を検証するエネルギー範囲を狭める必要があった。

確率とは何か？

確率とは正確には何なのだろうか？　これまでのところ、私は曖昧にしか定義してこなかった。ある事象の起こる確率は、長い目で見ると、その事象が起こる試行の割合である。この「頻度論者」の解釈を正当化するのが、ベルヌーイの大数の法則だ。ただし、どんな一連の試行でも、事象の起こる割合には揺らぎが含まれるため、理論上の確率と一致することは稀である。

試行回数を大きくしていったときの（微積分的な意味での）極限の割合として、確率を定義してみよう。数列の極限（存在するならば）は、ただ一つの数である。試行を延々と続け、数列が十分長くなると、数列の項は極限に近づき、極限からの差はどんな（ただし小さい）誤差よりも小さくならなければならない。ここで問題になるのは、次のような非常に稀な試行が起こりうることだ。

表表表表表表表表表表表表表表表表表表表表

このように表が毎回出る試行もありうるし、大量の表の間に裏がまばらに散らばることもあるだろう。確かに、そのような系列は起こりそうにない。ただし不可能ではない。では、「起こりそうにない」というのはどういう意味だろう？　起こる確率がとても小さいということだ。どうやら正しく極限を定義するには「確率」の定義が必要であり、「確率」を定義するには、正しい極限の定義が必要なようだ。これは循環論法に陥っている。

やがて数学者たちは、古代ギリシャの幾何学者エウクレイデス（英語読みではユークリッド）から知恵を拝借するのが、この問題をうまく回避する方法だということに気づいた。確率とは何かについて頭を悩ますのはやめよう。その代わり、確率がやっていることを書き留めてみよう。より正確に言うなら、「確率にやってもらいたいこと」、すなわち、過去の研究から浮かび上がる一般原理を見つけるのだ。そうした原理は「公理」と呼ばれ、それ以外のすべての結果は公理から演繹される。したがって、確率理論を現実に応用したいならば、確率がある特定の形で現実に関わっているという仮説を立てる。そして、公理を用いて仮説の結果を計算し、実験結果と比較し、仮説が正しいかを確かめる。ベルヌーイが指摘した通り、大数の法則を用いれば、観測された頻度を用いて確率を推定することが正当化される。

コインの2面やサイコロの6面のように、起こる事象の数が有限のとき、確率の公理を考えるのは簡単だ。事象Aの起こる確率を $P(A)$ と書くと、主要な性質は以下のようになる。まずは正値性〔確率は正の値をとるという性質〕は、

$$P(A) \geqq 0$$

次に、全事象の確率は、

$$P(U) = 1$$

ただし、Uは全事象（起こりうるすべての事象）とする。加法定理は、

$$P(A\ \text{または}\ B) = P(A) + P(B) - P(A\ \text{かつ}\ B)$$

ここで第3項を引くのは、事象Aと事象Bが重なりを持つためである。重なりがない（AとBが排反な）場合には、

$$P(A\ \text{または}\ B) = P(A) + P(B)$$

と簡単になる。AまたはA^C（Aが起こらない事象のことを指し、Aの余事象と呼ぶ）は全事象Uに等しいことから、

$$P(A^C) = 1 - P(A)$$

二つの独立な事象A、Bが続けて起こるとき、両方が起こる確率を以下のように定義する。

$$P(A かつ B) = P(A)P(B)$$

この確率は、先に述べた規則（正値性、全事象の確率、加法定理）を満たすことが証明できる。これらの規則はカルダーノまで遡ることができ、ベルヌーイの研究でもはっきりと示されている。

ここまでは万事良好だが、ド・モアブルのブレークスルーがもたらした連続な確率分布によって、公理は複雑になる。計測値は整数とは限らないため、確率論を応用するには、どうしても連続的な値の分布も必要になるからだ。たとえば、二つの恒星のなす角度は連続型の変数で、0度と180度の間のどの値をとることもできる。計測がより正確になればなるほど、連続型分布の重要性が増してくる。

確率の公理を連続型分布に拡張する上で、役に立つ手掛かりがある。正規分布についての議論で、私は確率を面積で表せると述べた。したがって、面積の性質も公理化し、曲線の下の総面積は1という規則を付け加える必要がある。連続型分布に対して追加する主要な規則は、事象が無限に存在する場合でも機能する、次のような加法定理である。

$$P(A または B または C または \cdots) = P(A) + P(B) + P(C) + \cdots$$

ただし、A、B、Cなどの事象は互いに重なりがないと仮定する。「…」の記号は、両辺の項が無限に続きうることを示している。右辺で無限個の項の総和をとっても問題ない（収束する）のは、各項がすべて正の値をとり、総和が1を超すことはないからだ。この条件によって、微積分を用いた確率の計算が可能となる。

「面積」を、同じような振る舞いをする量に一般化するのも役に立つ。たとえば、面積を三次元に一般化したものが「体積」だ。確率を表す面積を一般化するには、確率を「測度」に対応させることが重要となる。測度とは、面積のようなものを、事象空間の適切な部分集合（「可測集合」という）に割り当てたもののことである。１９０１年～１９０２年にアンリ・ルベーグは積分理論に測度を導入し、１９３０年代にロシアの数学者アンドレイ・コルモゴロフはこの測度論を用いて、次のような確率の公理を作った。**標本空間**は、事象と呼ばれる部分集合を集めたものと、事象に対する測度Pからなる。公理によると、Pは測度であり、全体集合の測度は１（つまり、何かが起こる確率は１）となる。これ以外に必要なのは、事象の集まりが集合論的性質を満たし、測度は台（測度の値が0にならない点からなる集合）を持つ、という条件だけだ。まったく同じ設定は、集合が有限の場合にも適用できるが、この場合には無限個の事象をいじくりまわす必要はない。コルモゴロフによる公理の定義は、数世紀にわたる激しい論争を解決し、明確に定義された確率の概念を数学者にもたらしたのである。

より専門的に標本空間を表す際には、**確率空間**という用語を使う。統計学で確率論を応用するときには、起こりうる実際の事象の標本空間を、コルモゴロフの意味での確率空間としてモデル化する。たとえば、ある集団における男子と女子の比を調べるとき、実際の標本空間は、その集団に含まれるすべての子供たちだ。これに対して、四つの事象（空集合$\emptyset$、女子G、男子B、全体集合$\{G, B\}$）からなる確率空間を比較してみよう。もしも男子の確率と女子の確率が等しいなら、確率は、

$$P(\emptyset)=0, \quad P(G)=P(B)=\frac{1}{2}, \quad P(\{G, B\})=1$$

となる。

話をわかりやすくするため、実際の事象と理論モデルについてこれから言及するときには、いずれの場合も「標本空間」という用語を用いることにする。次の章で示すパズルのように、どちらの場合でも肝心なのは、適切な標本空間を選ぶことだ。

6　誤謬とパラドックス

熱烈に息子を欲しがる男たちは、父親になる予定月に（他の家庭に）男の子が生まれたことを知ると、不安に思うようだ。月末には、その月に生まれた男女比が等しくなるはずだと推測し、男の子が生まれると、次に女の子が生まれる可能性が高まると考えたからである。

ピエール＝シモン・ラプラス『確率に関する哲学的エッセー』

確率に対する人間の直感は絶望的だ。

偶然の出来事が起こる確率をすばやく推定するように促されると、たいていはまったく間違った答えを出す。プロの賭博師や数学者のように鍛錬を積めば改善はできるが、時間も労力も必要だ。何かが起こる確率を即断しなければならないとき、私たちの答えは誤っていることが多い。

2章で示したように、このようなことが起こるのは、論理に基づく反応をしていては危険に陥りかねない状況では、進化は「手軽な急場しのぎ」の方法を選ぶためだ。進化は偽陰性〔本当は陽性なのに、陰性の結果が出てしまうこと〕よりも偽陽性〔本当は陰性なのに、陽性の結果が出てしまうこと〕を好む。目の前にいる半分隠れた茶色の物体がヒョウか岩かを判断するときには、たった一度の偽陰性であっても、死を招いてしまうのだ。

この考えを裏付けるような、確率の古典的パラドックスがある（論理が自己矛盾しているという意味ではなく、「驚きの結果をもたらす」という意味でのパラドックスだ）。「誕生日のパラドックス」を考えてみよう。部屋の中に同じ誕生日の人が二人以上いる確率が50％を超えるには、何人集まればよいだろう？　１年は３６５日（２月29日のある閏年ではない）で、誕生日になる確率はどの日もすべて等しい（実際にはそうではないが、まあいいことにする）と仮定する。この問題を初めて考える人は、とても大きな数を選ぼうとする。１００人かもしれないし、あるいは３６５の約半分という理由で１８０人と答えるかもしれない。正解は23人である。なぜかそうなるのかを知りたければ、巻末の原注に根拠を示したので見ていただきたい(1)。誕生日の分布が一様でなければ、答えは23人よりも小さくなる可能性があるが、大きくなることはない(2)。

もう一つ、謎解き問題を出してみよう。ややこしくて、皆をしばしば混乱させる問題だ。スミス夫妻には二人の子供がいて、少なくとも一人は女の子である。話を簡単にするために、男子と女子の生まれる確率は等しいとし（実際には、男子の出生率の方が少し高いが、これは単なる謎解きで、人口統計の学術論文ではない）、子供は男の子か女の子のどちらかとする（性差別や染色体異常といった問題は無視する）。また、子供の性別は、独立な確率変数とする（ほとんどのカップルで正しいが、そうでない場合もある）。スミス夫妻に女の子が二人いる確率はいくつか？　答えは$\frac{1}{2}$ではない。$\frac{1}{3}$だ。

では、年上の子供が女の子であるとしよう。夫妻に女の子が二人いる確率はいくつか？　この場合には、答えは本当に$\frac{1}{2}$になる。

最後に、少なくとも一人は、火曜日に生まれた女の子だとしよう。夫妻に女の子が二人いる確率はいくつか？（1週間のすべての曜日で生まれる確率は等しいとする。現実にはそうではないが、それほど外れてもいない）。しばしの間、答えを考えてみてほしい。

本章では、他にもいくつか例を挙げて、確率が生み出すパラドックスのような結論や、誤った論証を検証していく。昔から好んで挙げられてきた例や、あまり知られていないものも扱う。そうした例を通して、「不確実性を扱うときには、きわめて慎重に考える必要があり、即断は禁物だ」ということを納得してもらいたい。たとえ不確実性に対処する効果的な方法があったとしても、使い方を間違えると、私たちを誤った方向に導きかねない。ここでの鍵となる「条件付き確率」という概念は、本書に通底するテーマである。

モンティ・ホール問題と条件付き確率

二者択一の問題を解くときに皆が共通して間違えるのは、「確率は五分五分で等しい」という定番の仮定を深く考えずに使ってしまうことだ。私たちは事象が「ランダム」であると軽い気持ちで言うが、その意味を検証することはほとんどない。たいてい「ランダム」とは「事象が起こる確率と起こらない確率とが同じ」ことだとみなしている。コイン投げのような、五分五分の確率だ。この章の2段落目の最後で私は「誤っていることが多い」という表現をしたが、そのときに私の念頭にあったのが、この五分五分の仮定だった。実際のところ、起こりそうなことと起こらなさそうなことが等しい確率になることはほとんどない。この言い回しの意味を考えてみればわかる。「起こらなさそう」は確率が低いことを意味するのに対して、「起こりそう」は確率がより高いことを意味する。このように、私たちの普通の言い回しでさえ混乱がある。

このような昔からある確率の謎解き問題が示しているように、私たちはこうした問題を考えるとき、勘違いすることの方がしない場合よりもはるかに多い。8章では、裁判で有罪か無罪かを判決するような重要な局面でも、確率に関する理解が乏しいせいで判断が鈍りかねないという事例を紹介する。

手始めに計算が可能なわかりやすい例について考えてみよう。机の上に2枚のトランプカードが裏向きに並べられ、一方はスペードのエース、もう一方はそうではないと（正直に！）言われた。1枚引いたときにスペードのエースである確率は$1/2$であるように思える。確かに、この筋書きでは正しい。しかし、とてもよく似た状況で、進化によって脳に組み込まれた定番の五分五分の仮定を使うと、まったくの間違いになることがある。古典的な例が、確率論の研究者に長年愛されてきた「モンティ・ホール問題」だ。昨今ではお決まりの定番となった感があるが、見落とされがちな側面も多い。さらに、のちほど**条件付き確率**という直感に反する考え方を検討することになるが、モンティ・ホール問題はそこに向かうための完璧なコースなのだ。条件付き確率は、ある事象がすでに起こったという条件の下で、別の事象が起こる確率を指す。この問題になると、進化が私たちの脳に植えつけた定番の仮定は、はなはだ不適切であると言ってよいだろう。

モンティ・ホールは、アメリカのテレビのゲームショー番組、『取引しよう』の初代司会者の名前である。1975年、生物統計学者のスティーヴ・セルヴィンがこのゲームの戦略に関する論文を出した。この論文を世に広めたのは（そして、大部分が見当違いだった大論争の渦中に投げ込んだのは）、1990年にマリリン・ヴォス・サヴァントがニュース雑誌『パレード』に掲載したコラムだった。テレビ番組で行われるのは、このようなゲームだ。閉じられたドアが三つ、あなたの前に並んでいる。一つのドアの後ろには特別賞のフェラーリが、それ以外のドアには残念賞のヤギが隠されている。あなたはドアを一つ選ぶ。そのドアが開かれると、後ろにあるものは何であれ、あなたのものになる。しかしここで、（車の場所を知っている）司会者は、残りの二つのドアのうち、ヤギのいるドアを開けてヤギを見せる。そして、最初にあなたが選んだドアを変えてもよいと言って、選び直す機会を与えてくれる。あなたがヤギよりもフェラーリを欲しいとしたら、どうするべきか？

　この問題は、モデルの立て方と確率理論を理解する上でよい練習になる。結果は、司会者が必ず選び直す機会を与えるかどうかに大きく左右される。一番簡単な場合から始めよう。司会者は常に選び直してよいと言い、全員がそのことを知っている場合だ。この場合、選んだドアを変更すると、車を勝ち取るチャンスは倍になる。

　この主張は、五分五分を基本とする私たちの脳とはまったく相容れない。あなたの目の前にはドアが二つある。一方にはヤギが隠され、もう一方には車が隠されている。そうならば、勝算は五分五分のはずだ。しかしそうではない。なぜなら司会者は、あなたの選んだドアを条件にして行動するからだ。具体的に言うと、司会者が車の隠されていないドアを開けることはない。一方で、あなたの選んだドアに車が隠されている確率は1/3である。なぜなら、あなたは3枚のドアから選び、それぞれのドアの後ろに車が隠れている確率は等しいからだ。あなたの選択は自由だから、長い目で見ると、あなたは3回に1回、車を勝ち取るだろう。そして3回に2回は車を逃す。

　そして、司会者によって一つのドアが除外されると、あなたの選ばなかったドアに車が隠されている確率は、1−1/3＝2/3になる。なぜなら、車が隠れているドアは一つしかなく、いま見たように3回に2回、あなたのドアは間違っているからだ。したがって、もう一方のドアに切り替えると、（ヤギのいるドアは除外されているので）3回に2回の割合で車を勝ち取ることになる。これがスティーヴの言ったことであり、マリリンが言ったことである。彼女の雑誌の投書家たちの多くは信じなかった。だが、司会者の行動を条件にすると、これが正しいのだ。

疑わしいと思うなら、読み進んでほしい。

ここで、心理学的に興味深い行動が見てとれる。勝率は五分五分（つまり、どちらのドアでも同じ確率で車を勝ち取れる）と主張する人たちは、概して最初に選んだドアを変えようとしない。五分五分の可能性があるなら、選んだドアを変更しても害はないはずなのだが。そうなるのは、「司会者がだまそうとしている」という秘かな疑念（もしかしたら、それは正しいかもしれない）が、問題を考えるときに入り込むからではないかと私は思っている。あるいは、だまされていると信じているのは、ベイズ脳かもしれない。

司会者が常に選び直す機会を与えるという条件を撤廃すると、計算はまったく変わる。極端な場合として、あなたの選んだドアに車が隠されているときのみ、司会者が選び直しを勧めるとしよう。このとき、司会者が選び直す機会を与える条件の下で、あなたの選んだドアで車が当たる確率は1、もう一方のドアで車が当たる確率は0である。もう一方の極端な場合として、あなたの選んだドアに車が隠されていないときのみ、司会者が選び直す機会を与えるとしよう。こうすると条件付き確率は（先に述べた確率とは）逆になる。これら二つの状況を司会者が適切な割合で混ぜ合わせれば、最初の選択を変えずに勝つ確率はさまざまな値になりうるし、負ける確率も同様にさまざまになると考えるのは妥当だろう。計算すると、この結論が正しいことが示せる。

五分五分が正しくないことを示す方法が、もう一つある。それは、問題を一般化して、より極端な例を考えることである。例を一つ挙げよう。舞台に登場したマジシャンが、トランプ1組（52枚の異なるカードがセットになった普通の1組で、仕掛けはない）を裏向きにして広げ、あなたがスペードのエースを引いたら、賞金がもらえるとする。あなたは1枚カードを選んで抜き出し、裏返さずに表面を伏せたままにする。マジシャンは残った51枚のカードを取り上げ、あなたに隠しながらすべてのカードに目を通す。そして、カードを表向きにしてテーブルに並べていくが、スペードのエースは現れない。少しの間続けたあと、1枚のカードを裏向きにしてあなたのカードの隣に置く。それから再びカードを表向きに並べていくが、スペードのエースは現れず、そのうちトランプをすべて並べ終える。最終的には、表を上にした50枚のカードが並ぶが、どれもスペードのエースではない。残りは、裏向きの2枚のカードである。1枚はあなたが最初に選んだもので、もう1枚はマジシャンが隣に置いたものだ。

ここで、マジシャンがイカサマをしないと仮定しよう。舞台でパフォーマンスをするマジシャンなら、これは馬鹿げた仮定だが、今回はそうしないと保証する。スペードのエースである確率が高いのはどちらのカードだろう？　等確率だろうか？　そんなことはない。あなたのカードは52枚からランダムに選ばれた。したがってそれがスペードのエースになる確率は、52回に1回だ。スペードのエースが残りのカードに含まれる確率は、52回に51回だ。ならば、マジシャンのカードがスペードのエースのはずだ。そうでないことは、きわめて稀なはずだ。あなたのカードがスペードのエースとなるのは52回に1回だが、マジシャンの方では、51枚のカードにスペードのエースが含まれていれば、残りの50枚を捨てればよい。したがって、あなたのカードがスペードのエースである確率は、$\frac{1}{52}$だ。一方、マジシャンのカードがスペードのエースである確率は、$\frac{51}{52}$だ。

しかし適切な条件の下では、五分五分の筋書きが起こる。もしもそれまでの経緯を見ていなかった人が舞台に上げられ、2枚のカードを提示され、どちらがスペードのエースかを尋ねられるなら、成功率は1/2である。先ほどとの違いは、これまではあなたが最初にカードを選び、その選択を条件としてマジシャンがカードを選んだという点だ。新参者はカード選びが完了したあとに現れるため、その選択を条件としてマジシャンにできることは何もない。

要点をつかんでもらうため、この手順を繰り返すことにしよう。ただし今回は、マジシャンがカードを取捨選択する前に、あなたのカードを表向きにする。もしもあなたのカードがスペードのエースでないならば、マジシャンのカードがそうであるはずだ（ここでも、イカサマはないものと仮定する）。長い間繰り返すと、この状況が52回に51回起こる。もしもあなたのカードがスペードのエースならば、マジシャンのカードはそうではない。長い間繰り返すと、この状況は52回に1回起こる。

車とヤギの問題でも、あなたが選んだドアを開くならば、同様の議論が成り立つ。ドアの後ろに車があるのは、3回のうち1回だ。残りの2回では、ヤギのいるドアが二つ開き、閉じたままのドアが一つ残る。どこに車があると思いますか？

子供が二人とも女の子である確率は？

スミス夫妻の子供たちの問題に戻ろう。これはもっと簡単な謎解きだが、実にだまされやすい問題でもあるのだ。2通りの設定を思い出してほしい。

1　夫妻には二人の子供がいて、少なくとも一人は女の子だ。男の子と女の子が生まれる確率は等しいと仮定し、これ以外に私が先に述べた条件を加えると、夫妻の子供が二人とも女の子である確率はいくつか？

2　では、年上の子供が女の子であるとわかったとする。このとき、夫妻の子供が二人とも女の子である確率はいくつか？

最初の質問に対する標準的な反応は、「一人は女の子だ。もう一人が男の子かあるいは女の子である確率は等しい」という考えだ。これによって、$\frac{1}{2}$という答えが導かれる。だが、この考え方には不備がある。スミス夫妻の子供は二人とも女の子かもしれない（そうなる確率を推定するよう問われているわけだ）が、その場合の「もう一人」が特定されていないのだ。そこで、二人の誕生には順番があることを考慮しよう（双子ですら、どちらかが先に生まれる）。可能性は、

女女　女男　男女　男男

の4通りだ。2番目の子供の性別は、1番目の子供の性別に対して独立であるとすると、これら4つの事象が起こる確率は等しい。すべての場合が起こりうるならば、それぞれの確率は$\frac{1}{4}$である。しかし、「一人は女の子である」という追加情報によって、「男男」は除外される。残されたのは3通りで、それらは依然として等確率で起こりうる。「女女」は一つだけだから、その確率は$\frac{1}{3}$だ。

ここでは確率が変わったかのように見える。当初、「女女」の確率は$\frac{1}{4}$だったが、突然$\frac{1}{3}$になった。なぜだろう？

変わったのは前後関係だ。これらの謎解きはすべて、適切な標本空間を考える問題なのである。

「男男ではない」という追加情報で、標本空間を4通りの可能性から3通りに縮小できた。実世界での標本空間を考えてみよう。ここでは、二人の子供がいる家庭すべてではなく、二人子供がいて、男の子二人ではない家庭が標本空間となる。対応するモデルの標本空間は、「女女」、「女男」、「男女」からなる。これらはすべて等しい確率で起こりうるため、標本空間におけるそれぞれの確率は$\frac{1}{3}$であり、$\frac{1}{4}$ではない。「男男」は起こりえないので、省かれる。

追加の情報によって確率が変わるのは矛盾したことではない。あなたが競馬でギャロッピング・ジェロラモに賭けているとしよう。そのとき、本命馬のバーンストーミング・ベルヌーイが謎の病気でスピードが出なくなったという有力情報をつかめば、あなたの勝率は間違いなく上がる。

この謎解きは、条件付き確率の一例である。数学的には、条件付き確率の計算とは、起こりうる事象のみを残すことによって、標本空間を縮小することである。標本空間を縮小しても、そこに属する全事象の確率を合わせると1になるように、縮小前の確率にはすべて適切な定数を掛けなければならない。それがどのような定数かはこのあと説明する。

さて、この謎解き問題の3番目の設定では、「少なくとも一人の子供は、火曜日に生まれた女の子だ」ということがわかっている。これまでと同様に、問題は「スミス夫妻の子供が二人とも女の子である確率はいくつか？」だ。これを「標的事象」と呼ぼう。私たちの求めたい確率は、スミス夫妻がこの標的に的中する可能性だ。前にも述べたように、話を簡単にするため、１週間のすべての曜日で子供は等確率で生まれると仮定する。

一見したところ、新しい情報は無関係に思える。どの曜日に生まれようと、何の関係があるだろうか？　確率はみんな同じなのだから！　しかし結論を急ぐ前に適切な標本空間を見てみよう。１１４

ページの図は、第一子と第二子の両方について、性別と曜日の組み合わせをすべて表したものだ。全標本空間は、196個（14×14）の正方形からなり、それぞれの起こる確率は等しく、$\frac{1}{196}$だ。上左側の象限（濃灰色の正方形が重なっている箇所以外は中灰色の部分）には49個の正方形が含まれている。これは、「二人とも女の子」の事象に対応する。予想通り、この確率は$\frac{49}{196}=\frac{1}{4}$である。

「少なくとも一人は火曜日に生まれた女の子」という新しい情報によって、標本空間は2本の濃灰色の帯の部分に絞られる。この2本の帯には、合計で27個の正方形が含まれる。横に並んだ14個と縦に並んだ14個を足し合わせ、重なった1個を引く（同じ事象を2回数えてはいけない）と、27になる。絞り込まれた新しい標本空間においても、個々の事象が起こる確率は依然として等しいので、この条件付き確率は$\frac{1}{27}$となる。「二人とも女の子」となる標的空間に、濃灰色の正方形がいくつあるか数えよう。答えは13個だ（7個足す7個から重なりの1個を引く）。これ以外の14個の濃灰色の正方形は、スミス夫妻の子供のうち少なくとも一人が男の子である領域にあり、標的から外れている。すべての正方形の事象が起こる確率は等しいため、少なくとも一人は火曜日に生まれた女の子であるという条件で、スミス夫妻の子供が二人とも女の子である条件付き確率は、$\frac{13}{27}$だ。

生まれた曜日は関係あるのだ！

まったくの偶然か、暗算の得意な統計学者でない限り、この答えをすぐに言い当てられる人はいないだろう。今まで説明してきたような計算をしなければならないのだから。

ただし、代わりに「少なくとも一人は水曜日（あるいは金曜日）に生まれた女の子」という条件に変わったとしても、得られる条件付き確率は同じになる。この場合は、帯の配置が異なる図を使うことになるが、確率の値は変わらない。この意味では、曜日は関係ないのだ。どうなっているのだろ

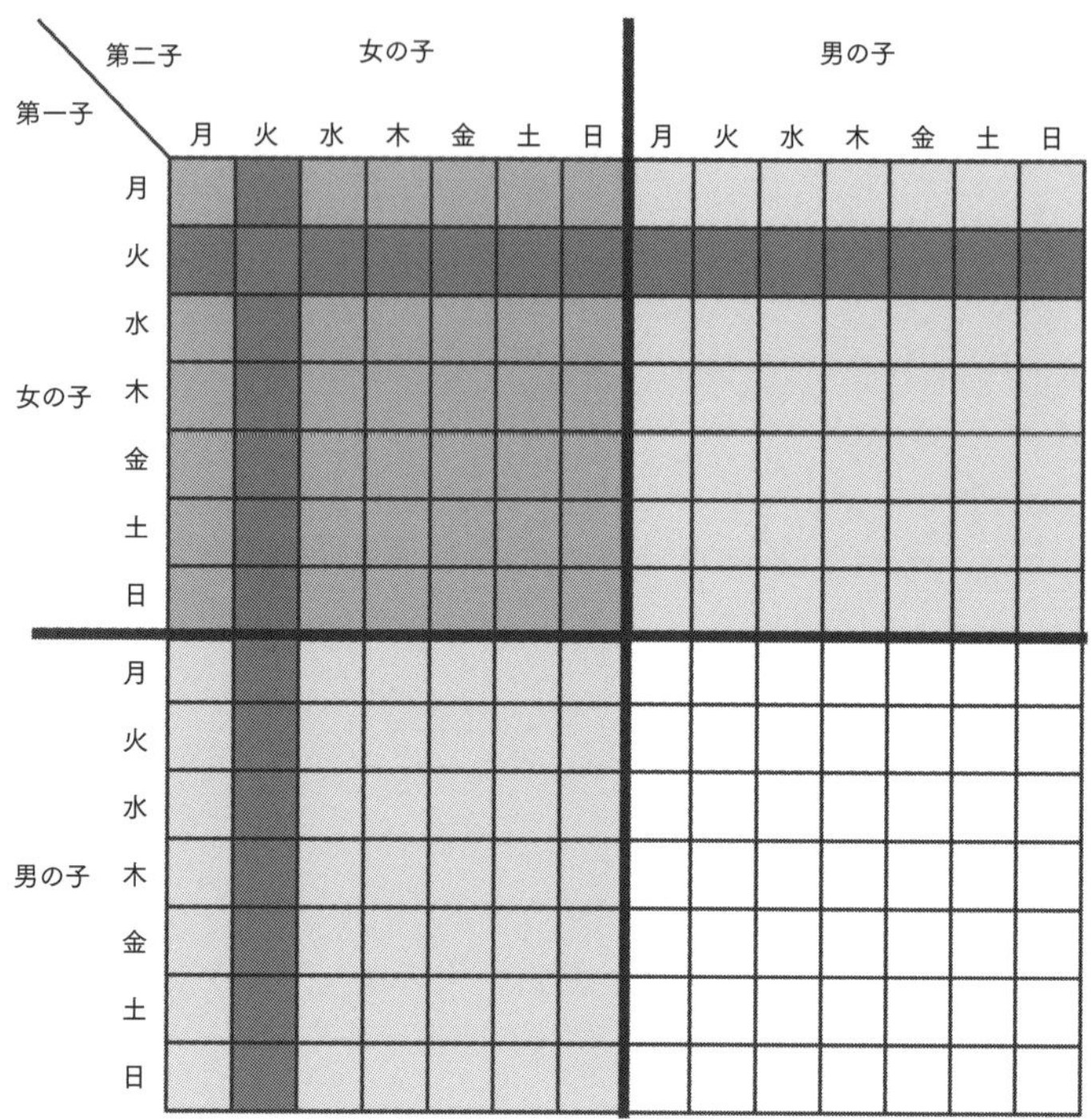

火曜日生まれの女の子に対する標本空間
薄灰色：「少なくとも一人は女の子」、中灰色：「両方女の子」、濃灰色：「少なくとも一人の女の子は火曜日に生まれた」

う？

数学が直感に反する例を知ると、人間はその驚くべき力を受け入れるのではなく、「数学は役に立たない」と結論づけてしまうことがある。ここでもそうなる恐れがある。なぜなら、この答えを本能的に拒絶する人もいるからだ。彼らにとっては、「女の子の生まれた曜日によって確率が変わる」など、まったく理にかなっていないのである。そのように感じるならば、計算を示したところで、あまり助けにはならない。計算に間違いがあるはずだと強く疑うことだろう。したがって、計算による考え方を後押しするためには、ある種の直感的な説明が必要となる。

「女の子が何曜日に生まれようと、何も変わらない」という推論の背後にある間違いは、ちょっとしたものではあるが、非常に重大だ。どの曜日に生まれたかは関係ないのだが、「何らかの特定の曜日を選ぶ」ということが重要なのだ。なぜなら、曜日を選べば「女の子」を特定できるかもしれないからだ。もしかしたら——実はこれがこの謎解き問題のポイントなのだが——スミス夫妻には女の子が二人いるかもしれない。もしそうならば、そのうちの一人が火曜日に生まれたことはわかっているが、二人のうちどちらかはわからない。前に見た、もっと簡単な二つの設定の謎解き問題からわかるように、二人の子供を区別できる可能性を高める情報（先に生まれたのはどちらかなど）が追加されると、「二人とも女の子である」条件付き確率は変わる。年上の子供が女の子ならば、二人とも女の子である条件付き確率は私たちの期待通り、$1/2$となる（年下の子供が女の子だったとしても同じだ）。しかし、「どちらの子供が女の子か」という情報を知らないと、条件付き確率は$1/3$に減る。

この二つの簡単な設定の謎解き問題によって、追加情報の重要性はわかったが、その正確な効果を直感的に理解するのは非常に難しい。現在の（つまり、3番目の）設定では、追加情報によって子供を本当に区別できるのかよくわからない。どちらの子供が火曜日に生まれたのかがわからないからだ。情報を追加するとどうなるかを調べるために、図の正方形を数えてみよう。

図には、「少なくとも一人は女の子」に対応する灰色の象限が三つある。中灰色の象限は「両方とも女の子」、薄灰色の象限は「年上が女の子」と「年下が女の子」、白い象限は「両方とも男の子」に対応する。各象限には、49個の正方形が含まれている。

「少なくとも一人は女の子」という情報で、白い象限は除外される。それが私たちの知っているすべてならば、「二人とも女の子」が当てはまる標的事象は、147個の正方形のうちの49個なので、確率は$\frac{49}{147}=\frac{1}{3}$だ。しかしもし「年上が女の子」という追加の情報があれば、標本空間は上の2象限のみから構成されるので、正方形の数は98個になる。このとき、標的事象の確率は$\frac{49}{98}=\frac{1}{2}$だ。これらは前に私が述べた結果と同じだ。

これらの場合、追加情報によって、「二人とも女の子」の条件付き確率は上がった。これは、追加情報で標本空間が削られたことに加えて、追加情報が標的事象と整合していたためである。標的事象は中灰色の領域である。どちらの追加情報によっても標本空間は削られたが、標的事象は残った標本空間の内側にあった。このように標本空間のサイズが小さくなると、そこに標的事象が占める割合は増えることになる。

この割合は小さくなることもありうる。もしも追加情報が「年上は男の子」であったら、標本空間は下の2象限となり、標的事象全体が取り除かれてしまう。したがって、「二人とも女の子」の条件付き確率は0になる。しかし、条件付き確率を求めればわかるように、追加情報が標的事象と整合するときにはいつも、標的事象は起こりやすくなる。

追加情報がより具体的であるほど、標本空間のサイズは小さくなる（効果1）。しかし、その情報によっては、標的事象のサイズも小さくなる（効果2）。これら二つの効果の相互作用によって、結果が決まる。一つ目の効果は標的事象の条件付き確率を上げ、二つ目の効果はそれを下げる。したがって、一般則は簡単なものになる。

$$\text{情報が与えられたとき、標的に的中する条件付き確率} = \frac{\text{標的に的中し、かつ、情報と整合する事象の起こる確率}}{\text{情報と整合する事象の起こる確率}}$$

設定を複雑にしたこの謎解き問題で、新たに追加された情報は、「少なくとも一人は火曜日に生まれた女の子」であった。これは、標的事象と整合も不整合もしていない。濃灰色の領域（追加情報）の一部は左上の象限（標的事象）に含まれているが、そうでない部分もある。したがって、それらの和をとらなければならない。標本空間は27個の正方形に絞り込まれ、そのうちの13個は標的に的中し、それ以外の14個は外れている。全体としてみると、条件付き確率は$\frac{13}{27}$となり、追加情報なしで得られる$\frac{1}{3}$という確率よりも、値が大きくなる。

この結果が、私が前の段落で述べた一般則と合うか検証してみよう。「追加の情報に整合する事象」は、１９６個の正方形のうち27個で起こるので、確率は$\frac{27}{196}$だ。「標的に的中し、かつ追加の情報と整合する」事象は、１９６個のうち13個で起こるので、確率は$\frac{13}{196}$だ。したがって、私の一般則

によると、求めたい条件付き確率は、

$$\frac{13/196}{27/196}=\frac{13}{27}$$

となり、これは正方形を数えて得られた結果と同じだ。分母の196は相殺されるので、この規則は単に、正方形の個数を数える手続きを、全標本空間で定義された確率で表したものにすぎない。

$\frac{13}{27}$は$\frac{1}{2}$に近いことに気づいてほしい。$\frac{1}{2}$は、「年上は女の子だ」という情報があったときに得られる確率だ。要点に戻って、なぜ条件付き確率が変化するのか考えてみよう。子供は二人とも女の子である可能性があるため、自分の手にしている情報によって、二人を区別できるかどうかが大きく左右される。これが、「一人は火曜日に生まれた女の子」という情報が重要である理由だ。もし「火曜日に生まれた女の子」という情報が両方の子供に当てはまるなら二人を区別できないが、それはあまり問題にならない。もう一人も女の子だとしても、実際にその子が火曜日に生まれていることはほとんどないからだ。同じ曜日に生まれる可能性は$\frac{1}{7}$にすぎない。二人の子供を区別できる可能性を増やすと、条件付き確率は$\frac{1}{3}$（二人の区別ができない場合）から$\frac{1}{2}$（問題の子供がどちらかはっきりわかっている場合）まで変わる。

ここでの答えがちょうど$\frac{1}{2}$にはならないのは、標的の領域が濃灰色の2本の帯からなり、それぞれの帯は7個の正方形でできていて、重なりが1個あるためである。標的領域の外側では、二つの帯は重なっていない。したがって、13個の正方形が標的領域の内側、14個の正方形が外側にある。重なっている個数が少ないほど、条件付き確率は1/2に近づく。

さあここで、謎解き問題の最終バージョンを解いてみよう。すべての条件はこれまで通りだが、生まれた曜日の箇所だけが異なる。今回の情報は、「一人の子供は女の子で、クリスマスに生まれた」というものだ。1年のうち、どの日に生まれる確率もすべて等しく（これまで同様、実世界では本当ではない）、2月29日はない（これも同様に、実世界ではそうではない）と仮定する。このとき、子供が二人とも女の子である条件付き確率はいくつか？

この答えが729/1459だなんて、信じられますか？　巻末の原注に計算を挙げておいたので、参照してほしい[3]。

条件付き確率について、このように枝葉末節にこだわることは重要だろうか？　謎解きパズルとしてなら、あなたが愛好家でない限り、重要ではない。ただし実世界では、まさに生死に関わる重大な問題になりうるのだ。その理由については、8章および12章で紹介する。

平均の法則は不合理か？

日常会話では、「平均の法則」がよく話題に出る。この言葉は、ベルヌーイの「大数の法則」を簡略化した言い方として使われるようになったのだろうが、危険な誤解を招くことがあるので、数学者や統計学者でこの語を使う者はいない〔日常会話で用いられる「平均の法則」は、望ましくない事象が続いたあと、次に望ましい事象が起きるはずだという根拠のない確信を指すことがある〕。どんな問題が関わっているのか、また数学者や統計学者がこの語を好まないのはなぜか、これから見ていくことにしよう。

表と裏が等確率で出るコインを繰り返し投げ、表と裏が何回出たかの連続記録をとることにする。

確率的な揺らぎは間違いなく存在するので、ある時点までに出た表と裏の総数を数えれば、両者の数は異なっているだろう。たとえば、裏より表の方が50回多く出ていたとしよう。こうした表が多く出ている状況は、コインをずっと投げ続ければ解消されるはずだという直感が、「平均の法則」の背後に存在している。適切に解釈すればこれは正しいが、その場合でも注意が必要だ。ここでの誤りは、これまで表が多く出ていたから、これからは裏が出やすくなるだろう、と考えることだ。しかし、裏が出やすくなるはずと考えるのは、まったく不合理というわけではない。結局のところ、それ以外に、表と裏の割合が最終的に同じになる方法があろうか？

このような考え方を助長する例として、宝くじで特定の数が出る頻度を考えてみよう。イギリス国営宝くじのデータはオンラインで閲覧できる。選べる数の範囲を増やすという変更があったせいで、データは複雑になっている。１９９４年11月から２０１５年10月までの間に実施された宝くじでは、1から49までの数字を選ぶことになっていた。そして、抽選器から出てきた当たりのボールに書かれた数字を見てみると、12が出てきたのは２５２回だったのに対し、13が出てきたのは２１５回だけだった。実のところ、これが出てくる頻度が最も低い数字だった。最も頻度の高い数字は23で、２８２回も出てきた。こうした結果については、いろいろと解釈することができる。抽選器が公平でないせいで、他の数字よりも出やすい数字があるのではないか？　13が出る頻度が低いのは、よく知られている通り、それが不吉な数字だからか？　あるいは、今のところ13は遅れをとっているので、平均の法則によれば、これから他の数字に追いつくはずだから、今後は13に賭けるべきか？　13の頻度が一番低いというのは少し興味がそそられるが、宇宙のシナリオを書いている者にも、迷信を使う習慣があるとでもいうのだろうか？　ただし20という数字も２１５回しか出てこなかったが、この数字にまつわる迷信を私は知らない。また、ベルヌーイの元々の法則（大数の法則）に基づく統計解析によれば、抽選器が等しい確率でそれぞれの数字を選ぶとき、この程度の大きさの揺らぎが生じるのは意外なことではない。したがって、抽選器が公平でないと結論できる科学的な根拠はない。その上、ボールに書かれている数字を抽選器が「識別」することはできないので、その意味では、数字は抽選器がボールを選ぶメカニズムに影響を及ぼさない。したがって、この問題には、49個の数字が等確率に出ると仮定する単純明快なモデルが適用できる。また、これから13という数字が出る確率は、過去に影響を受けない。13はこれまで少々出そびれているが、この先13の出る確率は他の数字と変わらない。

　同じ理由で、コインにも同様のことが言える。コインが公平ならば、表が一時的に多く出たとしても、それによって裏が出やすくなるわけではない。表あるいは裏の出る確率は依然として$1/2$のままである。先に私は修辞疑問を用いて、「それ以外に、表と裏の割合が最終的に同じになる方法があろうか？」と問うた。「割合が同じになる方法は他にある」というのがその答えだ。それまで表が多く出ていたとしても、その後に裏が出る確率には何の影響も及ぼさない。だが、大数の法則によると、長い目で見たときには、表と裏が出る数は等しくなる傾向がある。しかし、等しくならなければいけないというわけではない。それらの比率が1に近づくと言っているのだ。

　最初に１０００回コインを投げて、表が５２５回、裏が４７５回出たとしよう。表が50回多く出ており、比率は

$$\frac{525}{475}=1.105$$

だ。ここで、さらに200万回コインを投げるとしよう。平均して、表が100万回、裏が100万回出ると期待できる。まさにそうなったとしよう。累積スコアは、表が1,000,525回、裏が1,000,475回だ。依然として、表の方が50回多い。しかし、いまや比率は

$$\frac{1,000,525}{1,000,475}=1.00005$$

となる。これは1にずっと近い値だ。

ランダムウォークで考える平均の法則

この時点までの話では、確率論による累積スコアの説明は、皆が「平均の法則」で思い浮かべるものと非常に似ている。それは認めざるを得ない。すなわち確率論によると、初期に表と裏の出方がいかに釣り合っていなくとも、十分長い間コインを投げ続ければ、ある時点で裏が追いつき、裏の出る数が表の数とまったく同じになる確率は1である。基本的に、そうなるのは確実である。だが、ここで話しているのは無限に続きうるプロセスなので、「ほぼ確実」と言う方がよいだろう。たとえ表が100万回先行したとしても、十分長い間コインを投げ続ければ、裏はほぼ確実に追いつくだろう。そのためには、とにかくコイン投げを続けなければならない——とてつもなく長い時間がかかるだろうが。

数学者はこのようなプロセスをランダムウォーク（酔歩）として視覚化することが多い。数直線（正と負の整数が順序正しく並ぶ線）に沿って、ゼロを始点に目印が動く様子を想像してほしい。コ

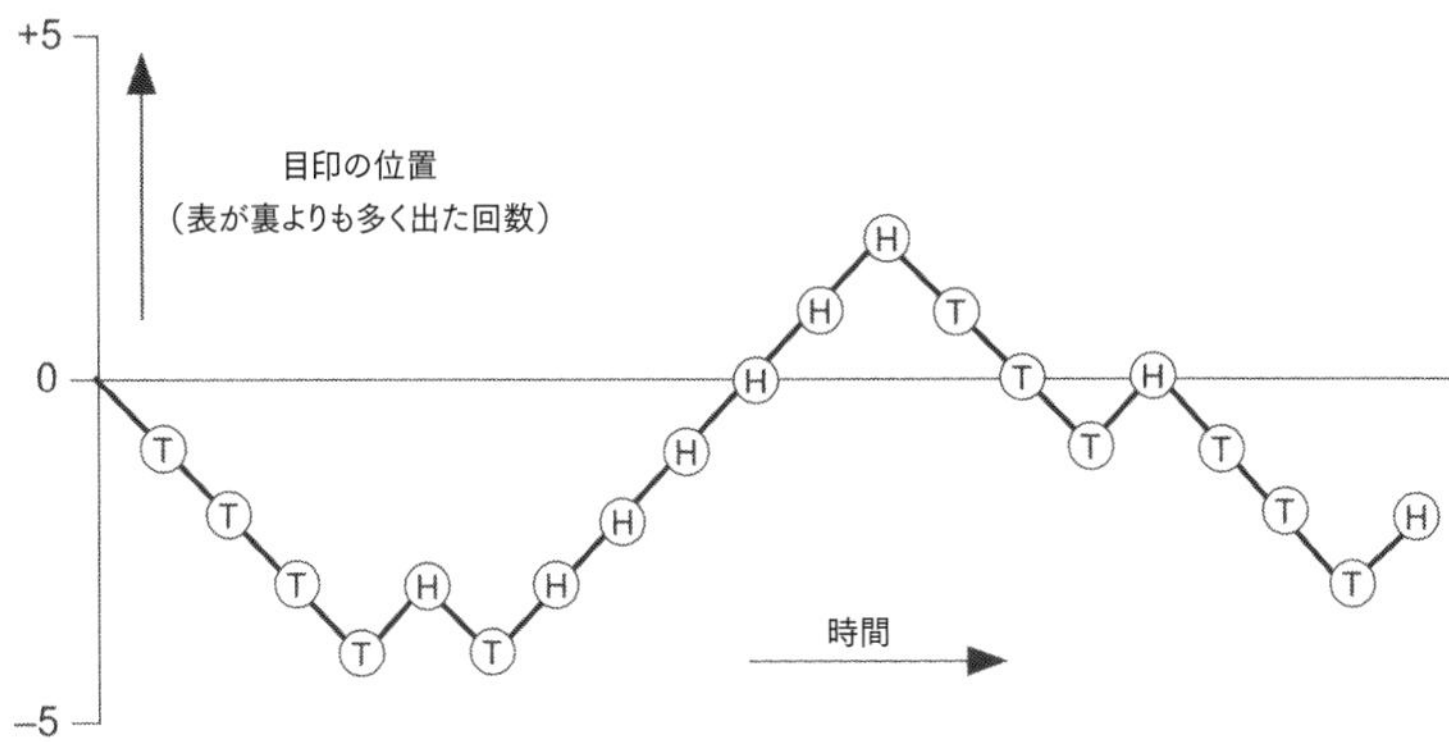

典型的なランダムウォークにおける、最初の20ステップ

インを投げるたび、表が出たら目印は右に1ステップ、裏が出たら左に1ステップ動く。こうすることで、どの時点においても、その目印の位置を見れば、表が裏よりどれだけ多く出ているかがわかる。たとえば、「表表」が出れば右へ2ステップ動き、数字の2で止まる。もしも「表裏」が出れば右へ1ステップ、左へ1ステップ動き、数字のゼロに戻る。時間に対して、目印の位置する数字をグラフで表すと、数直線の右方向（あるいは左方向）はグラフの上向き（あるいは下向き）となり、ランダムなジグザグ曲線が得られる。たとえば、

裏裏裏裏表裏表表表表表表裏裏裏表裏裏裏表

という系列（私が実際にコイン投げをした結果だ）をグラフにしてみた。ここでは、11個の裏と9個の表がある。

ランダムウォークの数学理論によると、目印が決してゼロに戻ってこない確率は0である。したがって、表と裏の数がいずれ等しくなる確率は1となる。すなわち、ほぼ確実となる。しかしこの理論はさらに驚くべきことを主張する。たと

え表か裏を大幅にリードさせてから始めたとしても、これらの命題〔真偽の判断の対象となる定理または問題〕は真である、というのだ。最初の段階でどれほど釣り合いがとれていなくとも、コイン投げを続ければ、ほぼ確実に不釣り合いは解消されるだろう。ただし、そうなるために必要な平均時間は無限だ。逆説的に聞こえるかもしれないが、この命題が意味するのは次のようなことだ。最初にゼロに戻るまでには、特定の時間がかかる。さらに続ける。そうすると、やがてほぼ確実に、2度目にゼロに戻ってくる。最初にゼロに戻ってきてから数ステップで再びゼロに戻るかもしれないし、あるいはもっと時間がかかるかもしれない。膨大な時間がかかることもある。実のところ、どれほど大きい数を選んだとしても、少なくともその長さの時間をかけてゼロに戻ってくる場合がほぼ確実に存在する。無限個の任意に大きな数の平均をとると、当然ながら、平均の値も無限になる。

繰り返しゼロに戻るという習性は、コインには記憶がないと言った私の主張と矛盾するかのように思えるかもしれない。しかし、矛盾してはいないのだ。なぜなら、私が述べたことのなかには「長い目で見たときに、コイン投げで表と裏の数が等しくなる傾向はない」という意味も含まれているからだ。実際、十分長い時間をかければ、累積和は好きなだけ大きくなる（正でも負でも）。同様の理由で、最初のうちにどれほど釣り合いがとれていなくとも、やがて相殺されるはずだ。

さて、十分長い時間をかければ、表と裏の出る数が等しくなるという傾向に話を戻そう。これは、平均の法則を証明しているのではないか？　答えはノーだ。なぜなら、ランダムウォークの理論は、表か裏の出る確率については何も言及していないからだ。確かに「長い目で見れば」表と裏の出る数は等しくなる。だが、特定の場合に表と裏の出る数が等しくなるのにどれくらいの時間がかかるのかは、正確にはわからない。まさにゼロに戻った瞬間にコイン投げをやめれば、平均の法則は正しいかのように見える。しかしこれは反則だ。欲しい結果が得られたときにやめたのだから、ズルをしたと言えるだろう。なぜなら、ほとんどの時点で、表と裏の出た数の釣り合いはとれていなかったのだから。前もってコイン投げの回数を決めておいた場合、その数を投げ終わったあとに、表と裏の数が等しくなる保証はない。実際のところは、平均すると、特定の回数だけコインを投げたあとの表と裏の数のずれは、最初にあったずれとまったく同じになるだろう。

7 社会物理学

観測と計算に基づく手法、すなわち自然科学で役立った手法を、政治学と道徳哲学に応用しよう。
ピエール＝シモン・ラプラス『確率に関する哲学的エッセー』

アイザック・アシモフの古典的SF小説『ファウンデーション』は、1940年代に雑誌に掲載され、1951年に単行本として刊行された。このなかで数学者のハリ・セルダンは、心理歴史学を用いて銀河帝国の崩壊を予測する。心理歴史学とは、社会や経済の出来事に対する群衆の反応パターンを微積分で解析する手法である。その結果、予測によって帝国の崩壊を促したという事由でセルダンは反逆罪に問われ、裁判にかけられるのだが、のちに辺境の惑星で、研究グループの立ち上げを許可される。その目的は、帝国の崩壊を最小限に留め、それに続く暗黒時代を3万年からわずか1000年にまで減らすことだった。

大規模な政治の出来事を数千年にわたって予測するなど、現実にはありそうもない。読者同様、アシモフにもそれはわかっていたが、「不信の停止」〔フィクションを鑑賞するときに懐疑心を抑え、それが現実でないことを忘れて話の世界に入り込むこと）があるので大丈夫なのだ。創作（フィクション）を読むとき、私たちは「不信の停止」をする。ジェーン・オースティンのファンで、エリザベス・ベネットとミスター・ダーシー〔『高慢と偏見』の登場人物〕が実在しないと告げられて怒る人はいないだろう。とはいうものの、賢明なアシモフは、この種の予測がどれだけ正確だったとしても、原理的に予測できない大きな外乱（流行りの業界用語で言えば「ブラック・スワン事象」）に対して脆弱だということを知っていた。心理歴史学を喜んで鵜呑みにする読者も同じことに気づくだろう、ということもアシモフは理解していた。そこで、このシリーズの第2巻では、そうした予期せぬ出来事がセルダンの計画を狂わせる。しかし賢いセルダンは計画が失敗することを見越して、万一の事態に対応する秘かな計画を立てていたことが、第3巻で明らかになる。それも想像を超えた別次元の将来計画を立てていたのだ。

『ファウンデーション』シリーズは、完全武装した宇宙艦隊同士の戦闘に大量のページを割くのではなく、主人公たちの権謀術数を中心に描いている点で注目に値する。主人公たちは戦闘報告を定期的に受け取るが、その記述はハリウッド映画の戦闘の描き方とはかけ離れている。物語の筋は（アシモフ自身が述べた通り）、エドワード・ギボンの『ローマ帝国衰亡史』を手本としていた。この作品は、壮大な歴史のスケールでの不確実性に対する計画の立て方を学べる、上級者向けの特別授業のようなものだ。大臣や官僚たちは皆読むべき必読書だ。

心理歴史学は、仮説に基づいた数学技法を極端に用いて劇的な効果を生むが、それほど大仰ではない日々の問題に対して、私たちも同様の考え方を使っている。ハリ・セルダンに強い影響を与えたのは、19世紀のある数学者だった。彼は、数学を人間の行動に応用することに強い興味を抱いた最初の一人だった。1796年にベルギーのヘントで生まれた彼の名は、アドルフ・ケトレーという。今日、

「ビッグデータ」や人工知能（ＡＩ）の可能性（と危険性）に強い関心を抱いている私たちは、ケトレーの独創的な考えを直接受け継いだ末裔と言えるだろう。

当然ながら、彼はこのアプローチを心理歴史学とは呼ばなかった。彼はそれを「社会物理学」と呼んだ。

ケトレーと統計学

統計学の基本ツールと技法は、物理科学、特に天文学から生まれた。不可避な誤差を含む観測結果から、有用な情報を最大限に抽出するための体系的な方法として生み出されたのだ。しかし、確率論の理解が進み、この新しいデータ解析法に慣れてくるにつれ、それを拡張し、元々の領域以外で使う者が現れてきた。信頼性の低いデータからできる限り正確な情報を推定するという問題は、人間活動のあらゆる場面で生じる。端的に言えば、それは不確かな世界で最大限の確実性を探るということだ。それゆえ統計学は、将来起こる出来事に対して事前に備えなければならない人や組織を惹きつける。ありていに言えば、ほぼあらゆる人を惹きつけるのだが、とりわけ政府（中央および地方）、ビジネス、軍隊に関わる人には魅力的だ。

比較的短期間のうちに、統計学は天文学や先端数学の領域を越えて、爆発的に活動の幅を広げ、あらゆる分野の科学（特に生命科学）、医学、政治学、人文科学、さらには芸術においてさえ、必要不可欠なものとなった。その口火を切るのに適任だったのは、純粋数学者から転身した天文学者だった。彼は社会科学の誘惑に屈し、統計推定を人間の属性と行動に応用したのである。ケトレーが後世に残したのは、自由意志や環境といった予測のつかない変動があるにもかかわらず、人間の行動の大部分は、想像していたよりもはるかに予測可能だという認識である。ただし、予測といってもまったく完璧ではないし、完全に信頼できるものでもなく、たいていは「まあ、よしとしよう」というレベルのものだが。

彼はまた、もっと具体的で、きわめて大きな影響力を持つ二つの概念を残した。「平均人」という概念と、正規分布が偏在するという考えである。[1] どちらも言葉通りに受け取りすぎたり、広く応用しすぎたりすると重大な欠陥を呈する概念だが、そのおかげで新しい考え方が開かれたのだ。欠陥があるにもかかわらず、この二つの概念は今日でもまだ残っている。その価値は「概念実証」にある。すなわち、私たちの行動について重要なことを、数学は明らかにすることができる、という考えだ。今日でも、この主張は物議を醸している（どうして醸さずにいられようか？）。だが、ケトレーが人の弱点の統計調査に向けて、最初に試験的な一歩を踏み出したときには、それ以上の物議を醸したのだ。

ケトレーは自然科学の学位をとり、新しく設立されたヘント大学の博士第一号となった。彼の学位論文は円錐断面に関するものだった。これは古代ギリシャの幾何学者にまで遡るテーマだ。彼らは直円錐を平面で切断することにより、楕円、放物線、双曲線と言った重要な曲線を作り出したのである。ケトレーは一時、数学を教えていたが、ブリュッセルの王立科学アカデミーの会員に選出されたあとは、ベルギー科学界の中心的存在として、最高の職位で50年間のキャリアを過ごした。１８２０年頃、彼は新しい天文台の創設に加わった。当時は天文学をあまり知らなかったが、彼は天性の起業家であり、政府との複雑でややこしい交渉のやり方を心得ていた。そこで第一歩として、まず政府の支持を勝ち取り、資金を提供してもらう約束を取りつけた。

天文台で解明しようとしている問題について深く理解していなかった彼は、ここに至ってようやく、自らの無知を改善する段階に入った。第一線の天文学者、気象学者、数学者に学ぶため、1823年に国費でパリに向かったのである。フランソワ・アラゴとアレクシス・ブヴァールから天文学と気象学を学び、ジョゼフ・フーリエと、おそらくかなりの老齢だったであろうラプラスから確率理論を学んだ。これが、確率を統計データに応用するという彼の生涯にわたる執着に火をつけた。1826年まで、ケトレーはネーデルラント統計局の地域調査員を務めた。「ネーデルラント」は、低地地域(現在のベルギーとオランダ)を指すが、ここからは「ベルギー」と呼ぶことにする。

人口を調べる

すべてはごく無邪気に始まった。

ある国で起こっていること、あるいはこれから起こることすべてに強い影響を及ぼす、とても基本的な数がある。その国の人口だ。そこに何人が暮らしているのかがわからなければ、賢明な計画を立てることは難しい。もちろん、当て推量で人数を見積もり、ある程度の誤差が生じた場合には緊急時対策をとることもできるが、それは大雑把なものでしかない。不必要なインフラに多額の資金を浪費したり、需要を過小評価したりして、危機を起こしかねない。これは19世紀だけに留まる問題ではなく、今日でも各国が取り組んでいる。

国に何人が住んでいるかを探り出す自然な方法は、その数を数えることだ。つまり国勢調査(センサス)を行えばいいのだが、これが意外と一筋縄ではいかないのだ。人々は動き回るし、身を隠す人もいる。有罪判決から逃れるため、納税を免れるため、あるいは、自身のプライベートを政府に詮索されたくないなど、理由はさまざまだろう。いずれにせよ、1829年にベルギー政府は新たな国勢調査を計画していた。人口推移のデータに一時期取り組んでいたケトレーも、調査に関与することになった。「現有のデータは単なる暫定的なものだと考えられるので、修正の必要がある」と彼は書いている。データの基になっていたのは、もっと昔の人口の数値で、困難な政治情勢下で調べて得られたものだった。それに出生届の数を加え、死亡届の数を引くことによってデータが更新されていた。これは「推測航法」〔船や飛行機で、コンパスなどを用いて現在地点や針路、速度を推測しながら進む航法〕のようなものだった。時間が経つにつれ、誤差は累積していただろうし、人々の移入と移出もすべて見落とされていた。

全面的な国勢調査は費用がかかるため、こうした考え方に沿った計算を用いて、次の国勢調査までの人口を推定するのは理にかなっている。しかし、あまり長いこと調査しないままでいるわけにもいかない。10年ごとに国勢調査を行うのが一般的だ。このことからケトレーは、新たに国勢調査を実施するよう勧め、将来の人口推定のための正確な基準値を得ようとした。彼は、ラプラスから得た興味深いアイデアをパリから持ち帰っていた。もしこれがうまくいけば、多額の予算を節約できるだろう。

ラプラスは、二つの数字を掛け合わせることによって、フランスの人口を計算した。一つは、前の年の出生数だった。これは出生届から見つけられる数値で、とても正確だった。もう一つは、毎年の出生者数に対する全人口の比率、すなわち、出生率の逆数だった。この二つの数字を掛け合わせれば、全人口が得られるのは明らかだが、2番目の数字を得るには全人口を知る必要があるのではないか？しかし、ラプラスの名案は、現在では標本抽出（サンプリング）と呼ばれる方法を用いれば、全人口を合理的に推定できるというものだった。ほどよい典型的な地域をいくつか選び、そこで全人口調査を行い、その地域の出生数と比較すればいいのだ。ラプラスは、約30の地域を詳細に調べればフランスの全人口が推定できると考えて計算し、それが正しいと主張した。

しかしベルギー政府は結局、サンプリングは採用せず、全国的な国勢調査を行った。ケトレーのアイデアが不採用になってしまったのは、州顧問のケヴェルベルグ男爵による理知的で見識のある批判のせいだったようだ。しかしこの批判は的外れなものだった。男爵は、異なる地域の出生率はきわめて多様な要素に左右されるので、それらの重要な要素を予測することは難しく、このため、国の典型となる標本を作り出すのは不可能と主張した。そうした誤差が累積するので、結果は使い物にならないであろうと考えたのだ。地域の出生率が多様と考えたまでは正しかったが、それらの地域のデータを合わせると、典型的な標本にはならないというのは本当だろうか。この点で、男爵はオイラーと同じ間違いを犯していた。つまり、男爵は典型的な場合ではなく、最悪の場合を想定していたのだ。実際には、ほとんどの標本誤差は、ランダムな変動によって相殺される。ただし、「人口を標本抽出する最良の方法は、全体のなかで典型的と考えられる地域を事前に選ぶこと」だとラプラスが想定していたことを考えると、男爵の批判は大きく外れてはいなかった。ラプラスの考える「典型的」とは、金持ちと貧しい人、教育のある人とない人、男女などの比が、国全体での比と類似していることを意味する。

今日では、こうした考え方に基づいて世論調査が行われ、少数の標本から良好な結果を得る試みがなされている。これは素人の理解を絶する作業だ。そして、以前まで効果的だった方法が、うまく行かないことが最近では増えているように思える。それは、世論調査や市場調査で、望みもしない質問を押しつけられるのに皆が辟易(へきえき)しているからではないかと私は睨んでいる。統計学者が最終的に発見したように、標本の数が大きければ、ランダムに抽出された標本はたいてい十分に典型的な性質を示すのだ。どれくらい大きな標本数が必要かは本章の後半で見ることにしよう。しかし、このような国勢調査が行われるのは将来の話で、当時のベルギー政府は全員を一人一人正確に数えようとした。

ケトレーと平均人

とはいえ、ケヴェルベルグ男爵の批判で、有益な効果も生み出された。批判に促されたケトレーが、人々をとりまく環境を非常に詳細に記録したデータを大量に集め、徹底的に解析することにしたのである。ほどなくしてケトレーは、人数を数えることから、人々を測定することへと手を広げ、さらにその測定結果を他の要素（季節や気温、地理的な位置）と比較するようになった。彼は8年間にわたって、出生率、死亡率、婚姻、受胎日、身長、体重、体力、発育速度、アルコール依存症、精神異常、自殺、犯罪についてデータを集めた。そしてこれらのデータが、年齢、性別、職業、場所、一年の時期、また収監中か、入院中かによって、どれくらいバラツキがあるかを調べた。彼は常に一度に二つの要素だけを比較し、それをグラフにして両者の関係を明らかにした。そして、典型的な人口集団におけるこれらすべての変数のバラツキにはどのような定量的性質があるかについて、大量のエビデンスをまとめ上げた。1835年にケトレーは結論を著書『人間とその能力の発展について――社会物理学の試み』として出版し、1842年には英訳された。

注目すべきは、彼がこの本に言及するときにはいつも、副題である「社会物理学」の方を使っていたことだ。そして1869年に新版を刊行するにあたり、主題と副題を入れ替えた。自分が何を生み出したのか、彼にはわかっていた。それは「人間という存在」を数学的に解析することだ。大げさな言い方を避けるなら、「定量化が可能な人間の特徴」を数学的に解析する、と言ってもいい。この本には、人々の心を捉え、現在でもなお捉え続けている概念が登場する。それは**平均人**という概念だ。私の友人の生物学者は、「平均人」には片側に乳房、もう片側に睾丸があるのさ、とよく揶揄（やゆ）する〔平均人は"average man"の訳で、直訳すると平均男になる。本来は"average person"とするべきだという皮肉を込めた言葉〕。ジェンダー意識の高まる現代では、私たちは使う用語に気をつけなければならない。だが、実際のところ、ケトレーは「平均女」「平均子供」など、異なる集団にはそれぞれ異なる概念を考える必要がある、とはっきり気づいていた（その概念が意味をなす限りにおいてではあるが）。身長や体重といった属性については、（同じ性別や年代の集団に限定してデータを見ると）データの数値が単一の値のまわりに集まる傾向があることに、ケトレーは早くから気づいていた。このようなデータを棒グラフあるいはヒストグラムで示すと、最も高い棒はグラフの中央に位置し、それ以外の棒は中央から左右の端に向かって傾斜していく。全体の形はほぼ対称なので、中心の頂点、すなわち最も頻度の高い値は、平均値でもある。

取り急ぎ付け加えておくが、この説明は正確ではないし、あらゆるデータに適用できるものでもない。特に、人間に関するデータではそうだ。たとえば、裕福さの分布はまったく異なった形になる。大多数の人々は貧しく、ごく少数の大金持ちが全世界の半分の富を所有している。その標準的な数理モデルは、パレート分布（べき分布）である。しかし、経験的な観察からわかるように、多くのデータは平均が頂点をなすパターンを示す。そして、社会科学におけるその重要性に気づいたのはケトレーだった。彼の発見した一般的な形状とは、もちろん、ベル曲線（オイラーとガウスの正規分布）である。あるいは、正規分布に十分近いものだった。

たくさんの項目のある表や図も結構だが、ケトレーはパッとわかる要約がしたかった。つまり、鮮

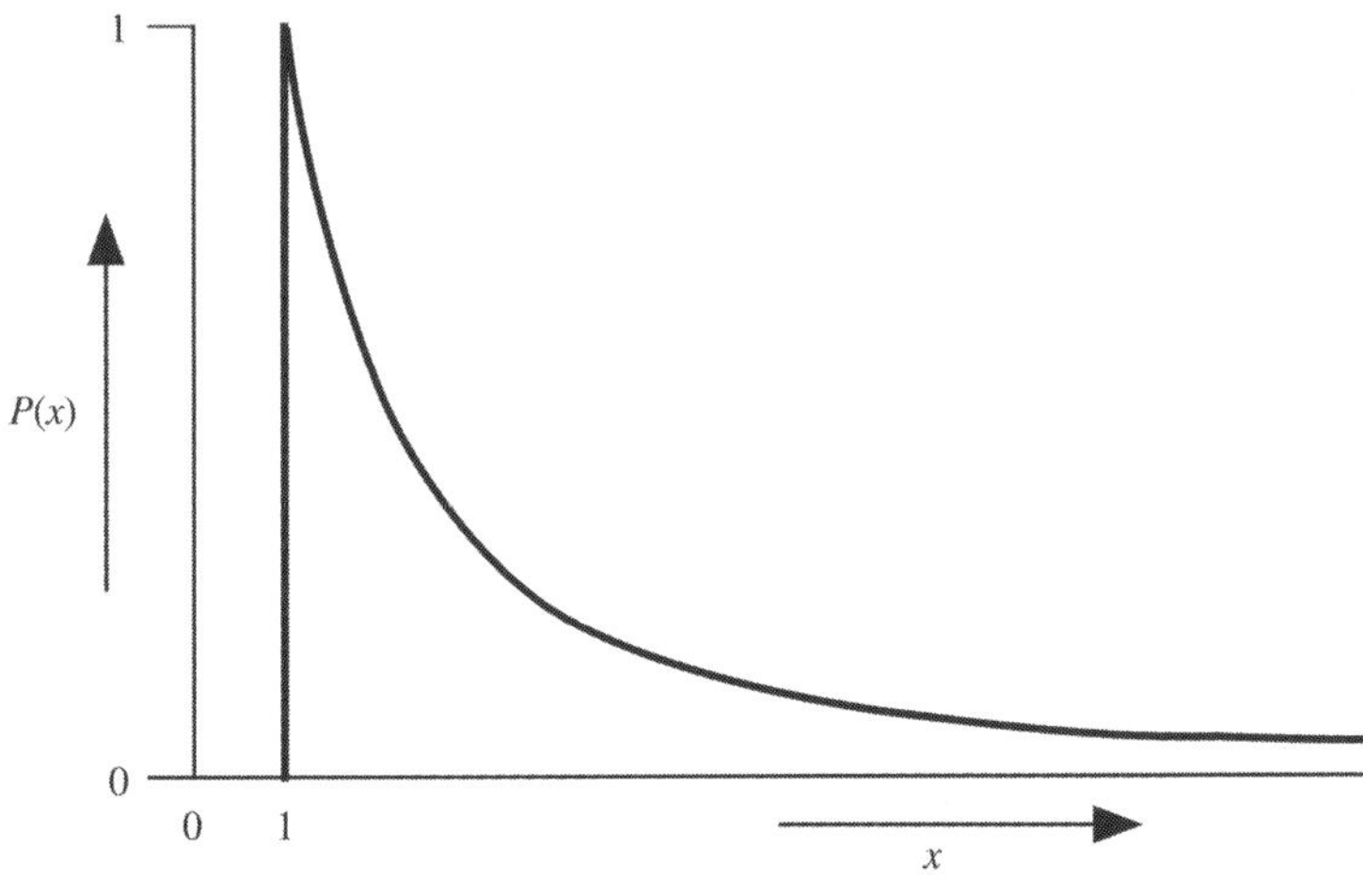

べき乗 x^a（a は定数）に基づくパレート分布。$x=1$ で切り捨て。

明で記憶に残るように要点を伝える表現がしたかったのだ。そこで「ある集団の20歳以上の男性の身長が従うベル曲線の平均値は1・74」と言う代わりに、「その集団に属する平均人の身長は1・74メートル」という表現を考え出した。こうすると、異なる集団同士で平均人を比較することができた。平均のベルギー歩兵は、平均のフランス農民と比べてどうか？　「彼」は背が低いか、高いか、体重が軽いか、重いか、あるいは同じくらいか？　平均のドイツ将校と比べるとどうだろうか？　ブリュッセルの平均人は、ロンドンの平均人と比べてどうか？　平均女は？　平均子供は？　ケトレーは人間に限定したが、お望みならば、平均犬や平均猫だって可能だ。そうして比べてみると、どの国の平均人が、人殺しあるいは被害者になりやすいだろう？　命を救うことに尽力する医師や、己の命を終わらせる自殺者になりやすいのは？

ここで重要なのは、ケトレーは、ランダムに選ばれた典型的な人物があらゆる面で平均人に合致するとは言っていないことだ。確かに、そんなことはありえない。たとえば、身長と体重の関係を考えると、両者が同時に平均になることはない。それ以外の条件がすべて同じとすると、体重は体積に比例し、体積は身長の3乗に比例するはずだ。身長がそれぞれ1メートル、2メートル、3メートルの人について考えよう。3人の平均身長は2メートルだ。一方、それぞれの身長の3乗は、1立方メートル、8立方メートル、27立方メートルなので、3乗の平均は12立方メートルになる。したがって、身長の3乗の平均（12立方メートル）は、平均身長の3乗（8立方メートル）と等しくないのだ。要するに、3乗の平均は平均の3乗ではない。ただ実際のところ、この批判は大きな問題にはならない。なぜなら、実際の人間のデータは、ほとんど平均の近くに集中しているからだ。たとえば、3人の身長が1・9メートル、2メートル、2・1メートルのとき、身長の平均は2メートルになり、身長の3乗の平均は8・04立方メートルになる。このとき、身長の3乗の平均は、平均身長の3乗に近い値になっている。

ケトレーはこうしたことをすべてわかっていた。彼はそれぞれの属性について、異なる「平均人」（あるいは「平均女」「平均子供」）を想定していた。彼にとって「平均人」とは、複雑な主張を単純化するのに都合のよい用語でしかなかったのだ。スティーヴン・スティグラーが言ったように、「平均人は、社会のランダムな変動を平らにならし、彼の〝社会物理〟法則となるべき規則性を明らかにするための装置だった(2)」のだ。

相関と因果性

徐々に社会科学者は、天文学者と同じことに気づき始めた。いくつかの情報源から得たデータを組み合わせれば、環境の違いや誤差の大きさを完全に把握したり制御したりしなくとも、妥当な推論ができる。そのためにはある程度の知識は必要だし、よいデータがあればより正確な答えが得られるが、何よりも結果の質を高める手掛かりはデータそのものに含まれているのだ。

1880年以降、社会科学では統計学の考え方が広く用いられるようになり、特にベル曲線がしばしば実験の代わりに利用されるようになった。その中心となった人物が、フランシス・ゴルトンである。天気予報でデータ分析を初めて行い、高気圧を発見した人物でもあり、世界初の天気図を作成して、1875年の『タイムズ』紙に発表した。彼は、現実世界の数値データとその背後に隠された数理構造に魅了されていた。チャールズ・ダーウィンが『種の起源』を出版したとき、ゴルトンは人の遺伝に関する研究を始めた。子供の身長は、両親の身長とどのように関係しているのか？ 体重や知能はどうだろう？ 彼はケトレーのベル曲線を用いて、異なる集団を分類した。もしあるデータがベル曲線のような一つの頂点ではなく、二つの頂点を持つなら、その集団は二つの異なる部分集団から成り立っており、各部分集団はそれぞれのベル曲線に従う、とゴルトンは主張した[(3)]。

ゴルトンは、望ましい人間の形質は遺伝すると確信するようになった。進化論から推論した結果だったが、この考えにダーウィンは否定的だった。ゴルトンにとって、ケトレーの平均人とは社会的規範であり、避けるべきものだった。人類はもっと野心的でなければならない、というのである。ゴルトンは1869年に出版した著書『遺伝的天才』で、統計学を用いて才能や優秀さの遺伝について論じた。そこでは、平等主義的な目的（「すべての人には能力を示すチャンスが与えられるべきであり、もし高い才能の持ち主ならば、一流の教育を受け、専門家になる道が開かれるべきだ」）と、「民族の誇り」の奨励とが奇妙に入り交じった考えが披露されている。1883年の著書『人間の能力とその発達の研究』では「優生学」という用語を作り出し、高貴な家柄同士の結婚や、優れた能力を持つとされている人同士の計画結婚を、報酬金を出して推奨するよう提言した。優生学は１９２０〜３０年代に全盛期を迎えたが、精神障害者に対する強制的な避妊手術や、ナチスの支配民族という妄想など、非人道的な使われ方が広まったため、急速に失墜した。今日では一般に優生学は人種差別主義と考えられ、国連の定めるジェノサイド条約（集団殺害罪の防止および処罰に関する条約）および欧州連合基本権憲章に違反している。

私たちがゴルトンという人物をどう捉えようとも、統計学に対する彼の貢献は多大だった。１８７７年までに彼は最小二乗法を一般化し、一つのデータセットをもう一つと比較して、最も確からしい関係性を見つけ出す回帰分析法を発明した。この手法で得られる「回帰直線」は、データ間の関係に最も適合する直線モデルである。[4] ここから、「相関」という、統計学のもう一つの中心概念が導かれた。相関は、二つ（あるいはそれ以上）のデータセット（たとえば、喫煙のレベルと肺がん罹患）の関係の度合いを定量化する。相関の統計的尺度を最初に導入したのは、結晶の研究で名高いオーギュスト・ブラヴェである。１８８８年にゴルトンは、前腕の長さと身長との関係などの事例について論じた。

人の身長と腕の長さがどれくらい密接に関係しているかを定量化したいとしよう。まず、個人ごとの標本をとり、これらの量を測定して、対応する数の組をグラフにプロットする。そして、最小二乗法を用いて、それらの点に適合した直線を引く。私が前の章で、原油価格に対するガソリン価格のデータに直線を適合させたときと同じ要領だ。どれだけデータ点が散らばっていても、この方法では常に何らかの直線が得られる。相関は、多数のデータに対して直線がどれくらい適合しているかを定量的に評価する。もしもデータ点が直線付近に分布していれば、二つの変数は強く相関している。もしもデータ点が散らばって、直線のまわりにボヤッと広がっていれば、相関は弱い。そして最後に、直線が負の傾きであるとき（つまり、一方の変数が増加するにつれて、他方が減少するとき）にも、同じ考えが適用できる。ただし、この場合の相関は負にならなければならない。したがって、データが互いにどれだけ密接に関係しているか、また直線が正負どちらの傾きなのかを測る数を定義しておきたい。

相関を測るのに適した統計的尺度を、現在も使われている形で定義したのは、イギリスの数学者で生物統計学者のカール・ピアソンだった。[5] ピアソンの導入した相関係数は、次のような要領で計算できる。二つの確率変数が与えられたとき、それぞれの平均を求める。各変数をその平均との差に変換し、それぞれを掛け合わせて、その積の期待値を計算する。最後に、二つの確率変数の標準偏差の積で割る。この考えによると、もしも二つのデータが同じならば、相関係数は1になる。二つのデータが正反対で、一つの変数の符号を反転させたものがもう一方の変数であるならば、相関係数は−1になる。二つのデータが独立（まったく無関係）ならば、相関係数は0になる。より一般的には、二つのデータがちょうど線形の関係にあれば、傾きの向きに応じて、相関係数は1か−1になる。

二つの変数の間に因果関係があり、一方がもう一方の要因になっているとき、両者には高い相関があるはずだ。喫煙と肺がんとの間に強い正の相関があることがデータで示されたので、医師は一方が他方の要因であると考え始めたのだ。ただし注意しなければいけないのは、二つの変数のうちのどちらが要因だったとしても、同様の相関が現れる点だ。喫煙が肺がんの要因になったと考えられるだけではない。もしかしたら、肺がんになりやすい素質のせいで、より大量に喫煙するようになるのかもしれない。理由をでっち上げることさえできる。たとえば「喫煙は前がん細胞が引き起こす肺の炎症を抑えるのに役立つ可能性がある」とか、「それ以外のもの（たとえばストレス）が、両方を引き起こす可能性がある」とか。医学者がある製品と病気との間に強い相関があるのを発見すると、その製造会社は必ず「相関関係があっても、因果関係があるわけではない」という決まり文句を持ち出してくる。その製品が実は病気を引き起こす原因であることが世間に知られると、会社は利益を失ってしまうからだ。「相関関係があっても、因果関係があるわけではない」というのは事実だが、この主張は不都合な真実を隠している。それは「相関は、因果律が存在している可能性を示す有用な指標である」ということだ。さらに、その製品がどのように疾患を引き起こすかを示す独立した証拠があったなら、強い相関はその証拠を強化することができる。たとえば、タバコに発がん性物質が含まれていることが発見されたとき、因果関係があるという科学的な論拠はさらに強められた。

影響を及ぼしているかもしれない数多くの因子のうち、どれが重要かを選別するには、相関行列などで一般化してみるという方法がある。相関行列を用いれば、多くの異なるデータセットに対して、相関係数の配列を作り出すことができる。相関行列は重要な関係性があるとそこに目星をつけるのに役立つが、誤用の危険性もある。具体例として、食習慣がさまざまな病気にどう影響するかを突き止めたいとしよう。まず、１００種類の食べ物と40種類の病気のリストを作成する。次に、人々の標本を選び、彼らがどのような食べ物を食べ、どのような病気に罹ったかを調べる。最後に、食べ物と病気の各組み合わせに対して、対応する相関係数を計算する。これで、標本の人々の食べたものと罹った病気がどれだけ深く関連しているかがわかる。結果として得られる相関行列は長方形の表になり、１００行は食べ物に対応し、40列は病気に対応する。それぞれのマス目に入力されているのは、その行と列に対応する食べ物と病気の相関係数だ。したがって、この表には4000個の相関係数の数字が記されている。では表を見て、1に近い数字を見つけていこう。そうした数字は、食べ物と病気が関連している可能性があることを示している。たとえば、「人参」と「頭痛」のマス目の数値が0・92だとする。そうすると、「人参を食べると頭が痛くなる恐れがある」という推論が暫定的に導かれる。

さて、その次にすべきことは、まったく新しい研究を始めることだ。この仮説を検証するために、新規の被験者から新しいデータを集めなければならない。しかし、これにはお金がかかるので、研究者は元の実験からデータを抽出することがある。そして統計検定を用いて、その特定の相関の有意性を評価する。あたかもそれ以外のデータは計測されなかったかのように、他のすべてのデータを無視して、この一つの関係だけを解析するのだ。そして、人参を食べると頭痛が引き起こされる可能性が有意に存在すると結論する。

このようなアプローチは「二度漬け」と呼ばれ、次に示すように誤ったやり方である。たとえば、一人の女性をランダムに選んで身長を測り、女性集団の身長データが正規分布に従うと仮定すると、その女性の身長と同じ（あるいはそれより高い）人がいる確率は1％であることがわかったとしよう。そうすると、彼女の並外れた身長は偶然の要因によるものではないと結論するのは、理にかなっているように思われる。しかし、実際には数百人もの女性の身長を測り、最も背の高かった彼女を選んでいたのだとしたら、その結論は正当化されないだろう。なぜなら、純粋な確率で考えると、数百の大集団のなかにそれだけ背の高い女性を見出すことは、十分ありうるからだ。相関行列におけるデータの二度漬けは、この例よりも複雑な設定ではあるが、同じ誤りを犯している。

世論調査と標本抽出

1824年に、アンドリュー・ジャクソンとジョン・クィンシー・アダムズのどちらがアメリカ大統領に選ばれるかを問う「世論投票」（非公式の投票）が行われた。投票の結果、ジャクソンの得票数が335票、アダムズは169票だった。そして、大統領選ではジャクソンが勝利した。それ以来、選挙になると世論調査会社が群がるようになった。世論調査では実用上の理由によって、有権者の集団のごく一部だけが、標本として選ばれる。したがって重要な疑問が湧き上がる。正確な結果を得るためには、標本はどの程度の大きさでなければならないのだろうか？　国勢調査や新薬の臨床試験など、他の多くの分野でもこの質問は重要になる。

5章では、ラプラスによる標本抽出の研究について紹介したが、正確な結果を得るために彼が推奨したのは、構成員の比率が母集団と同じ標本からデータを集めることだった。だが、そのような標本を選ぶことは難しいため、（最近まで）世論調査では、主に無作為（ランダム）抽出が行われていた。つまり、何らかのランダムなプロセスを用いて、標本となる人々を選んでいたのである。たとえば、母集団における平均的な家族の人数を知りたいとしよう。ランダムに標本を選び、標本平均、すなわち、標本における家族の人数の平均を計算する。おそらく、標本数が増えるほど、標本平均は実際の平均に近づくだろう。必要な精度を満たす結果を得るためには、どれくらいのサイズの標本を選べばよいのだろう？

数学を使ってこの状況を考えるときには、標本の家族それぞれに確率変数を割り当てる。それぞれの家族が同じ確率分布（つまり、母集団の確率分布）に従うと仮定して、母集団の平均を推定しようとするのだ。大数の法則によると、標本のサイズが十分に大きければ、標本平均は「ほぼ確実に」、真の平均に近づいていく。つまり、標本の大きさが限りなく増加するに従って、標本平均が真の平均に近づく確率は1に漸近する。だが、そうだとしても、標本の大きさがどれくらいであればよいのかはわからない。そのサイズを求めるためには、より高度な定理である、5章で紹介した中心極限定理が必要になる。中心極限定理を使えば、標本の平均と実際の平均の差を正規分布に関連づけることができる。[6] そして、正規分布を用いて確率を計算し、必要最小限の標本の大きさが求められる。

家族の人数に関する例では、最初に予備実験的な標本抽出を行い、標準偏差を推定する。これはおおよその数字で十分だ。次に、結果の正しさに対する信頼度（たとえば、99％）と、どの程度の誤差まで許容できるか（たとえば、$\frac{1}{10}$）を決定する。そうすると、平均0で標準偏差1の標準正規分布を仮定して、標本平均と真の平均とのずれ（誤差）が$\frac{1}{10}$以下になる確率が少なくとも99％になるように、標本の大きさを選べばよい。正規分布の数学的性質を用いると、標本の大きさは少なくとも$660\sigma^2$でなければならないことがわかる。σ^2は母集団の分散（標準偏差の二乗）を表すが、この値は予備的に抽出された標本から概算されたものなので、正確な値ではない。そのため、多少の誤差を許容するために、標本サイズは$660\sigma^2$よりも少し大きくなるように設定する。ここで、標本サイズは母集団の大きさには左右されないことに注意してほしい。標本サイズは、確率変数の分散、つまり変数にどれだけ散らばりがあるかに依存する。

別の標本抽出の問題に対しても、推定する量に対して適切な分布を選べば、同様の解析ができる。

世論調査の現在

世論調査は標本理論のなかで特別な位置を占めている。ソーシャルメディアの出現により、調査が行われる回数は様変わりした。よく設計されたインターネット投票では、一群の人々を慎重に選んで投票してもらい、その見解を問う。しかし多くのインターネット投票では、投票したい人であれば誰でも投票できる。このような世論調査には、設計の上で問題がある。というのも、確固たる意見のある人は投票する可能性が高いが、大半の人はその投票のことを知りもしないし、インターネットにつながる環境にない人もいるからだ。したがって、このような標本は母集団を代表する典型とは言えない。電話調査にも偏りが生じる可能性がある。多くの人は勧誘の電話には対応しないし、世論調査員に意見を聞かれても拒絶するだろう。電話詐欺が横行する昨今、かかってきた電話が本当に世論調査なのかどうかすらわからないかもしれない。電話を持たない人もいるだろう。世論調査員に自分の真意を伝えない人もいるはずだ（たとえば、過激派の党に投票するつもりだと、見ず知らずの人に進んで教えたりするだろうか）。質問する際の言葉遣いでさえ、回答に影響を及ぼすことがある。

世論調査組織はさまざまな方法を講じて、これらの誤差要因を最小限に抑えようとする。そうした方法の多くは数学を用いるものだが、心理学をはじめとする他の要素も関わっている。確信に満ちた世論調査の結果が誤っていたという恐ろしい話もたくさんあり、そのような事例はさらに増えているようだ。外れた理由を「説明する」ために、特殊な要因が持ち出されることもある。たとえば「最後になっていきなり意見を変えたからだ」とか、「意図的に嘘をついて相手側にリードしているように思わせ、悦に入っていた」とか。そうした言い訳がどれだけ妥当なのか、評価するのは難しい。そうは言うものの、世論調査は適正に行われれば、概して優れた実績を挙げており、不確実性を減らすのに役立つツールになっている。一方で、世論調査によって結果が変わってしまう恐れもある。たとえば、世論調査で自分の支持政党が勝ちそうだと思った人は、わざわざ投票所まで行かないことにするかもしれない。投票をすませた直後に誰に投票したかを尋ねる出口調査は、非常に正確であることが多く、公式の開票結果の発表前に正しい結果がわかり、しかも結果に影響を与えることがない。

8　あなたには確信がある？

不条理（名詞）　自分の意見と明らかに相容れない言明もしくは信念。

アンブローズ・ビアス『悪魔の辞典』

ニュートンが微分積分学について発表したとき、主教のジョージ・バークリーは、『アナリスト』と題した小論文で応答した。副題は「不誠実な数学者に向けての論説。現代解析の対象、原理、および推論が、宗教上の神秘や信仰よりも明確に考えられているか、あるいははっきりと推定されているかどうかを検証する」と書かれてあった。表紙には、次の聖書の警句が記載されていた。「まず自分の目から梁を取りのけるがよい。そうすれば、はっきり見えるようになり、兄弟の目から塵を取りのけることができるだろう」（マタイによる福音書、7章5節）

ひどく敏感な人でなくても、主教が微積分のファンでないことは推察できるだろう。この小論が発表された1734年当時、科学は大きな進歩を遂げており、多くの学者や哲学者は、自然界を理解する方法としては、証拠に基づく科学の方が信仰よりも優れていると主張し始めていた。キリスト教に基づく信念は、それまでは神の威光のおかげで絶対的な真実だと考えられていたが、その地位が数学によって奪われようとしていた。数学は真実であるだけでなく、真実であることは必然的であり、それを証明することもできるのだ。

もちろん、数学は必ず正しいというものではないが、それなら宗教だってそうだ。しかし、当時の主教が信仰への挑戦に神経を尖らせるのは無理もないことであり、彼は微積分の論理上の問題点を指摘して事態を是正しようとした。数学者は彼らが言うほど論理的ではないことを世間に納得させ、数学こそが絶対的な真実に対する唯一の守護神だという主張を覆すことが、主教の（それほど隠されてもいない）思惑であった。彼の批判には一理あったが、何から何まで攻撃して、相手に間違いを認めさせようとするのは、うまいやり方ではなかった。門外漢が数学のやり方を教えようとすると、数学者は憤慨するものだ。だが結局のところ、バークリーは重要なポイントを見落としていたが、数学者はそのことをわかっていた。当時は微積分の厳密な論理的基盤がまだ築かれていなかったのだ。

トマス・ベイズとベイズの定理

本書は微積分に関する本ではないが、私がこの話題を取り上げたのは、正しく評価されなかった一人の偉大な数学者の話につながるからである。彼が亡くなったとき、その科学的な評価はごく平凡なものだったのだが、その後、彼の評価は高まる一方だ。彼の名はトマス・ベイズという。統計学に革命を起こし、現代の問題に直結させた人物だ。

ベイズは１７０１年に、おそらくハートフォードシャーで生まれた。父親のジョシュアは長老派教会の牧師で、トマスは父のあとに続いた。彼はエディンバラ大学で論理学と神学の学位を修得して、父親を短期間補佐したあと、タンブリッジ・ウェルズにあるマウント・シオン教会の牧師になった。彼はまったく異なる2冊の本を書いた。1731年に出版された最初の本は『神の慈悲、あるいは神の摂理と統治の主要な目的が被造物の幸福であることを証明する試み』。これはまさしく、プロテスタントの牧師が書くだろうと思われる本だ。そして、1736年に出版されたもう一方は『流率法序説、および『アナリスト』著者の異議に対する数学者の抗弁』。こちらは、牧師がそんなものを書こうとは予想だにしない本だろう。ベイズ牧師はこの本で、バークリー主教による攻撃から科学者ニュートンを擁護している。執筆の理由はいたって単純だった。ベイズはバークリーの数学に異論があったのだ。

ベイズが亡くなったとき、友人のリチャード・プライスは彼の研究論文をいくつか受け取り、そこから数学の論文を2編抜き出して出版した。1編は漸近級数に関するものだった。漸近級数とは、より簡易な項を多数足し合わせることにより、何らかの重要な量を近似する式のことだ。もう1編は、『偶然の理論における一問題を解くための試み』という題名で、1763年に発表された。これは条件付き確率に関する論文だった。

ベイズの鍵となる洞察は、論文の最初に登場する。命題2は次のように始まる。「もしある人が一つの事象の生起に依存する期待を持つならば、その事象の生起する確率対失敗する確率は、それが失敗したときの彼の損失対それが起こったときの利得に等しい」。少しわかりにくい表現だが、ベイズはさらに詳細な説明を加えている。彼の書いたことを現代の用語に改変するが、すべて彼の論文に書かれていることだ。

EとFを事象とすると、Fが起こったという条件の下でEが起こる条件付き確率を$P(E|F)$と書く

（「Fが起こったときのEの確率」と読む）。このとき、私たちが現在「ベイズの定理」と呼ぶ定式は以下のように表される。

$$P(E|F)=\frac{P(F|E)P(E)}{P(F)}$$

これは、次の式（現在、条件付き確率の定義とされている）から簡単に導かれる。[1]

$$P(E|F)=\frac{P(E\text{ かつ }F)}{P(F)}$$

2番目の定式を二人の女の子の謎解きで確認してみよう。スミス夫妻の二人の子供のうち、少なくとも一人は女の子である、という1番目の問題だ。全標本空間は四つの事象「女女」「女男」「男女」「男男」から構成され、それぞれの確率は$\frac{1}{4}$だ。Eを「二人とも女の子」すなわち「女女」の事象とする。Fを「少なくとも一人は女の子」の事象とすると、「女女」「女男」「男女」の部分集合となり、確率は$\frac{3}{4}$だ。そしてEかつFの事象は「女女」なので、事象Eと等しい。定式によると、少なくとも一人は女の子という条件の下で、二人とも女の子の確率は

$$P(E|F)=\frac{P(F|E)P(E)}{P(F)}=\frac{1/4}{3/4}=\frac{1}{3}$$

となり、これは私たちが以前に得た結果と同じだ。

ベイズは条件をさらに複雑に組み合わせ、それらに関連した条件付き確率について考えた。これらの結果も、より現代的に拡張された一般化と併せて、ベイズの定理と呼ばれている。

ベイズの確率

製造過程における品質管理など、ベイズの定理は実用的な問題に重要な影響を与えた。たとえば、「ある会社の製造する玩具の車の1台から車輪が抜け落ちたとき、それがウォーミングガム工場で生産された確率はいくつか?」というような疑問に答えることができるのだ。しかし、年月を重ねるにつれて、ベイズの定理は「確率とは何か?」、そして「確率をどう扱えばいいのか?」という、まったく哲学的な問題に変容していった。

確率に関する古典的な定義(「解釈」という言葉の方がよいかもしれない)は、頻度論者によるものだった。彼らの定義では、確率とは「試行を何度も繰り返したときに、ある事象が起こる頻度」である。すでに本書で見たように、この解釈は確率論の初期の先駆者にまで遡る。しかし、欠陥がいくつかある。「何度も」とは、正確には何を意味するのか明確ではない。一連の試行をしたとしても、(起こることが稀な事象の場合)頻度が一つの決まった値に収束するとは限らない。同等の実験を何度でも好きなだけ繰り返すことができるのが、頻度論の拠りどころだ。それが不可能な場合、その

「確率」に意味があるかどうか不明だし、たとえ意味があるとしても、どうやってそれを見つければよいかわからない。

たとえば、西暦3000年までに私たちが、知性を持った宇宙人を発見する確率はいくつか？　当然ながら、これはたった一度しかできない試行だ。それでも私たちの多くは、その確率には意味があるはずだと直感的に感じる——たとえ、その値にまったく納得できないにしても。確率は0と主張する人もいれば、0・9999と言う人もいるだろうし、どっちつかずの風見鶏たちは0・5（五分五分というお決まりの確率だが、ほぼ確実に間違いだろう）と言うかもしれない。なかにはドレイクの方程式を持ち出す人もいるかもしれないが、この式の変数はあまりに不明確なので、役には立たないだろう[2]。

頻度主義に取って代わるのが、ベイズの方法である。かの善良なるベイズ牧師が、これを自分の発案したものと認めるかどうかはちょっとわからないが、彼がその（見方によっては疑問の余地がある）功績を認められる仕事をしたのは確かだ。だが実際のところ、このアプローチは「明日、日が昇る確率はいくつか？」などの疑問について議論したラプラスにも端を発する。しかし、私たちはここで、歴史的な理由のせいではあるが、確率の用語の問題で立ち往生してしまう。

ベイズは彼の論文で次のように確率を定義した。「任意の事象の確率とは、その事象の生起を期待して計算されるべき値と、その事象が起こった場合に期待される値との比である」。この記述はやや曖昧である。「期待」とは何か？　「されるべき」とは何を意味するのか？　合理的に解釈すると、「ある事象が起こる確率は、それが起こると考える私たちの**信念の度合い**である」と考えられる。その事象が起こるという仮説に対して、どれくらい確信があるか、どんなオッズならそれに賭けてもよいと確信できるか、どれくらい強くそれを信じているか、ということだ。

この解釈には長所がある。特に、このアプローチを使えば、一回しか起こらない事象に対して確率を割り当てることができる。宇宙人に関する問いについても、「知性を持った宇宙人が西暦3018年までに地球を訪れる確率は0・316である」と合理的に答えることができる。これは「私たちがこの長さの歴史を1000回繰り返すならば、宇宙人が姿を現すのは316回だ」ということを意味しているわけではない。たとえタイムマシンを持っていても、それを使って歴史を変えることができないのならば、宇宙人の侵略を受けるのは0回か1000回かのどちらかだろう。そうではなく、0・316という確率は、宇宙人が現れることに対する私たちの確信が中程度であることを意味するのだ。

確率を信念の度合いとして解釈することには、明らかな短所もある。ジョージ・ブールは、1854年の著書『思考の法則の研究』で、「期待の強さを心の感情と捉え、それを数的な尺度で表すことができると認めるのは非哲学的だ。臆病者は諦め、優柔不断な者は迷って途方に暮れるときでも、多血質〔楽天的で快活であるが、激しやすい気質〕の者は高い期待を抱くものだからだ」と記している。言い換えると、0・316という私の評価にあなたが同意せず、宇宙人の侵略の確率はせいぜい0・003だと言ったとしても、どちらが正しいかを確かめる方法はない（正しい人がいればの話だが）。たとえ宇宙人が現れたとしても、どちらが正しいかはわからない。もし宇宙人がやってこなかったら、あなたの見積もった値の方が私のよりもよいし、宇宙人がやってきたなら、私の値の方がよい。しかし、どちらも正しいと実証されたわけではないし、別の数値の方がよいとわかることもあるだろう。すべては結果次第なのだ。

ベイズの方法には、こうした異議に対する回答のようなものも備わっている。実験を（ただし、まったく同一ではない条件下で）繰り返したときの確率を、再び導入するのだ。もう1000年待ち、他の宇宙人集団が現れるかを見るのだ。ただし、その前に信念の度合いを修正する。

たとえば、アペロベトニーズ・ガンマからやってきた探索隊が2735年に現れたとしよう。このとき、私の0・316という確率はあなたの0・003よりもよかったことになる。そこで、その後の1000年間についての確率を考える際には、私たちはともに信念の度合いを修正する。あなたの確率の値は確実に上方修正が必要だし、おそらく私の確率も同様だ。0・718という妥協案で意見が一致するかもしれない。

ここで修正を止めてもよい。何度繰り返しても、まったく同じ事象が再現されることはない。それでも、私たちが推定している対象が何であれ、以前の値よりも改善した推定値を手に入れることはできた。もっと野心的になるなら、問題を「1000年の間に宇宙人が到来する確率」に変えて、再び実験することもできる。ところが、今度は何としたことか、新たな宇宙人はやってこない。そこで私たちは信念の度合いを下げ、たとえば0・584にして、次の1000年を待つ。

このような手順はやや恣意的に思われるし、またその通りである。ベイズの方法の手順はもっと体系的だ。ベイズの考えでは、まず最初の信念の度合いを設定し、それを**事前確率**と呼ぶ。それから実験を行い（先の例で言うと、宇宙人を待ち）、その結果を観測し、ベイズの定理を用いて**事後確率**を計算する。事後確率とは、より多くの情報を踏まえて改善された信念の度合いのことだ。もはや単なる当て推量ではなく、限られた証拠に基づいている。たとえそこで修正を終わりにしても、有用なものは得られている。しかし必要に応じて、この事後確率を新しい事前確率と解釈することができる。

そして2回目の実験を行えば、2番目の事後確率を得ることができる。ここで得られる2番目の事後確率は、ある程度は前のよりも改善されているはずだ。これを新しい事前確率に設定し、再び実験し、さらによい事後確率を得る、という具合に繰り返す。

それでもこれは主観的な方法に思われるし、またその通りである。しかし驚くべきことに、この方法は多くの場合、とてもうまくいく。良好な結果をもたらし、頻度論のモデルでは手に入れられない方法を示唆する。こうして得られた結果と方法論を使えば、重要な問題を解決することができる。その結果、統計学の世界は今や、頻度論とベイズ統計という異なるイデオロギーを持つ二つの学派に分裂している。

実践的な考え方をすれば、私たちはどちらか一つを選ぶ必要はない。二人の頭脳は一人の頭脳に勝るということわざの通り、二つの解釈は一つの解釈に勝り、二つの哲学は一つの哲学に勝る。もしも一方がうまくいかなければ、もう一方を試せばよい。こうした考え方が徐々に広まりつつあるが、現在のところはまだ、どちらか一方だけが正しいと主張する人が多い。多くの分野の科学者は、どちらの方法を使うかにはこだわっていないが、ベイズの方法はより適応性が高いので広く普及している。

裁判で拒絶される統計的推論

裁判所は、数学の定理を実験する場には似つかわしくないかもしれないが、ベイズの定理を刑事訴追に応用すれば、重要な役割を果たせるのだ。残念なことに、法律の専門家はこのことをほとんど無視し、裁判は誤った統計的推論で溢れている。皮肉なことに（そして、十分予想できることではあるが）、人間の行動を扱う分野では不確実性を減らすことがきわめて重要であり、まさにそのために発達した数学ツールが存在するにもかかわらず、検察も弁護人も古めかしく誤った推論を好んで使っている。さらに悪いことに、法律制度そのものも数学の使用を妨げている。誰かの運転する車が制限速度をどれだけ超過しているかを決めるときには算術を使って計算するのだから、それと同様に法廷で確率理論を使っても別に問題はない、とあなたは思うかもしれない。ただ大きな問題となるのは、統計的推論は誤解を招きやすいので抜け穴ができ、それを検察も弁護人も使えてしまうという点だ。

裁判でベイズの定理を却下して、特にひどい判決が下されたのは、1998年のレジーナ対アダムズ事件の控訴審だった。このレイプ事件で、犯行を裏付ける唯一の証拠は、被害者から採取された標本と被告のDNA型が一致したことだった。被告にはアリバイがあり、被害者の説明した犯人像とは似ていなかったにもかかわらず、DNA型が一致したため起訴された。控訴審では「DNA型が一致する確率は20億分の1である」という検察側の主張に対し、弁護側は鑑定人の証言で反論した。統計に基づく議論を行う際は、いかなる場合にも弁護側の証拠も考慮に入れるべきであり、今回はベイズの定理を用いるのが正しいアプローチである、と専門家の立場から鑑定人は説明した。だが、裁判官は次のように、すべての統計的推論を非難した。「陪審員団の任務は、……証拠を評価し、結論に到達することである。数学や何かの公式という手段によってではなく、各人の良識と、目の前の証拠に対する世界の知識とを組み合わせて用いることによって、結論に至るべきだ」。大変結構だが、6章で紹介したように、そうした状況では「良識」など何の役にも立たない。

2013年のナルティら対ミルトン・ケインズ自治区議会の民事訴訟事件は、ミルトン・ケインズ近郊のリサイクルセンターでの火事に関するものだった。裁判官は出火の原因はタバコの不始末だと判断したが、それはもう一つの出火原因（アーク放電による出火）の方が、起こる可能性が低いという理由からだった。タバコをポイ捨てしたとされるエンジニアが契約していた保険会社は裁判に負け、200万ポンドの賠償支払いを命じられた。控訴審では、裁判官の推論は否定されたが、控訴は棄却された。その判決は、ベイズ統計の基礎をすべて否定するものだった。「〝優越的蓋然性〟という基準は、ときに〝50％以上の確率〟という数学的な表記がされることがあるが、それによってエセ数学が持ち込まれる危険がある。……ある事象が起こった確率を百分率で表すことができるというのは幻想だ」

ノーマ・フェントンとマーティン・ニール[3]は、ある弁護士が次のように言ったと報告している。「さて、この男がやったかやらなかったかのどちらかだ。もしやったなら、100％有罪で、やらなかったなら、0％有罪だ。だから、その中間の確率で有罪の可能性があるというのは無意味だし、そんなものは法律にはふさわしくない」。起こった（あるいは起こらなかった）とわかっている事象に確率をあてがうのは不合理だ。しかし、わかっていない場合に確率を割り当てて考えるのは、実に賢明なやり方であり、ベイズ統計はこれを合理的に行う方法なのだ。たとえば、誰かがコインを投げるとしよう。それを見ている人がいるが、あなたは見ていない。見ていた人にとってはコイン投げの結果はわかっていることなので、確率は1だ。しかしあなたにとって、表と裏が出る確率はそれぞれ1/2だ。なぜならあなたは、何が起こったかではなく、自分の当て推量がどれだけ正しいかを評価しているからだ。あらゆる裁判事件では、被告人は有罪か無罪かのどちらかだ。だが、この情報は裁判には関係がない。どちらであるかを判断するのが裁判所の仕事なのだから。陪審員団が煙に巻かれるかもしれないという理由で、有用な方法論を拒絶するのは愚かだ。由緒正しい作法に則っていても、弁護士が弄する駄弁に、陪審員団はだまされているのだから。

なぜ裁判で誤用されるのか？

数学的な表記は多くの人を混乱させる。また、私たちの条件付き確率に対する直感はひどいものだが、数学的表記はそれを助けてもくれない。だからといって、それは価値ある統計的手法を拒絶する理由にはならない。裁判官と陪審員団はきわめて複雑な事件に取り組んでいる。誤審を防ぐための従来の措置は、鑑定人に意見を求めたり（だがこれから見ていくように、彼らの助言に誤りがないわけではない）、裁判官が陪審員団を注意深く導いたりすることだ。私が紹介した二つの事件では、弁護人が十分説得力のある統計的証拠を示していたとは言い難いだろう。しかし、その事件との関係が薄いことまで今後は使ってはならないと禁止するのは、多くの評論家から見て行きすぎであり、有罪判決を出すのをさらに難しくし、ひいては無実の人を守りにくくする。その結果、この素晴らしい、基本的には単純な方法は、不確実性を減らすのにとても役立つことがわかっているのに、法律家がそれを理解せず、誤用することを嫌うせいで行き場を失ってしまった。

残念なことに、確率的推論、特に条件付き確率に関する推論を誤用するのはあまりにもたやすい。6章で見てきたように、私たちの直感は簡単に惑わされてしまうが、そんなときでも数学は明快で正確だ。自分が殺人の罪に問われて法廷にいると想像してほしい。被害者の服に残された血痕がDNA鑑定され、あなたのDNA型にほぼ一致した。検察によれば、ランダムに選ばれた人がそこまで一致する確率は100万分の1だという。それは確かにそうかもしれないので、そう仮定しよう。そして検察は、あなたが無実である確率も100万分の1と結論した。こうした検察の結論は、もっとも単純な形の誤った推論である。まったくナンセンスだ。

あなたの弁護人は、すばやく行動に移る。英国には現在６０００万の人がいる。たとえ１００万分の1の可能性だとしても、その60人は等しい確率で有罪である。したがって、あなたが有罪の確率は60分の1、つまり１・６％だ。これは弁護人の誤った推論であり、これもナンセンスだ。

この例は創作だが、こうしたやりとりが法廷で行われた事例は多数存在する。その一つが、レジーナ対アダムズ事件であり、検察は事件とは関係のないＤＮＡ型の一致率を強調した。検察の誤った推論によって無実の人々が有罪判決を受ける事例は明らかにいくつもあり、裁判所も控訴審で有罪判決を覆すことによって、それを認めている。さらに統計の専門家は、こうした誤った統計的推論のせいで出された誤審のうち、判決が覆されていないものは相当な数にのぼると考えている。証明するのはさらに難しいが、裁判官が弁護人の推論の誤りを見極められなかったせいで、犯罪者が無罪判決を受けたこともあるだろう。しかし、検察や弁護人がなぜ推論を誤ってしまうのかを説明するのは簡単だ。

話を進めるために、そもそも法廷で確率計算が許されるべきかという問題については、ここでは措いておくことにしよう。結局のところ、裁判とは有罪か無罪かを査定するものであり、不正行為を行った可能性が高いという理由で有罪判決を下してはいけないのだ。ここで論じるべきなのは、統計の使用が許されている場合に、何に気をつける必要があるかという問題である。現在、英国やアメリカの法律で、確率を証拠として提出することは禁じられていない。私の創作したＤＮＡ鑑定の事例で、検察と弁護人のいずれも間違っていることは、彼らの算定がまったく食い違っていることからも明らかだ。では、何がおかしいのだろう？

コナン・ドイルの短編『白銀号事件』の話の展開は、シャーロック・ホームズが「あの晩の犬の不思議な行動」に着目する点にかかっている。「あの晩、犬は何もしませんでしたよ」とスコットランドヤードのグレゴリー警部は抗議する。これに対して、いつものように謎めいたホームズは、「だからこそ不思議なのです」と返答する。この議論で出てくるのは、何もしていない犬だ。それがどうした？　有罪か無罪かを示すかもしれない他の証拠については何も言及されていない。しかし、ここで追加された証拠は、容疑者が有罪であるという事前確率に強い効果をもたらし、計算結果を変えてしまう。

問題を明確にするために、別のシナリオを挙げてみよう。国営宝くじに当たったという電話をあなたは受ける。１０００万ポンドもの大金だ。正真正銘の大当たりで、あなたは当選の小切手を受け取る。しかし、銀行で小切手を提示したときに、肩に手が重くのしかかるのを感じる。それは警察官で、あなたを窃盗容疑で逮捕するというのだ。法廷で検察は、あなたが不正を働き、宝くじ会社から賞金をだましとったことはほぼ間違いないと主張する。理由は簡単だ。ランダムに選ばれた人に宝くじが当たる可能性は２０００万分の１だ。検察の誤った推論によると、これがあなたが無実である確率なのである。

この場合、何が間違っているのかは明らかだ。毎週、数千万もの人々が宝くじを買う。だから、**誰か**が当たる可能性はとても高い。そもそもあなたは宝くじ当選前にランダムで検察に選び出されたわけではない。当選後に、**くじに当たったがゆえに**選び出されたのだ。

統計的推論の深刻な間違い

統計的証拠が関わる裁判で、特に憂慮すべき事態が生じた事例が、サリー・クラークの裁判だ。彼女は英国の弁護士で、乳幼児突然死症候群（ＳＩＤＳ）のために二人の子供を失った。検察側の鑑定人は、このような悲劇が偶然に2回続けて起こる確率は7300万分の1であると証言した。彼はまた、こうした悲劇が実際に確認される率は、この確率よりも高いと述べた。そして、そうした食い違いが出るのは、2回続けて起こった乳幼児突然死の多くは偶然によるものではなく、代理ミュンヒハウゼン症候群（彼が専門とする精神疾患）〔わざと傷つけた子供を献身的に看病し、同情を集めようとする精神疾患〕によるからだと説明した。統計以外に裏付けとなる重要証拠はないにもかかわらず、クラークは子供を殺した罪で有罪となり、メディアから激しいバッシングを受け、無期懲役の判決を受けた。

検察側の陳述に重大な欠陥があるのは最初から明白だったと王立統計学会は懸念を表し、有罪判決のあとのプレスリリースでそう指摘した。収監されて3年以上経過したあと、クラークは控訴して釈放されたが、それは検察側の陳述の欠陥が認められたからではなかった。赤ちゃんを検死した病理医が、彼女の無罪を示唆する証拠を提出していなかったことがわかったからだった。だが、この誤審からクラークが立ち直ることはなかった。彼女は精神疾患を患い、4年後にアルコール中毒で死去した。

ここには何種類かの欠陥が見られる。まず、乳幼児突然死症候群には遺伝的な要因があるという、はっきりした証拠がある。これは、ある家族の赤ちゃんが乳幼児突然死で亡くなったなら、二人目の突然死も起こる可能性が高いことを意味する。したがって、一人の赤ちゃんが別々に突然死する確率を掛け合わせても、二人が続けて死亡する確率を正しく推定することはできない。二つの事象は独立ではないのだ。乳幼児が二人続けて亡くなる事例のほとんどは代理ミュンヒハウゼン症候群によるものであるという主張には、反論の余地がある。ミュンヒハウゼン症候群は自傷行為を伴う。一方、代理ミュンヒハウゼン症候群は、他人を傷つけることで自分を傷つけるのだ（これが正しいかは議論を呼んでいる）。法廷では誰も気づかなかったようだが、鑑定人が報告した「2回続けての死亡がより高い確率で起こる」というのは、実のところ、死亡が偶然続けて起こる実際の確率だったのだ。ミュンヒハウゼン症候群による傷害で子供が本当に殺されたのは、そのなかのごく少数の稀な事例であることは間違いない。

しかし、これらはすべて要点から外れている。乳幼児突然死が偶然続けて起こることを示すためにどんな確率が使われようとも、それは他の可能性と比較されなければならない。さらに、どれも「二人が死亡した」という証拠を条件とした条件付き確率でなければならない。したがって、3通りの説明が可能だ。一つ目は、二人の死はどちらも偶然によるというもの。二つ目は、二人とも殺害されたというもの。三つ目は、それとはまったく違う理由によるというもの（たとえば、一人は殺害され、もう一人は自然死）。三つの事象はいずれもきわめて稀である。したがって、もしも確率的なものが問題になるなら、それぞれが他の二つに比べてどれだけ起こり難いかが重要である。そして、たとえ二人がどちらも殺害されたのだとしても、「誰が殺したのか」という疑問が残る。殺害者は無条件で母親である、ということにはならない。

つまり、法廷が注目していたのは

・ランダムに選ばれた家族のなかで、乳幼児突然死が2回起こる確率

だったが、本当は、

・乳幼児突然死が2回起こったという条件の下で、母親が二人を殺害した確率

を考えるべきだったのだ。法廷はこの二つを混同し、そのうえ間違った数値を使ったのである。数学者のレイ・ヒルは実際のデータを用いて乳幼児突然死の統計解析を行い、1家族に乳幼児突然死が偶然に2回起こる確率は、殺人が2回起こる確率よりも4・5〜9倍高いことを見出した。言い換えると、統計的な根拠だけによれば、クラークが有罪である確率はわずか10〜20％だったのだ。

ホームズの事件と同様に、ここでも犬は吠えなかった。この種の事件では、他の証拠による裏付けがない限り、統計的証拠だけではまったく信頼できない。たとえば、被告が子供を虐待していたことが独立に立証されていれば、検察側の陳述は改善されただろう。だが、そのような記録はなかった。そして、そうした虐待の形跡がないと主張することで、弁護側の陳述は改善されただろう。結局、彼女を有罪に陥れた唯一の「証拠」は、「どうやら乳幼児突然死症候群が原因で、二人の子供が死亡した」ということだったのだ。

フェントンとニールは、統計的推論が誤用された可能性のある他の多くの事例について論じている。[4] 2003年、オランダの小児科看護師のルシア・デバークは、4件の殺人と3件の殺人未遂の罪に問われた。同じ病院で彼女が勤務しているときに、目立って多くの患者が亡くなったからだ。検察は状況証拠を揃え、このようなことが偶然に起こる確率は3億4200万分の1だと主張した。この数値が示しているのは、被告が有罪ではないという条件の下で、現在の証拠が生じる確率である。計算されるべきは、現在の証拠を条件とした場合に、被告が有罪である確率だった。デバークは有罪判決を受け、無期懲役に処された。控訴審では、証人が「作り話をした」と認め、彼女の有罪を示唆する証拠が撤回されたにもかかわらず、裁定は覆らなかった（この証人は当時、犯罪心理学病棟に拘束されていた)。当然ながら、マスコミはこの有罪判決に異議を唱え、市民による嘆願書が提出され、2006年にオランダの最高裁判所はアムステルダムの裁判所にこの件を差し戻した。しかし、またもや有罪判決は覆らなかった。マスコミからの酷評を受けて、2008年に最高裁判所は審理を再開した。2010年の再審で、すべての死は自然な原因によるもので、関わった看護師らは数名の命を救っていたことがわかった。裁判所は有罪判決を覆した。

病院では大勢の患者が亡くなり、多数の看護師が働いているので、数名の死亡と特定の看護師の間に非常に強い関連が生じがちなのは、意外でも何でもない。ロナルド・ミースターら[5]は、「3億4200万分の1」という数字は二度漬けをした結果(7章参照)であると示唆している。彼らによれば、より適切な統計的手法を用いれば、約300分の1、場合によっては50分の1という数値になるのだという。そんな数値は、有罪の証拠としては統計的に有意ではない。

ベイズ推論を法廷で活かすために

2016年、フェントンとニールとダニエル・バーガーは、裁判事例でのベイズ推論に関する総説を出版した。なぜ法律の専門家たちがベイズ推論を用いた議論に懐疑的なのかを分析し、ベイズ推論の可能性について概観した。その指摘によれば、過去40年にわたって、法的手続きで統計が使われることは大幅に増加した。しかし、ベイズの手法は古典的な統計手法に関わる多くの落とし穴を防ぎ、広く利用できるにもかかわらず、実際に使われたのはほとんどが古典統計だったという。彼らの結論によると、ベイズの手法が法曹界に影響を与えていないのは、「ベイズの定理に関する法曹界の誤解……と、現代的な数値計算手法を採用していないこと」が原因である。そして彼らは、ベイジアンネットワークと呼ばれる新しい手法を用いることを提唱した。この方法を使えば、必要な計算が自動化できるため、「法的手続きでベイズの手法を用いることに関する最大の懸念を払拭することができる」。

古典統計は、その厳格な仮定と長年培われてきた慣習のために、誤った解釈を生みやすい。統計有意性検定を重視すると、検察が推論を誤る可能性がある。なぜなら、「有罪であるという仮定の下で、証拠（となる事象）が起こる可能性」と「証拠（となる事象）が起こったと仮定したときに、有罪である可能性」とが混同されることがあるからだ。「信頼区間」（確率変数が存在すると確信を持てる値の範囲）といった、もっと専門的な概念は、「ほぼ間違いなく誤解される。なぜなら、その正確な定義は複雑で、直感に反するものだからだ（事実、統計の専門家の多くさえ、きちんとは理解していない）」。こうした困難と、古典統計の芳しくないこれまでの実績のために、弁護士はどんな形の統計的推論に対しても不満を持つようになってしまったのだ。

これが、ベイズの手法を使おうとしない理由の一つだろう。フェントンらはもう一つ、より興味深い理由を挙げている。法廷で提示されるベイズモデルのあまりにも多くが、単純化されすぎているからだ、というのだ。このような単純なモデルが用いられるのは、必要な計算が手計算できるくらいに簡単で、裁判官や陪審員が論理についていけるようにしなければならないという前提があるからだ。

コンピュータの時代において、この制約は不必要だ。理解不能なコンピュータアルゴリズムについて心配するのはもっともである。極端な例として、人工知能を使った「裁判コンピュータ」――人工知能が黙々と証拠に重みをつけ、何の説明もせずに「有罪」か「無罪」を宣言する――を想像してみればよい。しかし、アルゴリズムが完全に理解可能で、その計算が明快なときには、顕在化している問題を防ぐのにコンピュータを活用するべきだ。

私が述べてきたベイズ推論の単純モデルでは、ごくわずかな陳述しか扱われていない。そして私たちが考えてきたのは、「ある陳述が条件として与えられたとき、別の陳述が正しい確率はいくつか」という問題にすぎない。しかし、裁判の事例では、あらゆる種類の証拠とそれに関連した陳述が扱われる。たとえば、「容疑者は犯罪の現場にいた」「容疑者のDNA型が被害者に付着した血痕のものと一致した」「近くで銀色の車が目撃された」などである。ベイジアンネットワークは、これらすべての要素と、それらが互いにどう影響を及ぼし合っているかを、有向グラフで図示する。このグラフは、矢印で結ばれた頂点の集まりで表される。各要素に対して一つの頂点が割り当てられ、それぞれの及ぼす影響を一つの矢印が表す。さらに、それぞれの矢印には数字が一つ紐づけされている。それは、終点の要素を条件としたときに、始点の要素が起こる条件付き確率だ。ベイズの定理を一般化することによって、特定の要素の起こる確率を、それ以外の事柄（あるいはそれ以外のすべての既知の事柄）が与えられた条件下で、計算することが可能になった。

フェントンらによれば、ベイジアンネットワークが適切に実装され、開発され、検証されれば、重要な司法のツールになるし、それによって「正しい関連仮説と、証拠の完全な因果関係をモデル化することが可能になる」という。その際にどういうタイプの証拠を用いるのが適切かという点については、もちろん多くの問題があるので、議論して合意に至る必要がある。とはいえ、このような論争を妨げてきた主な障壁は、科学と法学を分断する強固な文化の壁であり、それは現在もそびえ立っている。

9　法則と無秩序

熱は冷たいところから熱いところには流れない
やりたきゃやってもいいが、やめといた方がいい
マイケル・フランダース&ドナルド・スワン
「第一および第二法則」（歌詞）

法と秩序から、法則と無秩序へ。人間に関する事柄から、物理へ。

誰でもよく知っている、あるいは少なくとも聞いたことのある数少ない科学原理の一つが、熱力学の第二法則である。小説家のC・P・スノーは、1959年にケンブリッジ大学で行った有名なリード講演「二つの文化と科学革命」とそれに続いて出版された著書で、この法則が何か知らないなら、自分を知識人と考えるべきでないと述べた。

伝統的な文化水準から見て、高度な教育を受けたと思われる人々の集まりに私はよく出席したが、彼らがいかにも嬉しそうに、科学者は信じられないほどに無学だとあきれている場面に何度も出くわした。癪（しゃく）に障った私は一度か二度、そこにいる人々に向かって、皆さんのうちの何人が熱力

学の第二法則を説明できますかと尋ねてみた。その反応は冷ややかで、否定的でもあった。私が尋ねたのは、科学においては「シェイクスピアの作品を読んだことがありますか？」に相当する質問だったのだが。

彼の主張は理にかなっている。基礎科学は、人類の文化の一端を担うものだ。たとえて言えば、ホラティウスのラテン語の名言を知っていたり、バイロンやコールリッジの詩を引用できたりするように、科学も文化として浸透していなければならない。ただし実を言えば、彼はもっとよい例を選ぶべきだった。なぜなら、科学者の多くも、熱力学の第二法則に精通してはいないからだ[1]。

公平を期すために言うと、スノーは続けて、質量や加速度といったより簡単な概念について尋ねても（これは、科学においては「あなたはものが読めますか？」と訊くのに等しい質問だ）、その意味を説明できるのは教養の高い人々のなかで、10人中1人いるかどうかだろうと述べている。これに対して、文芸評論家のフランク・レイモンド・リーヴィスは、文化は一つしかなく、それは自分の文化だと返答したが、これは不用意にも、スノーの主張を強調することになってしまった。

もっとポジティブな反応としては、数々の人気コミックソングを世に送り出したマイケル・フランダースとドナルド・スワンのコンビが一曲書き下ろし、1956年から1967年に行われたレビューのツアーで歌った。本章の冒頭に挙げたエピグラフは、その歌詞からの引用だ[2]。第二法則の科学的な説明には、かなり曖昧な概念を持つ用語が使われている。フランダース＆スワンの歌の終わり近くに出てくるのが、その用語だ。「そう、それが**エントロピー**だ」

熱力学は熱の科学であり、熱がどのようにしてある物質（あるいは系）から別の物質に伝わるかを扱う。熱が伝わる例として、ヤカンを沸騰させたり、ろうそくの上に風船をかざしたりすることが挙げられる。熱力学の変数で最も馴染みがあるのは、温度、圧力、体積だ。そして、これらの変数がどのように関係しているかを教えてくれるのが、理想気体の法則である。気体の圧力と体積の積は、絶対温度に比例する、というのがそれだ。たとえば、風船の中の空気を熱すると温度が上がるので、その結果、風船の体積がより大きくなる（風船が膨らむ）か、内部の圧力が上昇する（最終的には風船は破裂する）か、あるいはこれら二つが少しずつ起こるかのいずれかになる。ここでは、熱によって風船が焼けたり溶けたりすることは、理想気体の法則の想定外なので無視している。

もう一つの熱力学変数は熱である。熱は温度とは別の概念であり、多くの点で温度よりも単純だ。熱や温度よりもはるかに捉えがたい概念が、エントロピーである。非公式には、ある熱力学系の無秩序さを示す量だと説明されることが多い。第二法則によると、外界の要素から影響を受けない系では、エントロピーは常に増大する。ここでの「無秩序」は定義ではなく比喩（メタファー）であり、誤解を招きやすい。

熱力学の第二法則は、私たちを取り囲む世界を科学的に理解する上で重要な示唆を与える。宇宙スケールで暗示されるのは、「宇宙の熱的死」だ。はるか先の未来では、あらゆるものが一様に生ぬるいスープのようになるという説である。誤解されている場合もある。たとえば、生物がより複雑になると、より高度な秩序を維持しなければならないので、熱力学第二法則によれば進化は不可能であるという主張だ。そして、とても不可解で逆説的な考えも生まれた。それが「時間の矢」だ。熱力学の第二法則を導き出した方程式は、時間がどちらの方向に流れても変わらないのに、エントロピーは過去から未来に向けた一方向だけに時間の流れを限定しているように見える、という考えだ。

第二法則の理論的基盤となるのが、１８７０年代にオーストリアの物理学者ルートヴィヒ・ボルツマンが導出した気体分子運動論だ。これは気体中における分子の運動を表した単純な数学モデルで、そこでは分子は、衝突すると跳ね返る小さな硬い球として表されている。分子はその大きさに比べると、平均して互いに遠く離れており、液体や固体のように密集していないとボルツマンは仮定した。当時、第一線に立つ物理学者のほとんどは、分子の存在を信じていなかった。つまり、物質が原子から作られ、原子を組み合わせると分子になるということを信じていなかったのである。そのため、ボルツマンは苦難の時期を過ごした。彼の考えに対する批判はキャリアを通してずっと続き、１９０６年の休暇中にボルツマンは首を吊った。考えが受け入れられなかったことが死の原因になったのかはわからないが、反対派が間違っていたのは明らかだ。

気体分子運動論の核となる特徴は、分子の運動が実際にはランダムに見えることだ。不確実性に関する本書で、熱力学の第二法則が出てくるのはそのためだ。ただし、跳ね返る球のモデルは決定論に基づいており、その運動はカオス的である。このことを証明するのに、数学者たちは1世紀以上を要した。(3)

熱力学と気体の運動

熱力学と気体分子運動論の歴史は入り組んでいる。だから、ここでは細かい点は省いて、問題がより単純である気体に限定して議論を進める。この物理領域は、二つの主要な段階を経て発展した。第一段階の古典熱力学では、気体全体の状態を表すマクロ（巨視的）な変数が、気体の重要な特徴量だった。これは前述した温度、圧力、体積などのことだ。科学者たちは、気体が分子でできていること に気づいていた（１９００年代前半まで、論争の的になってはいたが）。しかし、分子の正確な位置や速度については、全体の状態が影響を受けない限り、考慮されることはなかった。たとえば、熱は、分子集団すべての運動エネルギーを合わせたものである。衝突によって速度が上がる分子があったとしても、速度が下がる分子も存在するため、最終的にエネルギーの総和は同じレベルのままになる。したがって、これらの変動は巨視的変数には影響しない。ここでの数学の問題は、こうした巨視的な変数同士の関係を説明し、その結果得られる方程式（法則）を用いて、気体の振る舞いを推定することだった。当初、それを実際に応用したのが、主に蒸気機関をはじめとする産業用の機械の設計だった。事実、蒸気機関の熱効率の理論限界の解析がきっかけとなって、エントロピーという概念が生まれたのである。

　第二段階では、気体の個々の分子の位置や速度などのミクロ（微視的）な変数が主役になった。最初の大きな理論的問題は、容器の中で分子が跳ね回っているときに、これらの変数がどう変動するかを表すことだった。次の問題は、こうした詳細なミクロの描像から、古典力学をどのように導き出すかというものだった。その後、量子効果も考慮されるようになり、量子熱力学が登場した。量子熱力学は「情報」などの新しい概念を取り入れ、古典版の熱力学に詳細な理論的基礎を与えている。

　古典的なアプローチでは、ある系のエントロピーは間接的に定義されていた。最初に、系そのものが変化するとき、この変数がどう変化するかを定義する。次に、このような微小な変化をすべて足し合わせると、エントロピーが得られる。もしも系の状態変化が小さければ、エントロピーの変化は熱の変化を温度で割ったものとなる（状態変化が十分小さければ、変化の間、温度は一定と考えられる）。大きな状態変化は、多数の小さな変化が連続して起こったものと考えられ、対応するエントロピーの変化は各ステップにおける小さな変化の総和である。より厳密には、微積分法を用いてこうした変化を積分したものが、エントロピーの変化となる。

これでエントロピーの変化はわかるが、エントロピー自体はどうだろう？　数学的には、エントロピーの変化は、エントロピーを一意に定義するものではない。つまり、付加される定数が定義されていないのだ。この定数を固定するためには、明確に定義された何らかの状態に対してエントロピーの値を定める必要があり、絶対温度という概念に基づいてエントロピーを選ぶのが標準的である。セルシウス（摂氏）度（ヨーロッパで一般的）あるいは華氏度（アメリカで一般的）などのよく知られた温度には、任意性が含まれている。摂氏度では、0℃は氷の溶ける点、100℃は水が沸騰する点と定義されている。華氏度では、それに対応する温度はそれぞれ32°Fと212°Fである。華氏度を考案したガブリエル・ファーレンハイトは当初、人の体温を100°Fとし、手に入る最も冷たいものを0°Fとした。だが、そうした定義では将来面倒になるので、32°Fと212°Fに改められた。原理的には、これら二つの温度に対してどんな数字を割り当ててもかまわないし、窒素と鉛の沸点など、まったく異なるものを基準にしてもよい。このように、温度尺度には任意性がある。

一方で、科学者が温度をどんどん低下させようと試みたところ、物質の温度には低下できる明白な限界があることがわかった。「絶対零度」と呼ばれるこの温度は、おおよそ−273℃であり、熱力学の古典的描像では、すべての熱運動が停止する。どれだけ頑張っても、いかなるものもこの温度より冷たくすることはできない。アイルランド生まれの物理学者ケルビン卿にちなんで名づけられた「ケルビン温度目盛」は、絶対零度を零点として用いる熱力学温度目盛である。温度の単位はケルビン（記号はK）だ。この目盛は、すべての温度に273が加えられることを除けば、摂氏度と同じである。こうすると、氷は273Kで溶け、水は373Kで沸騰し、絶対零度は0Kとなる。そして、ある系におけるエントロピーは、絶対温度がゼロのときにエントロピーがゼロになるように定義される（前出のエントロピーを決める付加定数をそのように選ぶ）。

これがエントロピーの古典的な定義だ。現代の統計物理学によるエントロピーの定義は、いくつかの点でより単純だ。気体に対しては（自明ではないが）同じ定義に帰着するので、どちらにも同じ言葉を使って害はない。だが、微視的な状態（ミクロ状態と呼ぶ）を扱うときには、現代統計物理学によるエントロピーの定義が有効だ。レシピは簡単だ。ある系で、N通りのミクロ状態がすべて同じ確率で出現するなら、エントロピーSは、

$$S = k_{\mathrm{B}} \log N$$

である。ただし、k_{B}はボルツマン定数と呼ばれるもので、数値としては、1.38065×10^{-23}ジュール毎ケルビンという値になる。ここで、logは$e = 2.71828\cdots$を底とする自然対数である。すなわち、この系のエントロピーは、原理的にこの系が取りうるミクロ状態の数の対数に比例する。

例として、トランプ1組からなる系について考えてみよう。この場合のミクロ状態とは、トランプ1組をシャッフルしたときにできる順序のいずれかである。4章で述べたように、このミクロ状態の総数は52!となる。これは、80658で始まる68桁の大きな数だ。エントロピーを計算するには、対数をとってボルツマン定数を掛ければよい。したがって、

$$S = 2.15879 \times 10^{-21}$$

となる。ここで2組目のトランプを取り出すとしよう。その系のエントロピーSも同じ値をとる。しかし、2組のトランプを混ぜ合わせ、大きな一つの組にしてシャッフルすると、ミクロ状態の総数は$N=104!$になる。これは10299で始まり、167桁からなる、はるかに大きな数だ。したがって、2組が混ぜ合わさった系のエントロピーは

$$T=5.27765\times10^{-21}$$

となる。混ぜ合わされる前の、二つの部分系（トランプ1組ずつ）のエントロピーの和は

$$2S=4.31758\times10^{-21}$$

である。Tは$2S$よりも大きいため、混ぜ合わさった系のエントロピーは、二つの部分系のエントロピーの和よりも大きい。

ここで、トランプの組を混ぜ合わせることは、2組のカードが（組を超えて）相互作用できることを意味する。それぞれの組を別々にシャッフルできるだけでなく、それらを一緒に混ぜ合わせることで新しい配列も増やせる。したがって、相互作用が許される場合、系のエントロピーは、二つの相互作用しない系のエントロピーの和よりも大きくなる。確率論研究者のマーク・カックは、この効果を2匹の猫を使って表現した。それぞれの猫にはたくさんのノミがたかっている。2匹が離れていると

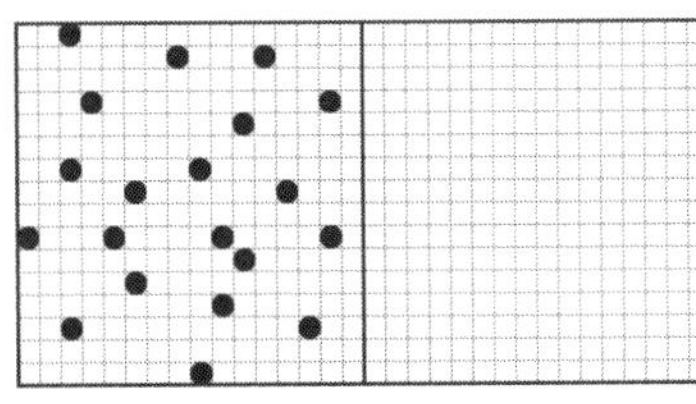
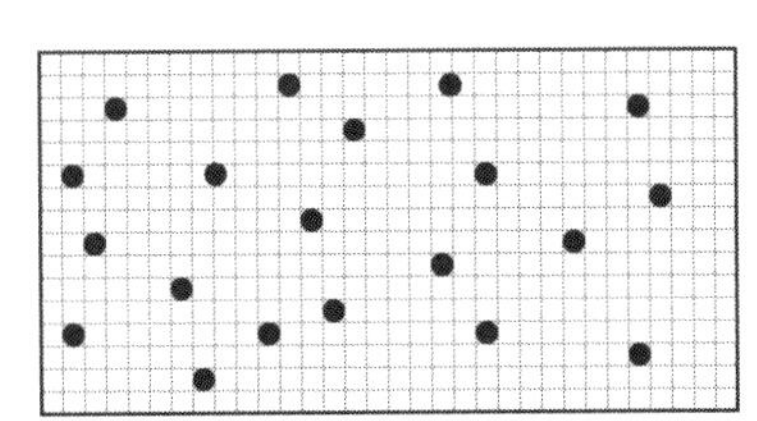

（左）仕切りのある場合。（右）仕切りが取り除かれると、多数の新しいミクロ状態が可能になる。「粗視化」された箱を灰色の線で示している。

き、ノミは動き回ることができるが、「それぞれの」猫の上でだけだ。2匹が出会うとノミが交換されるので、可能な配列の数は増加する。

因数の積の対数は、個々の因数の対数の和に等しい。ゆえに、混合された系のミクロ状態の数が、混合前の個々の系のミクロ状態の数の積よりも大きいとき、エントロピーは増大する。これはほとんどの場合に成り立つ。なぜなら、二つの部分系を合わせた系のミクロ状態数が、それぞれの部分系のミクロ状態数の積に等しくなるのは、両者を混ぜ合わせることができない場合だからだ。ごちゃ混ぜにすることができれば、より多くのミクロ状態が生じる。

では、仕切りで分割された箱を想像してみよう。片側は多数の酸素分子で満たされているのに対して、もう片側は真空とする。こうして仕切られた二つの部分系は、それぞれ固有のエントロピーを持つ。ミクロ状態は、個々の分子をそれぞれの位置に配置する組み合わせの数と考えればよい。多数（だが有限）の微小な箱に空間を「粗視化」し、この箱を用いて分子の位置を特定するとしよう。仕切りが取り除かれると、それ以前に可能だった分子の配置（ミクロ状態）は依然としてすべて存在する。しかし、分子は箱の別の片側に移動できるようになるため、多数の新しいミクロ状態ができる。この新しい組み合わせの数は、古い組み合わせの数よりはるかに多い。そして、ほぼ確実に、気体は一様な密度で箱全体に広がる。

より簡潔に言うと、仕切りが取り除かれると、とりうるミクロ状態の数が増加し、それゆえにエントロピー（ミクロ状態の数の対数）も増加する。

仕切りがあったときには、片側にあった酸素分子の集合は、もう片側の真空から分離されていた。このような意味で、物理学者は仕切りが存在していたときの状態を秩序のある状態という。仕切りを取り除くと、この分離がなくなり、状態はより無秩序になる。この意味で、エントロピーは無秩序を表す量と解釈できる。とはいえ、これはそれほど役に立つたとえではない。

時間の矢のパラドックス

では、時間の矢に関する悩ましい問題に入ろう。

気体に関する詳細な数学モデルでは、気体分子を箱の内側で跳ね回っている有限個の極小の硬い球とみなす。各球は、分子一つを表す。分子同士は完全弾性衝突し、衝突によってエネルギーが失われることも増えることもないと仮定する。さらに、球が壁にぶつかると、理想的なビリヤードの球がクッションに当たったときのように跳ね返ると仮定する。つまり、球は当たったときと同じ角度で（スピンはかからない）、反対方向に跳ね返り、当たる前とまったく同じ速度で動く（クッションは完全弾性体とする）。ここでもエネルギーは保存される。

これらの小さな球の挙動は、ニュートンの運動法則に支配される。ここで重要なのは第二法則だ。第二法則によると、物体に作用する力は、物体の加速度と質量の積に等しい（ちなみに、第一法則は、外部から力が作用しない限り、物体は一様な速度で直線上を動く。第三法則は、すべての作用について、等しい力で反対方向に働く反作用が存在する）。私たちが力学系を考えるとき、その系に作用する力に対して、物体がどのように動くかを明らかにしたいことが多い。第二法則によれば、任意の瞬間における物体の加速度は、物体に作用する力を質量で割ったものに等しい。このことは極小の球すべてに当てはまるので、原理上はすべての球がどのように動くかを明らかにすることができる。

ニュートンの運動法則を適用すると、微分方程式が出てくる。この方程式は、時間が経過するにつれて、ある量が変化する率を示す。通常、私たちが知りたいのは、ある量の変化率よりも、量そのものだ。積分を使えば、変化率から量を算出することができる。加速度とは速度の変化率であり、速度とは位置の変化率である。任意の瞬間における球の位置を求めるには、ニュートンの法則を用いてすべての加速度を求め、積分で速度を計算し、再び積分を使って位置を計算すればよい。

ここでは、さらに二つの要素が必要だ。第一の要素は初期条件である。それは、ある瞬間（たとえば、時刻 $t = 0$）に、すべての球がどこにあり、どの速さで（そしてどの方向に）動いているかを指定する。この情報によって方程式の解が一意に定まる。それにより、時間の経過とともに初期の配置に何が起こるかがわかるのである。衝突する球に関しては、すべてが幾何学の問題になる。各球は、別の球に当たるまで、直線上を（最初に動き出した方向に）一定の速度で動く。そして第二の要素は、この次に起こることに関わる規則だ。すなわち、球は互いに跳ね返って、新しい速度と方向を獲得し、次の衝突まで再び直線運動を続ける。これらの規則が気体の分子運動論を決定し、そこから気体の法則などを導き出すことができる。

運動している物体の系にニュートンの運動法則を適用したとき、そこから導かれる方程式は可逆（時間の反転が可能）である。方程式の解（方程式に従って時間発展する軌道を表すので、解軌道とも呼ぶ）を一つ選び、時間を反転させると（時間変数 t を負の数である $-t$ に変えればいい）、やはり方程式の解になるのだ。反転して同じ解が得られる場合もあるが、通常は、同じ解にはならない。直感的に言えば、ある解軌道を追跡する動画を作って、それを逆回しすると、その結果もやはり解軌道になる、ということだ。たとえば、球を垂直方向に空中に投げたとしよう。最初は速かった動きが、重力に引っ張られるにつれて減速し、一瞬静止してから落下し始め、あなたがキャッチするまで速度を上げる。この動画を逆再生しても、同じことが起こる。あるいは、ビリヤード場で球をキューで突き、クッションに当たった球が跳ね返るとしよう。その動画を逆再生すると、やはりボールがクッションに当たり、跳ね返るのが見られる。この例からわかるように、球の跳ね返りに関する規則が、逆再生しても同じように機能するならば、球の跳ね返りにも反転性は成り立つ。

これらの例はきわめて理にかなっているが、私たちはみな、逆再生した動画で奇妙なことが起こるのを見た経験があるはずだ。たとえば、ボウルに入っていた卵の白身と黄身が突然、宙に浮かび、二つに割られた卵の殻の間に取り込まれ、合わさった殻は無傷の卵になってコックの手の中に収まる。あるいは、床の上のガラスの破片が、神秘的な動きで浮き上がり、組み合わさって無傷の花瓶になり、空中を浮遊する。滝の水は落ちるのではなく、絶壁を逆流する。グラスからワインが浮き上がり、瓶の中に戻っていく。それがシャンパンであれば、泡は縮んでワインとともに戻ってゆく。コルク栓はどこか遠いところから神秘的に現れ、瓶の口に突き戻され、ワインを内側に封じ込める。ケーキを食べている人たちの動画を逆再生すると、きわめて不快なものが見られる。どんなふうだか見当がつくだろう。

実生活におけるほとんどのプロセスは、時間を反転すると筋が通らなくなる。そうならない場合もわずかにあるが、それは例外的だ。どうやら時間はただ一つの方向に進むようだ。つまり、時間の矢は、過去から未来へという方向に向いている。

これ自体は不思議なことではない。動画を逆方向に再生したとしても、それは実際に時間を逆転させているわけではない。時間を逆転させることができれば、こんなことが起こるだろうと思わせるにすぎない。そして、時間の矢の不可逆性を強固なものにしているのが熱力学だ。熱力学第二法則によれば、時間が経つにつれてエントロピーは増大する。もし時間を逆転させると、そこではエントロピーが減少することになり、第二法則が破綻してしまう。この考えもやはり筋が通っている。時間の矢を、エントロピーが増加する方向と定義することすら可能だ。

話が一筋縄ではいかなくなるのは、時間の矢と気体分子運動論がどのように整合するのかを考えるときだ。ニュートンの第二法則によれば時間は可逆だが、熱力学の第二法則によればそうではない。しかし、熱力学の法則は、ニュートンの法則から導かれた帰結なのだ。明らかに何かがおかしい。シェイクスピアの言葉を借りると、「時間のたがが外れている」〔『ハムレット』1幕5場のセリフ〕。

このパラドックスに関する文献は膨大に存在し、そのほとんどはとても学術的だ。ボルツマンが最初に気体分子運動論を考えたときも、このパラドックスに頭を悩ませた。その答えに関わってくるのが、熱力学の法則が統計に基づいているという点だ。熱力学の法則は、跳ね返る大量の球に対するニュートン方程式の解すべてに当てはまるわけではない。当てはまらない例として、片側に閉じ込められていた酸素分子が、仕切りが外れて全体に広がったプロセスを時間反転しよう。原理の上では、箱の中のすべての酸素分子が箱の片側へ移動することはありうる。そのときに仕切りを挿入すればよい、すばやく！　しかし、そのようなことはほぼ起こりえない。そうしたことが起こる確率は恐ろしく小さく、0・000000……というふうに、ゼロ以外の数字の桁に行き着くまでに大量のゼロが並ぶ数になる。ゼロがあまりに多いので、地球のサイズでは並べきれないくらいだ。

しかし、これで話は終わりではない。時間が経過するにつれてエントロピーが増大するようなすべての解には、それに対応する「時間を逆転させた解」が存在し、そこでは時間の経過とともにエントロピーが減少する。そしてごく稀にだが、時間を逆転させた解が元々の解と同じになる場合がある（軌道が頂点に到達したときを初期条件にした場合のボール投げや、ビリヤードでクッションに当たったときを初期条件にした場合の球など）。これらの例外を無視すると、解は対になる。一方はエントロピーの増大する解、もう一方はエントロピーの減少する解だ。このような場合でも、統計効果によって、一対の解の一方だけが選ばれ続けると考えるのはナンセンスである。公平なコインを投げると、いつも表が出ると主張しているようなものだ。

もう一つ、答えに関わってくるのが「対称性の破れ」である。ニュートンの法則の解の時間を反転させると常に解が得られるが、必ずしも同じ解ではないと述べたとき、私は細心の注意を払った。ニュートンの法則に時間反転対称性があるからといって、どんな解にも時間反転対称性が成り立つわけではない。それはその通りなのだが、時間の矢のパラドックスに対しては、あまり助けにはならない。それでも解は対になり、同じ問題が起こるからだ。

では、なぜ時間の矢はただ一つの方向に進むのだろう？　その答えは、これまで見過ごされがちだったことに潜んでいると私は感じる。皆は法則の時間反転対称性ばかりに注目するが、私が思うに、考えるべきなのは**初期条件**の時間反転非対称性なのだ。

この言い回しだけ聞いても、よくわからないかもしれない。時間が逆転すると、初期条件は「初期」ではなく、「最終」条件になる。時刻ゼロで起こることを規定し、そこから正の時間方向へ運動を導き出せば、私たちは時間の矢の方向を定めたことになる。数学的には負の時間方向へ運動を導き出すこともできるのに、こんなことを言うのはなんだか馬鹿げて聞こえるかもしれない。でも、最後まで話を聞いてほしい。落下して粉々に割れた瓶を、時間を反転させた瓶と比べてみよう。時間が反転すると、粉々になった瓶の破片がつなぎ合わされ、元の形に戻る。

「瓶が割れる」シナリオでは、初期条件は単純で、無傷の瓶を持ち上げているという状態だ。そして、手を離す。時間が経つにつれて、瓶は落下し、割れて、数千もの細かい破片が飛び散る。最終状態は非常に複雑だ。秩序立った瓶は、床の上で無秩序な雑然とした状態となり、エントロピーは増大し、第二法則に従う。

「割れた破片が瓶になる」のシナリオは、やや異なる。初期条件は複雑で、小さなガラスの破片がたくさん散らばっている。静止状態に見えるかもしれないが、実際はすべてがゆっくりと動いている（ここでは摩擦を無視していることを思い出してほしい）。時間が経つとともに、破片は一緒に動いてつなぎ合わされ、無傷の瓶になって空中に飛び上がる。最終状態はとても単純だ。床の上の無秩序な残骸は秩序立った瓶となり、エントロピーは減少し、第二法則には従わない。

この違いは、ニュートンの法則やその可逆性とは関係ない。エントロピーに支配されてもいない。どちらのシナリオもニュートンの法則に整合している。両者の違いは、初期条件の選び方から来ている。「瓶が割れる」シナリオを実験で実現するのは容易だ。それは、初期条件を簡単に設定できるからだ。瓶を手に取り、高く持ち上げて離せばよい。一方、「割れた破片が瓶になる」シナリオを実験で実現するのは不可能だ。初期条件が複雑すぎ、あまりに細心の注意を要するので、設定できないからである。それでも原理上は、そのような初期条件は存在する。瓶が割れたあとのある瞬間まで、落下する瓶の方程式を解けばよい。そして、その状態を初期条件とする（ただし、すべての速度を反転する）。そうすれば、数学の対称性によって、割れた瓶は確かに元に戻るだろう。ただし、このようにほとんど不可能なほど複雑な「初期」条件を正確に実現できたらの話だ。

このように元に戻った無傷の瓶から、さらに負の時間方向への方程式を解くこともできる。私たちは、どのような経緯で瓶がそこに置かれたのかを計算する。おそらく、誰かが瓶をそこに置いたのだろう。しかし、時間を逆転させてニュートンの法則を解いても、謎めいた手が出現することは説明できない。この手を構成している粒子は、あなたが解いているモデルには欠落しているからだ。あなたが手にしているのは、選択された初期条件と数学的に整合する仮想的な過去なのである。したがって、無傷に戻った瓶は手で受けとめられることはなく、再び落下することになる。ボールの投げ上げと同様、時間反転対称性があるため、瓶は地面に落下し割れるだろう（ただし、反転した時間において）。瓶に起こるすべての物語をまとめると（時刻ゼロにおける神の手はモデルに含まれないので、これは実際に起こったこととは考えない）、数千ものガラス片が結集し始め、つなぎ合わされ、無傷の瓶として空中を上昇し、時刻ゼロの時点で軌道のピークに到達し、そして落下し、割れ、数千もの破片に散らばる。最初、エントロピーは減少し、そして再び増加する。

『時間は存在しない』でカルロ・ロヴェッリはとても似たことを述べている。[4]ある系のエントロピーは、細かい配置の違いを区別しないこと（これを私は粗視化と呼んだ）によって定義されるというのである。したがって、エントロピーは、系に関して私たちが入手できる情報に依存する。彼の見方によると、時間の矢がエントロピーの増大する方向へ進むから、私たちがそれを経験しているわけではない。そうではなく、現在より過去の方がエントロピーが低かったように私たちには見えるから、私たちはエントロピーが増大していると考えるのだ。

割れた瓶のシナリオと熱力学の第二法則

瓶が割れるシナリオの初期条件を設定するのはたやすいと私は述べたが、これはある意味では正しくない。私がスーパーに行って、ワインを一本購入し、飲み干し、そして空になった瓶を使えば、そのような初期条件を設定するのは簡単だ。しかし、この瓶はどこから来たのだろう？　その歴史をたどると、瓶を構成する分子はおそらく、リサイクルされて溶かされるというサイクルを何度も経ていることだろう。そしてその分子は（たいていはリサイクル前後で粉砕された）多くのさまざまな瓶に由来する。だが、こうしたすべてのガラスをさらに遡れば、最終的にはそれを作るために溶かされた砂粒に行き着くはずだ。こう考えると、数十年から数世紀前に遡る実際の「初期条件」は、少なくとも「破片をつなぎ合わせて瓶に戻す」シナリオで私が不可能だと述べた初期条件と同じくらいに複雑なのだ。

それにもかかわらず、奇跡的に瓶は作られた。

これは熱力学の第二法則が誤りであることを証明しているのだろうか？

そのようなことはまったくない。気体分子運動論（実際には、熱力学全般）には、単純化した仮定が含まれている。その理論は共通したシナリオをモデル化したものであり、モデルが有効なのは、このシナリオが当てはまるときに限られるのだ。

単純化された仮定の一つは、系が「閉じている」ということだ。これは通常、「外部からのエネルギーの移動が許されない」ことだとされている。しかし、ここで本当に必要なのは、「モデルに組み込まれていない外部からの影響を受けることが許されない」ということなのである。砂粒から瓶を製造する過程には、瓶の分子だけを追跡していては説明できない、莫大な数の外部からの影響が含まれている。

熱力学の教科書に書かれている伝統的なシナリオのすべてに、この単純化が含まれている。教科書には、真ん中に仕切りがあって、片側に気体分子が入った箱が出てくる（この設定にはいくつかバリエーションがある）。そして、**次**に仕切りを取り除くと、エントロピーが増大すると説明される。しかし、気体がどのようにして箱の中に入り、その**初期**の状態の配置になったのかについては、教科書では論じられない。初期の配置での気体のエントロピーは、気体が地球の大気の一部であったときよりも低くなっている。その通りだ。だとしたら、これはもう閉じた系ではない。しかし、ここで本当に重要なのは、仮定された初期条件だ。数学では、これらの初期条件が実際にどのように実現されたかはわからない。瓶が割れるモデルを逆戻ししても、砂粒にはたどりつかない。したがって、このモデルは本来、前向きの時間方向にしか適用できないのだ。私はこの段落の最初の方で、二つの語を太字で表記した。「次」と「初期」だ。時間を逆戻しする場合、これらは「前」と「最終」に置き換えられなければならない。熱力学において、方程式には可逆性があるにもかかわらず、時間の矢が一方向にしか進まない理由は、想定されたシナリオが初期条件を使うことによって、時間の矢が組み込まれてしまうからだ。

時間の矢は、人類の歴史を通して繰り返し議論されてきた話だ。論じる人たちは皆、内容に注目しすぎて、文脈を無視してしまっている。内容は可逆であるが、文脈は可逆ではないのだ。熱力学がニュートンの法則と矛盾しないのはこのためだ。しかし、ここにはもう一つ教訓がある。「無秩序」のような曖昧な言葉を使って、エントロピーのような捉えにくい概念を議論すると、混乱が生じやすいということだ。

10 予測可能性の撤回

われわれは、疑念と不確実性の明確に限定された領域を要求する！

ダグラス・アダムス『銀河ヒッチハイク・ガイド』（安原和見訳、河出文庫）

16世紀と17世紀に、二人の偉人が自然界における数学的なパターンに気づいた。ガリレオ・ガリレイは地上で、転がる球や落下する物体の動きにパターンを見出した。ヨハネス・ケプラーは天上で、火星の軌道にパターンを見出した。偉人たちの仕事を足場として1687年に出版されたニュートンの『プリンキピア（自然哲学の数学的原理）』は、自然の不確実性を支配する深淵な数学法則を明らかにすることによって、私たちの自然に対する考え方を一新した。ほとんど一夜にして、潮の干満から惑星、彗星の運動に至る数多くの現象が予測可能になった。ヨーロッパの数学者は瞬く間にニュートンの発見を微積分の言葉に焼き直し、同様の方法を、熱、光、音、波動、流体、電気、磁気に応用した。こうして数理物理学が誕生した。

『プリンキピア』の最も重要なメッセージは、自然の振る舞い方に注意を払うのではなく、その振る舞いをもっと深いところで支配している法則を追究すべきだ、ということだった。法則を知っていれば、自然の振る舞いを論理的に導き出し、周囲の環境を支配する力を獲得して、不確実性を減らすことができる。これらの法則の多くは、非常に特殊な形、つまり微分方程式という形をとっている。微分方程式は、任意の瞬間における系の状態を、状態が変化する率によって表す。この方程式を用いることで、法則やゲームの規則を記述することができる。微分方程式の解は、自然の振る舞いやゲームの展開を、過去、現在、未来のあらゆる瞬間にわたって記述する。ニュートンの方程式を手に入れた天文学者は、月や惑星の運行、日食や月食のタイミング、小惑星の軌道などを非常に高い精度で予測できるようになった。神の気まぐれに導かれていた不確実で不規則な天体の運動は、広大な宇宙の時計仕掛けの機械に置き換えられた。この機械の動作は、機械の構造とその振動モードで完全に決定されていた。

人類は予測不可能なものを予測することを学んだ。

1812年、ラプラスは『確率の解析的理論』で、原則として宇宙は完全に決定論的であると主張した。宇宙におけるあらゆる粒子の現在の状態を知る知性が存在すれば、事象の成り行きを、過去も未来も含めてすべて、きわめて詳細に推定できるだろう。「そのような知性にとって、不確実なことは何もなくなり、その目には未来も過去同様に見えているだろう」と彼は記した。この見解は、ダグラス・アダムスの『銀河ヒッチハイク・ガイド』の中でパロディー化され、スーパーコンピュータのディープ・ソートとして登場する。ディープ・ソートは、生命、宇宙、万物に関する究極の問いについて熟考し、750万年にわたる演算の末、42という答えを出した。

彼の時代の天文学者たちにとって、ラプラスは大筋では正しかった。ディープ・ソートがあれば、現実世界のスーパーコンピュータと同様に、正しい答えを導き出していたことだろう。しかし、天文学者がより難しい疑問について検討を始めると、ラプラスは原理上は正しかったかもしれないが、そこには抜け穴があることが明らかになった。ある系の未来を予測するためには（たとえそれがたった数日後であったとしても）、ほぼ不可能なほど正確な現在の状態に関するデータが必要になる場合がある、ということが判明したのだ。こうした現象は**カオス**と呼ばれ、決定論と予測可能性の関係に関する見方を根本から変えた。決定論的力学系の法則を完璧に知ることができても、それを予測することは依然として不可能だ。逆説的ではあるが、これは未来に起因する問題ではない。私たちが、現在を十分正確に知ることができないのが原因なのだ。

振り子の力学を考える

ある種の微分方程式は簡単に解くことができ、扱いやすい解が得られる。そうした方程式は線形方程式と呼ばれ、大雑把に言うと、結果が原因に比例する。自然現象の変動が小さい場合には、線形方程式を適用できることが多いため、初期の物理学者はこの制約を受け入れて、研究を進展させた。非線形の方程式は難しい（高速のコンピュータが登場するまでは、解くのがほぼ不可能だった）が、自然のモデルとしては、こちらの方が優れていることが多い。19世紀後半、フランスの数学者アンリ・ポアンカレは、数の代わりに幾何学に基づいて非線形微分方程式を考える新しい方法を導入した。彼のアイデアである「微分方程式の定性的理論」は、非線形を扱う私たちの能力に徐々に革命をもたらしていった。

ポアンカレの方法を理解するために、まずは単純な物理系である「振り子」を考えてみよう。最も

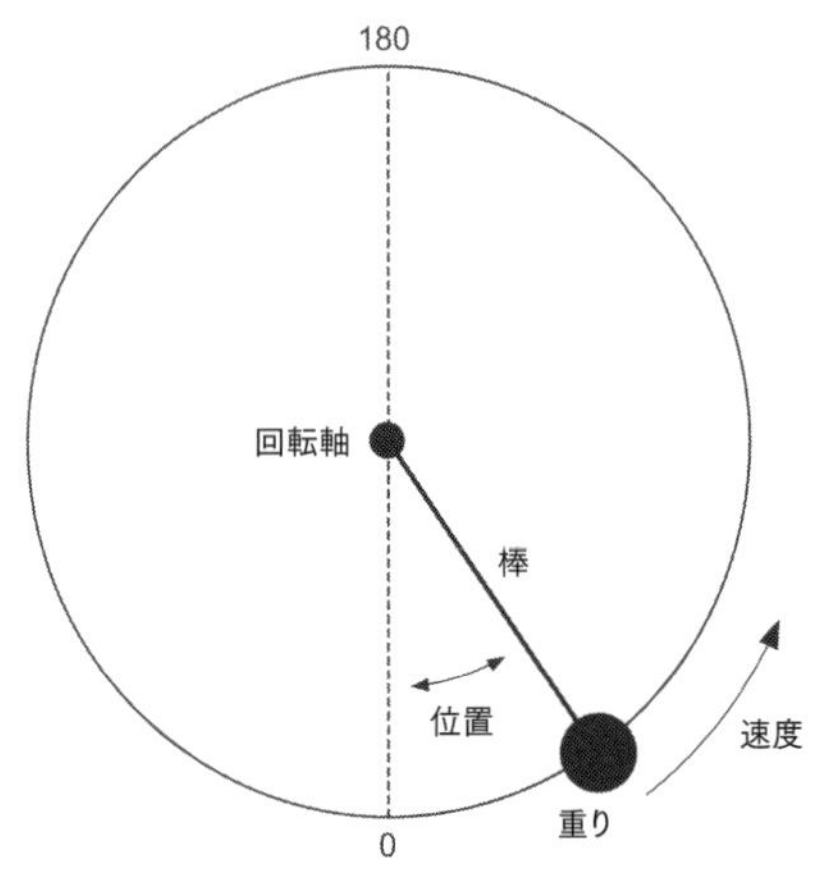

振り子とその状態を表す二つの変数。**位置**は反時計回りの角度で計測され、**速度**（**角速度**）も反時計回りに測られる。

単純なモデルでは、小さな重りが端についた棒が、固定点を中心にして鉛直面内で揺れる。重力の作用で重りは下方に引っ張られる。最初はそれ以外に作用する力はなく、摩擦もないと仮定する。骨董品の柱時計でおなじみの振り子時計で何が起こるか、私たちはみな知っている。振り子が規則的に行ったり来たりするのだ（滑車のバネあるいは重りが、摩擦で失われたエネルギーを補う）。言い伝えによると、ガリレオが振り子時計のアイデアを思いついたのは、教会で吊り下げられたランプが揺れているのを見て、それがどの角度まで振れるかにかかわらず、揺れるタイミングが同じだと気づいたときだという。このことは線形モデルによって確認されているが、振れ幅がごく小さい場合に限られる。より正確な非線形モデルを用いると、振れ幅が大きい場合にはそうはならないことがわかっている。

運動をモデル化する伝統的な方法は、ニュートンの法則に基づいて微分方程式を書き下すことである。重りの加速度は、重力が重りの動く方向（重りの位置における円の接線方向）にどう作用するかによって決まる。任意の時刻における速さは加速度から求めることができ、そこから対応する位置もわかる。振り子の状態は、**位置**と**速さ**という二つの変数に依存する。たとえば、鉛直に吊り下がった状態で、速度をゼロにして開始すると、振り子はそこに留まり続けるだけだが、初速度がゼロでなければ、振り子は揺れ始める。

　その結果として生じる非線形方程式を解くのは大変だ。非常に難しいので、厳密に解くには、楕円関数と呼ばれる新しい数学のガジェットを発明しなければならない。ポアンカレの革新的なアイデアは「幾何学的に考えること」だった。位置と速度の2変数を座標とする空間は**状態空間**と呼ばれ、2変数がとりうるすべての可能な組み合わせ（すなわち、とりうるすべての状態）を表す。ここでいう位置とは角度のことであり、通常は鉛直下から振り子までを反時計回りに測る角度が選ばれる。図で示したように、0°と360°は同じなので、図で示したように、座標軸はぐるりと回って円になる。速度は実際には角速度のことを指し、任意の実数値をとる。角速度が正であれば反時計回りの運動、角速度が負であれば時計回りの運動になる。したがって、状態空間（私にはどうしてか理解できないが、位相空間とも呼ばれる）は、断面が円の無限に長い円筒になる。ここでは、筒に沿った場所が振り子の速度を表し、円を回る角度が振り子の位置を表す。

　このような円筒上の座標の1点に対応する、位置と速度の組み合わせを初期値にして、振り子が動き始めるとしよう。この二つの数は、微分方程式に従って、時間とともに変化する。点は円筒座標の表面に沿って移動し、曲線を描く（状態が固定され、1点のみを描く場合もある）。この曲線は、その初期状態に対する軌道であり、振り子がどのように動くかを示している。初期状態が異なると、曲線も異なる。そうした曲線の代表的なものを描画すると、相図と呼ばれるエレガントな図が得られる。

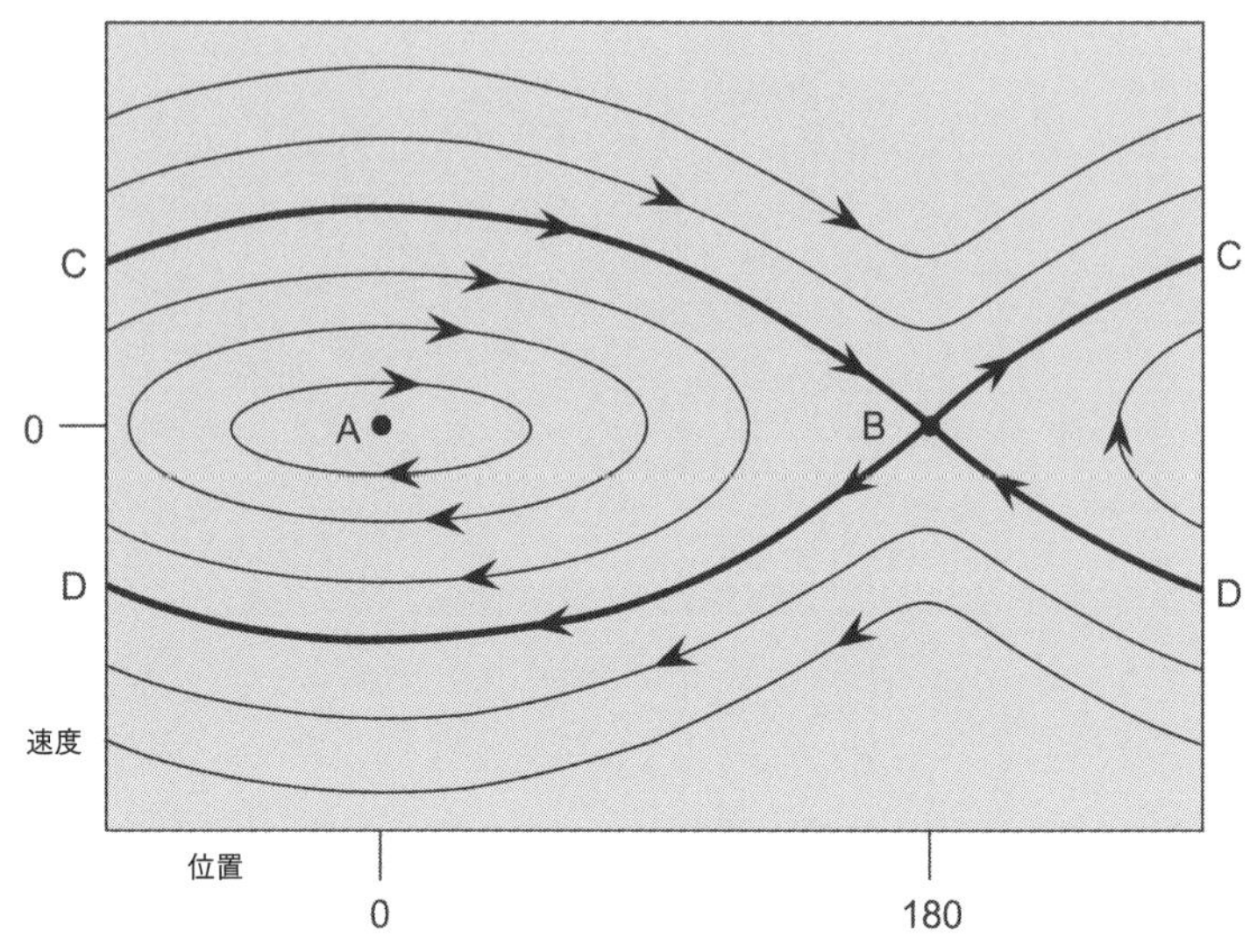

振り子の相図。振り子の位置は角度で表されるため、この図（長方形）の左端と右端の辺は同じ位置を表す。
A：センター、B：鞍点、C：ホモクリニック軌道、D：もう一つのホモクリニック軌道。

上の図では、270°（右端の辺）のところで垂直に円筒を切断し、幾何形状が明瞭になるように平面状に開いた状態になっている。

ほとんどの軌道は滑らかな曲線だ。図の右端で消えた軌道は、図の左端から戻ってくる。両端は円筒座標上では合流しているため、ほとんどの曲線は閉じた輪を形成している。これらの滑らかな軌道は、すべて周期的である。振り子は、同じ運動を何度も何度も永遠に繰り返すからだ。点Aを取り囲む軌道は、振り子時計の動きを示している。振り子は揺れて行ったり来たりし、180°の位置の垂線は決して通らない。他方、太い線の上下にある他の軌道は、プロペラのようにグルグルと反時計回り（太線の上）か、時計回り（太線の下）に回る振り子を示す。

点Aは、振り子が鉛直に吊り下がり、

静止している状態である。点Bはもっと面白い（そして、振り子時計ではまずお目にかかれない）。振り子が、鉛直線上に上向きになって静止している状態だ。理論的にはそこで永遠にバランスを保つことができるが、実際には上向きの状態は不安定である。ほんのわずかの擾乱で振り子は落下し、重りが下になった状態で吊り下がるだろう。一方で、点Aは安定である。わずかの擾乱を与えても、振り子は点Aの近くで小さな閉曲線を描くに留まり、小さく揺れるだけだ。

特に興味深いのは、太い曲線CおよびDだ。曲線Cは、振り子をほぼ鉛直上向きの位置から始めた場合の軌跡だ。振り子をわずかに押すと、反時計回りに回転し、それからほぼ鉛直上向きになるまで揺れ戻る。振り子を絶妙に押し出すと、きわめてゆっくりと振り子は上昇し、時間が無限に進むにつれ、鉛直上向きの位置に限りなく近づいていく。時間を逆向きにすると、振り子はまた鉛直上向きの位置に接近するが、この場合は逆側からだ。この軌道は「ホモクリニック」と呼ばれ、時間を無限大に進めるか逆転させるとき、どちらの場合でも同じ（つまり、ホモな）定常状態に限りなく近づいていく。曲線Dはもう一つのホモクリニック軌道で、ここでの回転は時計回りである。

さあ、これですべての軌道を説明した。二つの定常状態（安定なAと不安定なB）、2種類の周期状態（振り子時計とプロペラ回転）、二つのホモクリニック軌道（反時計回りのCと時計回りのD）である。A、B、C、Dの特徴を用いれば、すべての軌道を矛盾なく説明できる。ただし、多くの情報が欠落している。その最たるものが、タイミングだ。たとえば、この図からは周期軌道の周期長はわからない（ただ、矢印は時間の経過とともに軌道が移動する方向を示しているので、ある種のタイミングの情報を示しているとは言える）。また、ホモクリニック軌道全体を横断するには、無限の時間がかかる。なぜなら、振り子が鉛直位置に近づくにつれて、動きがますますゆっくりになるからだ。

同様に、ホモクリニック軌道近傍の閉軌道の周期もとても長く、CあるいはDに近づくにつれて、周期はより長くなる。ガリレオのモデルが小さな揺れに対しては正しく、大きな揺れに対して正しくなかったのはこのためだ。

Aのような点は、センターと呼ばれる。Bのような点は鞍点（サドル）と呼ばれ、鞍点の近くでは太い曲線が十字を形作っている。そのうちの二つは、互いに反対の向きからBに向かっている。それ以外の二つは、Bからそれぞれ離れていく。私はこれらを、Bの入口集合と出口集合と呼ぶことにする（専門の文献では、安定多様体、不安定多様体と呼ばれるが、少し混乱する用語だと思われる。ここでの考え方は次の通りだ。入口集合上の点はBに向かうので、その方向は「安定」だ。出口集合上の点はBから遠ざかるので、その方向は「不安定」と言える）。

点Aは閉曲線に囲まれている。このようなことが起こるのは、私たちが摩擦を無視しており、エネルギーが保存するためだ。各曲線はエネルギーの等高線に対応している。ただしエネルギーは、（速度に関連する）運動エネルギーと、（重力から生じ、位置に依存する）位置エネルギーの和で与えられる。もしもわずかでも摩擦が存在すれば、振り子は「減衰」し、描かれる曲線は変わる。閉じた軌道は螺旋軌道に変わり、平衡点Aは沈点（シンク）となる。沈点とは、まるでシンクの吸込口のように、周辺の状態がすべてそこに向かって吸い込まれるように移動していく点のことだ。鞍点Bは鞍点のままだが、出口集合Cは二つに分かれ、両方とも螺旋を描いてAに向かっていく。この軌道は、定常状態Bを異なる（つまり、ヘテロな）定常状態Aに結びつけるので、ヘテロクリニック軌道と呼ばれる。入口集合Dも二つに分かれ、それぞれ螺旋を描いて円筒座標を回転するが、Aには決して近づかない。

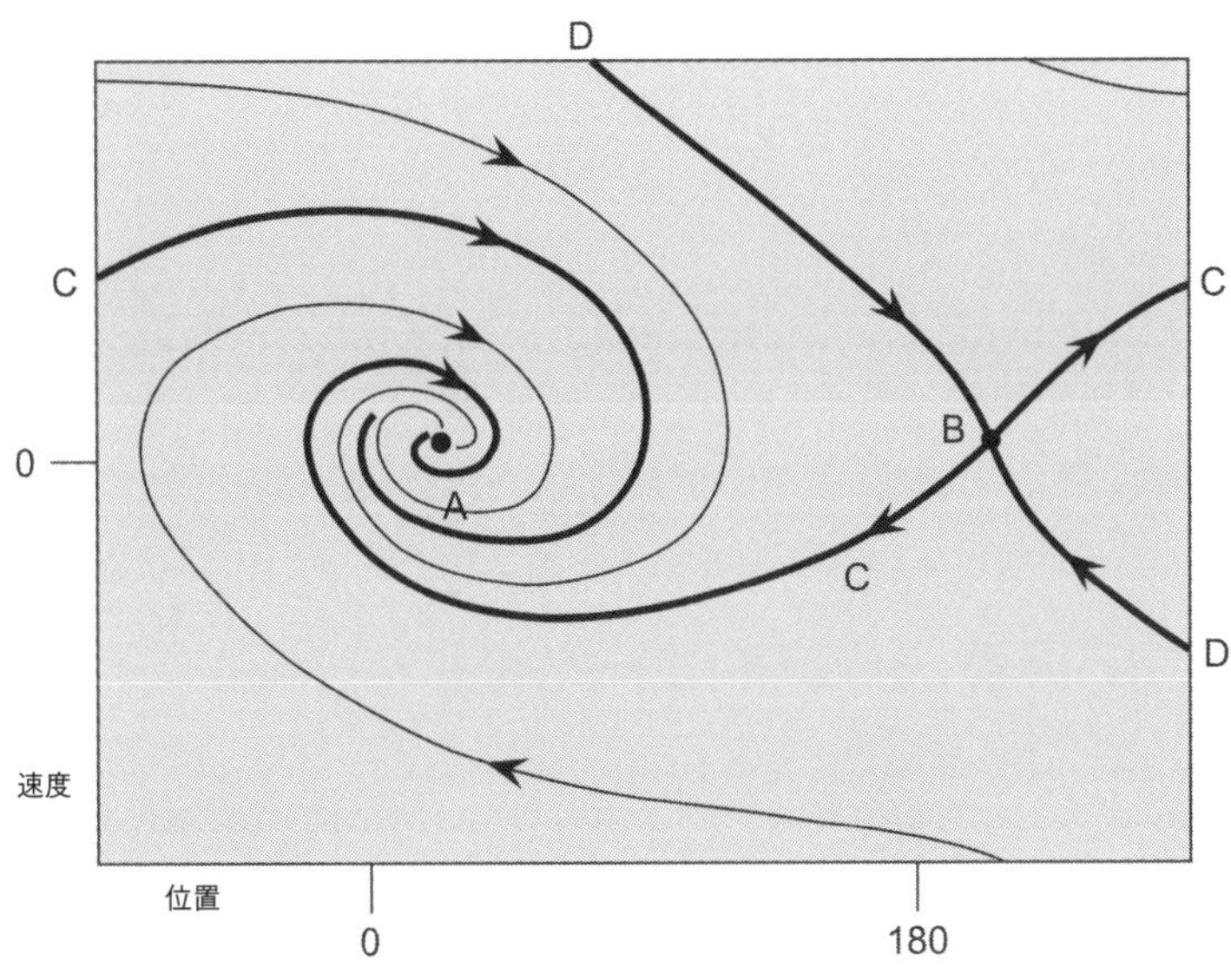

減衰する振り子の相図。A：沈点、B：鞍点、C：鞍点の出口集合の二つに分かれた枝が、鞍点と沈点を結ぶヘテロクリニック接続を形成する、D：鞍点の入口集合の二つに分かれた枝。

これらの二つの例（摩擦のない場合とある場合）で、状態空間が二次元の場合の相図の主な特徴がすべて表されている。二次元とは、状態が二つの変数で決定されることを意味する。もう一つ補足しておこう。沈点と同様に、湧点（ソース）というものも存在する。湧点とは、水源の湧き出し口のように、そこから軌道が外側に広がっていく平衡点のことだ。この図では、すべての矢印を反転させると、Aが湧点となる。もう一つ補足しておくと、エネルギーが保存されないときでも、閉じた軌道は生じうる（ただし、摩擦に支配される力学モデルでは生じないが）。この場合、閉軌道は孤立している場合が多く、近傍に別の閉軌道は存在しない。そのような閉じた軌道（リミット・サイクル）が生じる例としては、心拍モデルが挙げられる。これは、安定したリズムで鼓動する正常な心拍を表すモデルだ。近傍の初期点は、螺旋を描きながら閉軌道に接近していくため、心拍は安定と言える。

ポアンカレとイヴァル・ベンディクソンは次の有名な定理を証明した。それによると、二次元における任意の典型的な微分方程式は、さまざまな数の沈点、湧点、鞍点、閉軌道を持ち、それらはホモクリニック軌道およびヘテロクリニック軌道で仕切られるが、それ以外に解は存在しない。至極単純であり、これらの構成要素についてはすべて先に見た通りだ。ただし、三つかそれ以上の状態変数がある場合には、状況は劇的に変わる。これからそれを見ていくことにしよう。

ローレンツとカオスの発見

1961年、気象学者のエドワード・ローレンツは、大気における対流の単純化モデルを研究していた。コンピュータを使って方程式を解いていたのだが、プログラムを実行している途中で中断しなければならなくなった。そこで彼は、改めて手で数値を入力し、計算を再開することにした。その際、計算に問題がないかを確認するため、中断前と再開後の計算がいくらか重複するようにした。しばらくしてから出た結果は、その前の計算結果とは異なっていた。彼は入力したときに数値を間違えたのかと思った。しかし、検証したところ、入力した数値は正しかった。そしてようやく判明したのは、コンピュータが内部に記憶している数字は、印刷される数字よりも桁数が多いということだった。ローレンツはその桁数の少ない方の印字された数値を手入力したのだ。このわずかの違いがどういうわけか「膨らみ」、最終結果に影響した。ローレンツは次のように記している。「ある気象学者は言った。もしもこの理論が正しいならば、カモメのたった一度の羽ばたきが天候の成り行きをすっかり変えてしまうことになる」

これは嫌味として発せられた言葉だったのだが、ローレンツは正しかった。まもなくカモメはより詩的な蝶（バタフライ）に姿を変え、彼の発見は「バタフライ効果」として知られるようになった。この効果について調べるため、ローレンツはポアンカレの幾何学的方法を適用した。彼の方程式には変数が三つあるので、状態空間は三次元である。次ページの図に描かれているのは、右下の点から始まる典型的な軌道である。軌道は急速にカーニバルの仮面に似た形状になり、左半分はページから飛び出すようにして私たちの方に向かってくる一方で、右半分は私たちから遠ざかっている。軌道はしばらくの間、片方の内側で螺旋を描いて回転し、次にもう片方に移り、同じ運動を続ける。左右に移り変わるタイミングは不規則で、一見するとランダムであり、軌道は周期的でない。

これ以外の初期状態から始めると異なる軌道が得られるが、結局は同じ仮面のような形のまわりを、螺旋を描きながら回転する。したがって、この形状は**アトラクタ**と呼ばれる〔アトラクタとは「引きつけるもの」という意味〕。このアトラクタは、半分ずつに分かれた2枚の平坦なシートが、中央上部で一緒になって、融合しているように見える。しかし、微分方程式の基本定理によると、軌道は決して交わることはない。したがって、2枚の別々のシートは、交わるのではなく、非常に接近した状態で重なり合っているはずだ。したがって、下の方で一つに融合しているように見えるシートは、実際には2層からなっているに違いない。だとすると、このように中央で融合したシートは外側でも2層からなるはずである。それぞれ2層構造を持つ左右のシートが再び、中央上部で合わさると、中央下の単一のシートには、実際には4層が存在することになる。そして……。

この隘路（あいろ）から抜け出すには、これらのシートでは多くの層が無限に折り重なり、複雑に挟み込まれ

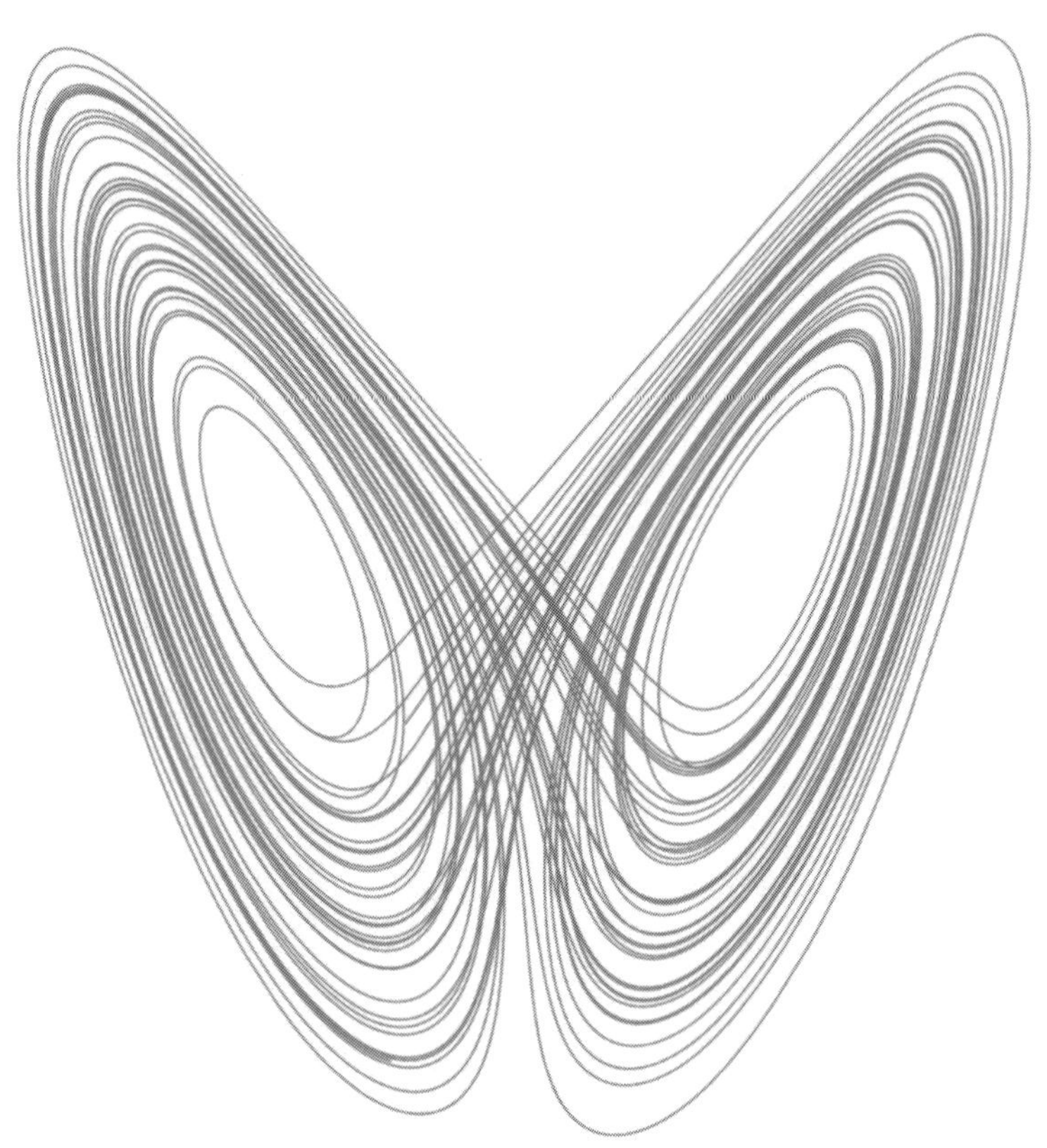

三次元空間におけるローレンツ方程式の典型的な軌道。カオスアトラクタに収束していく。

ていると考えるしかない。これはフラクタルの一例である。フラクタルとはブノワ・マンデルブロが命名した用語で、どれだけ拡大しても、その詳細な部分と同じ形を備えている図形のことだ。

ローレンツはこの不思議な形状を用いれば、なぜコンピュータで2回目に実行した結果が、最初の結果と異なったのかが説明できることに気づいた。非常に近いところから出発する二つの軌道を考えてみよう。最初は二つとも、アトラクタの半分、たとえば左半分に向かい、その内側で螺旋回転する。螺旋を描き続けるうちに、二つの経路は枝分かれして、分離し始める。二つの軌道が中央（シートが融合するあたり）に近づくと、一つは右半分に向かうが、もう一つは左半分で螺旋をもう数回描くかもしれない。そして、この軌道が右半分に遷移する頃には、もう一方の軌道はすでに遠く離れ、まったく別の動きをしているのだ。

この枝分かれが、バタフライ効果を引き起こすものにほかならない。このようなアトラクタ上では、近くから出発した複数の軌道は互いに離れていき、本質的に独立したものになる。両方とも、同じ微分方程式に従っているにもかかわらずである。これは、未来の状態を正確に予測できないことを意味する。なぜなら、初期のごく小さな誤差はどれも急速に増大していき、アトラクタ全体のサイズに匹敵するほど大きくなるからだ。こうしたタイプの挙動はカオスと呼ばれる。そしてそれは、力学系の一部の現象が完全にランダムに見える理由を説明してくれる。ただし、この力学系は完全に決定論的であり、方程式には明確なランダムな要素は含まれていない。[1]

ローレンツはこの挙動を「不安定」と呼んだが、現在では、アトラクタと関連した新しいタイプの安定性と捉えられている。平たく言うと、アトラクタとは状態空間における領域のことであり、その付近に初期点をとって開始した運動は、その領域内の軌道に収束する。古典数学の伝統的なアトラクタである点や周期軌道と違い、カオスアトラクタはより複雑な幾何構造(トポロジー)を持つ。すなわち、カオスはフラクタルなのだ。

アトラクタには、定常状態に相当する点や、周期的な状態に相当する周期解がある。しかし、三次元かそれ以上の力学系では、それらよりもはるかに複雑なアトラクタが存在する。アトラクタ自体は安定であり、アトラクタ上の挙動は頑強(ロバスト)で、外部の影響を受けにくい。つまり、系にわずかな擾乱を加えると、軌道は劇的に変動するのだが、それでも軌道は同じアトラクタ上に留まるのだ。事実、アトラクタ上のほぼすべての軌道は、アトラクタ全体を遍歴し、時間の経過とともに、アトラクタ上のどのような点に対しても、好きなだけその近くに接近する。無限に時間が経過すると、ほぼすべての軌道はアトラクタを稠密に埋め尽くす。

通常の概念では、不安定な状態は現実には見られない(たとえば、尖った先を下にしてバランスをとって直立している鉛筆など)。一方で、カオスが不安定ではなく安定であるという性質は、カオス的挙動が物理系で実現可能であることを意味する。しかし、このように安定性の概念を拡張したからといって、カオス状態の詳細が再現できるわけではない(初期条件が異なると、出現するカオス軌道も異なる)。再現できるのはカオスの全般的な特性だけである。ローレンツが観察したこうした現象のことを、専門用語では「バタフライ効果」ではなく、「初期値鋭敏性」と呼ぶ。

数学者によるカオスの再発見

ローレンツの論文は、ほとんどの気象学者を困惑させた。彼らは、奇妙な挙動が出現したのは、ローレンツのモデルが単純化されすぎていたからだと考えた。だが、単純なモデルによってこれほど奇妙な挙動が生じるのなら、複雑なモデルではさらに奇妙な結果が出るかもしれないという考えには至らなかった。彼らの「物理的直感」は、「もっと現実的なモデルならば、もっと正常な動作をするだろう」というものだった。そして11章で見ていくように、彼らの考えは間違っていた。数学者は気象学の雑誌を読まないため、長い間、ローレンツの論文に気づかなかった。そして、それよりもっと古いアイデアを数学文献で追跡調査していたアメリカの数学者スティーヴン・スメイルのおかげで、数学者はようやくローレンツの仕事に気づくことになった。スメイルが調査していたのは、１８８７年~90年にポアンカレが発見したアイデアだった。

ポアンカレはその幾何学的方法を、悪名高い三体問題に応用した。三体問題とは、三つの物体（たとえば、地球と月と太陽）からなる系は、ニュートンの万有引力の下でどのように振る舞うのか、という問題である。大きなミスを修正したあとで、彼が導き出した最終的な答えは、その挙動が途方もなく複雑だということだった。「この図形の複雑性に愕然とし、それを描こうと試みることさえ諦めた」とポアンカレは記した。１９６０年代に、スメイルとロシアの数学者ウラジーミル・アーノルドらはポアンカレのアプローチを拡張し、位相幾何学に基づいて、体系的で強力な非線形動力学理論を発展させた。位相幾何学（ポアンカレが草分けの一人でもある）は、連続的に変形しても変わらずに保たれる幾何学的な性質を扱う学問である。たとえば、閉曲線で結び目を作ったり、ある形状を非連結片に分解できるかといった問題を扱う。スメイルの目標は、力学的な挙動のすべてを、位相幾何学に基づいて定性的に分類することだった。結局、この望みは野心的すぎることが判明したが、そこに至るまでの過程で、スメイルは単純なモデルにおけるカオスを発見し、カオスがごくありふれた現象であるはずだということに気づいた。そして、数学者たちはローレンツの論文を掘り起こし、彼が発見したアトラクタが、カオスのもう一つの（そしてずっと魅力的な）例であることに気づいた。

振り子の問題で扱った幾何学構造のいくつかは、より一般的な系でも見られる。いまや状態空間は多次元となり、それぞれの動的変数が一つの次元に対応する（「多次元」は不可解ではない。代数学的には、変数がたくさんあることを意味するにすぎない。二次元および三次元との類推から、幾何学的な考え方を応用できるだろう）。これまでと同様に、軌道は曲線であり、相図は高次元空間における曲線の集まりになる。ここには、定常状態、周期状態を表す閉じた軌道、ホモクリニック接続、ヘテロクリニック接続が存在する。振り子モデルにおける鞍点で見たような、入口集合と出口集合を一般化したものも存在する。三次元あるいはそれ以上の次元を持つ系で主に追加されるのは、カオスアトラクタが存在しうることである。

高速でパワフルなコンピュータの登場によって、この分野全体に弾みがついた。系の挙動を数値計算で近似することによって、非線形動力学の研究ははるかに容易になった。それ以前でも、数値計算による方法は、原理上は可能だったが、膨大な計算を手で行うことは実質的には不可能だった。だが、今やコンピュータがタスクを引き受けてくれる。それに人間と違って、機械は計算ミスをしない。

これら三つの推進力――すなわち、位相幾何学による洞察、応用の必要性、コンピュータの力――の相乗効果によって、非線形系や自然界、さらに人間が関心を持つ諸問題に対する私たちの理解に革命がもたらされた。特にバタフライ効果は、カオスを予測できるのは「予測可能領域」に至るまでの期間だけだということを示唆している。それ以降は否応なく、予測は不正確になり、使い物にならなくなる。予測可能領域は、天候ならば数日、潮の干満ならば数ヵ月、太陽系の惑星の運行ならば数千年だ。地球が二億年後にどこに存在するかを予測したいとき、軌道があまり変わっていないのはほぼ確実なのだが、地球が軌道のどのあたりにあるのかはさっぱりわからないのだ。

そうはいっても、統計的な意味では、長期間にわたる挙動についてはまだ多くのことがわかる。たとえば、軌道に沿った変数の平均を計算すると、アトラクタ上のどの軌道でも同じになる（ただし、アトラクタ内部で共存している不安定周期軌道などの稀な例は除く）。そうなるのは、ほぼすべての軌道はアトラクタのあらゆる領域を遍歴するので、変数の平均はアトラクタのみに依存し、軌道には依存しないからだ。このような性質を表す重要な特徴は、不変測度と呼ばれる。11章で天気と気候の関係について論じるときと、16章で量子の不確定性について検討する際に、不変測度を知る必要が出てくる。

私たちはすでに「測度」がどんなものかを知っている。「面積」のようなものを一般化したものであり、ある空間における適切な部分集合に対して確率分布のように数値を割り当てる。ここでの空間とはアトラクタを意味する。関連する測度を簡単に説明するには、アトラクタ上の任意の稠密な軌道を考えればよい。稠密とは、十分に長い時間が経てば、どんな点にも可能な限り近くまで接近することを意味する。この軌道を長時間追従し、アトラクタの任意の領域に対して、その領域内で費やした時間の割合を計算することによって、測度を割り当てる。追従する時間を十分に長くとれば、その領域における測度が得られる。軌道は稠密なので、この測度によって、アトラクタ上でランダムに選ばれた点がその領域に存在する確率を実質的に定義することができる[2]。

アトラクタ上の測度を定義する方法はたくさんあるが、私たちに必要なのは、特別な性質を持った測度である。それは、力学的に不変であるという性質だ。ある領域をとり、そのすべての点を軌道に沿って一定時間移動させると、実質的にその領域全体は流動する。不変性とは、領域が流動しても、その領域の測度が変わらないことを意味する。不変測度がわかれば、アトラクタに関する重要な統計的特徴をすべて導き出すことができる。したがって、カオスであるとはいえ、統計的予測が可能になるのだ。不変測度を用いれば、未来に関する最善の予測ができると同時に、予測の信頼性を見積もることもできる。

さまざまな力学系

力学系、その幾何学的特徴および不変測度は、これから繰り返し出てくる話題である。今のうちに、もう数点を明らかにしておこう。

微分方程式には二つの異なるタイプが存在する。**常微分方程式**は、時間が経過するにつれて、有限個の変数がどのように変化するかを規定する。その変数とは、たとえば太陽系における惑星の位置などだ。他方、**偏微分方程式**は、空間と時間の双方に依存する量を扱うことができ、時間の変化率と空間の変化率の関係を規定する。たとえば、海上の波は、空間構造と時間構造の両方を併せ持つ。すなわち、波は形を作り、その形が時間とともに動く、というわけだ。偏微分方程式では、与えられた位置における水の運動は、波の全体形状の変化で決まる。数理物理学のほとんどの式は偏微分方程式である。

常微分方程式で表される系は「力学系」と呼ばれる。そして、偏微分方程式は無限に多くの変数を持つ微分方程式と捉えることができる。それゆえ、「力学系」という用語を比喩的に偏微分方程式にまで拡張しても差し支えあるまい。したがってここでは、あらゆる瞬間において、系の状態を用いて、その未来を決定するような数式の集まりに対して「力学系」という用語を広く用いることにする。

数学者は、離散力学系と連続力学系という二つの基本的な系を区別して扱う。離散力学系では、時計の秒針のように、時間は整数値をカチカチと刻む。ここでの力学規則は、時計の針がカチリと未来に1目盛進むと、現在の状況が何になるかを規定する。もう一度この力学規則を適用すれば、2目盛先の未来の状態が導き出せる、という案配だ。100万目盛先の未来を知るためには、力学規則を100万回適用すればよい。このような系が決定論的なのは明らかだ。初期状態が与えられれば、それに引き続くすべての状態は力学規則で一意に決まる。力学規則が可逆ならば、過去の状態もすべて決まることになる。

他方、連続力学系では、時間は連続な変数である。力学規則は微分方程式となり、任意の瞬間に変数がどれだけ速く変化するかを規定する。どのような初期条件が与えられても、他のすべての時間(未来でも過去でも)における状態を導き出すことが原則的に可能である(技術的な条件は存在するが、ほとんどの場合に満たされる)。

アトラクタの吸引流域と和田の湖

バタフライ効果はあまりにも有名となり、SF作家のテリー・プラチェットが『ディスクワールド』シリーズの小説に「量子天気蝶」なるものを登場させて当てこするほどになった。だが、決定論的力学系にはこの他にも不確実性を生み出す源が多数存在することはあまり知られていない。たとえば、複数のアトラクタが存在すると仮定しよう。そうすると、「与えられた初期条件に対して、系はどのアトラクタに向かって収束するか？」という基本的な疑問が生じる。その答えは、「アトラクタの吸引流域(ベイスン)」の形状に依存する、というものだ。アトラクタの吸引流域とは、状態空間においてそのアトラクタに収束する軌道の初期条件の集合のことである。これは先の疑問を言い換えたにすぎない。だが、このような吸引流域を用いると、各アトラクタに収束する領域に状態空間を分割し、そうした領域がどこにあるかを調べることができる。吸引流域の境界は、世界地図の国境線のように単純であることが多い。したがって、どのアトラクタに収束するかについて不確実性が生じるのは、これらの境界のごく近傍に初期条件がある場合に限られる。しかし、吸引流域の地形ははるかに複雑になりうるため、さまざまな初期条件で不確実性が生じることもありうる。

状態空間が平面で、領域の形状が単純な場合について考えると、二つの領域が同じ境界を共有することは可能だが、三つあるいはそれ以上の領域が同じ境界を共有することは不可能である。せいぜい可能なのは、同じ境界点を共有することだ。しかし、1917年に米山国蔵は、三つの十分に複雑な領域は、孤立点で構成されない境界を共有できることを証明した。米山によると、このアイデアは師である和田健雄によるものであったことから、彼の構成した境界は「和田の湖」と呼ばれる。

和田の湖のように複雑な吸引流域を持つ力学系も存在する。その重要な一例は、ニュートン＝ラフソン法による数値解析において自然な形で現れる。この方法は、反復計算で代数方程式の近似解を求める伝統的な数値計算法であるが、各反復による状態更新を「時間が一目盛進むこと」とみなすと、離散力学系として扱える。和田の湖は、物理系でも現れる。その一例を挙げよう。同一のミラーボールが四つ、互いに接するように配置されて、ボールの内部とボールの間で光が反射している、という状況だ。光は最終的に、ミラーボールの接触部分にあいている四つの隙間のどれかから出てくる。どの隙間から光が出るかで吸引流域が決まる。

リドルド吸引流域（水切りザルのように、たくさんの穴があいた吸引流域）は、和田の吸引流域を

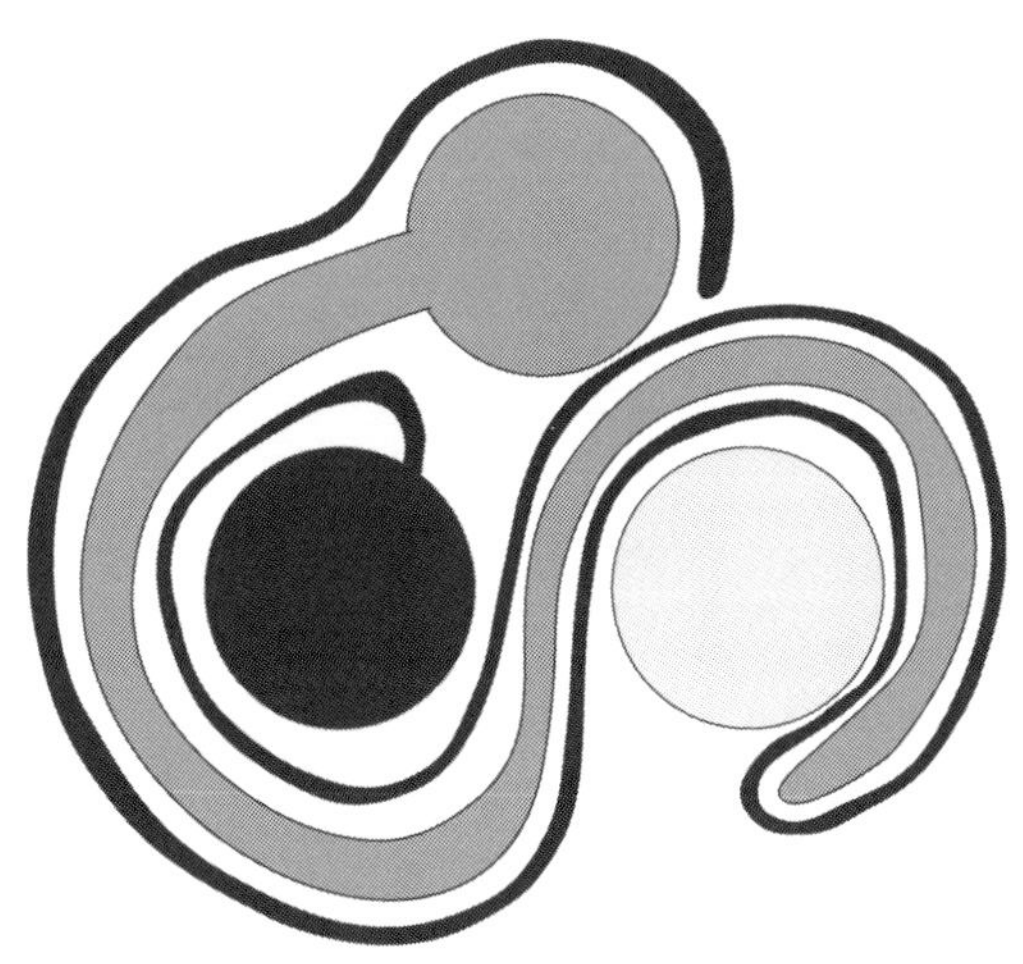

和田の湖を構築する初期段階。それぞれの円から、どんどん細くなっていく突起が突き出て、他の円の間を曲がりながら進んでいる。このプロセスは永久に続き、領域の間の隙間を埋めていく。

より極端にしたものである。どのアトラクタが生じうるのかは正確にわかっているのだが、それぞれの吸引流域があまりに複雑に絡み合っているので、系がどのアトラクタに向かうのかは見当もつかない。状態空間のいずれの領域にも（それがどれほど小さくとも）、異なるアトラクタに行き着く初期条件が共存する。私たちが初期条件を、無限の精度まで正確に知っていたら、最後にたどりつくアトラクタを予測できるだろう。しかし、ごくわずかな誤差があるだけで、最後に行き着く先の予測は不可能になる。与えられたアトラクタに収束する確率を推定することしか、私たちにはできない。

　リドルド吸引流域は、数学上の奇妙な現象というだけではない。多くの標準的で重要な物理系でも、そうした吸引流域は出現する。その一例が、周期的に変動する力を回転軸に受けて動く振り子だ。振り子にはわずかな摩擦が働く。ジュディ・ケネディとジェームズ・ヨークは、この系にはさ

まざまな周期状態のアトラクタがあり、その吸引流域はリドルド状態にあることを示した。(3)

11 天気工場

晴れた冬の日は、嵐の始まり。

ジョージ・ハーバート『異国の格言集』

天気ほど不確実なものはない。とはいえ、その根底にある物理についてはとてもよく理解されており、私たちはその支配方程式を知っている。それなのに、なぜ、天気は予測不可能なのだろう？　数値計算による天気予報を創始した人々は、方程式を解くことで天気を予測できると期待していたが、その考えは楽観的だった。潮汐がいつだって数ヵ月前に予測できるのなら、天気でも同様の予測が可能ではないか？　だが、天気は潮汐とは違うということが明らかになったとき、その希望は打ち砕かれた。どれほど強力なコンピュータがあったとしても、天気の長期予測をすることは、物理的な特徴のせいで不可能なのだ。コンピュータモデルはすべて、対象を単純化した近似モデルである。だから、注意深く扱わない限り、より現実に即した方程式を立てたとしても、予測は悪化するだけだ。観測精度を上げても、あまり状況は変わらない。天気の予測とは、初期値問題なのだ。すなわち、現在の大気の状態を与えられ、方程式を解いて、それが未来にどうなるかを予測するという問題なのである。もしもその系がカオス的ならば、現在の大気の状態を計測したときの誤差がごくわずかであったとしても、誤差は指数関数的に膨らみ、予測は価値がなくなる。ローレンツが発見したように、天気のごく一部をモデル化した場合でも、特定の予測可能領域を超えると、カオスのせいで正確な予測ができなくなるのだ。実際の天気を予測する場合、たとえ気象学者の用いる最も現実に即したモデルを使ったとしても、予測可能領域は数日にすぎない。

世界初の天気予報

1922年、ルイス・フライ・リチャードソンは著書『数値的手段による天気予報』で、夢のような未来のヴィジョンを示した。彼は大気の状態を示す一連の方程式を物理原理に基づいて導き出し、それを使えば天気予報ができると提唱した。今日のデータを入力して方程式を解けば、明日の天気が予測できる、というのである。彼が思い描いていたのは「天気工場」だった。大きな建物の中にコンピュータ（当時は、「計算を行う人々」の意味だった）がぎっしり詰め込まれ、ボスの号令のもと、膨大な計算をする。号令をかける堂々たる人物は、「オーケストラにおける指揮者のような存在である。だがこのオーケストラの演奏者は楽器の代わりに計算尺と計算器を手にし、指揮者は指揮棒を振る代わりに、他より計算が速い区画にはバラ色の光のビームを、計算が遅れている人には青いビームを当てる」

現在では、リチャードソンの天気工場がさまざまな形で存在するが、彼の思い描いた形態ではない。現在の天気予報センターで計算を担うのは、機械式計算機を手にした数百の人々ではなく、スーパーコンピュータである。リチャードソンは当時、自分で手回し計算器をつかんで、骨を折りつつ時間をかけて計算することしかできなかった。彼は天気の数値「予測」に挑戦し、1910年5月20日の天気予報を出してみることにした。当日午前7時の気象観測結果を用いて、6時間後の天候を計算したところ、計算には数日かかり、その結果には、気圧が大幅に上昇することが示されていた。しかし実際には、気圧はほとんど変化しなかった。

先駆的な仕事は失敗に終わることが多いものだ。だがのちに、リチャードソンの戦略は、結果が示すよりもずっとよかったことが判明した。彼は方程式を求め、計算も正しかったのだが、やり方に欠陥があったのだ。大気を扱う現実に即した方程式は、数値的に不安定だからだ。コンピュータを使って方程式を計算する際には、すべての地点で気圧などの量を計算するわけではない。計算するのは格子点〔コンピュータ計算で、解析領域を有限個に分割した部分領域〕での値だけだ。数値計算では、そうした格子点での値がごく短時間でどのように変化するかを、物理法則を基に近似計算し、状態を更新する。天気を決定する気圧などの変数は、非常にゆっくりと、しかも長い時間スケールで変動する。しかし、大気には音波（急速で微小な圧力の変動）を伝えるという役割もあるので、その効果もモデル方程式では考慮されている。コンピュータモデルにおける音波の解が、格子グリッドと共鳴して膨らみ、実際の天気を台無しにしてしまうこともある。

気象学者のピーター・リンチの発見によると、現在使われている平滑化という方法で音波を減衰させれば、リチャードソンの予測は間違っていなかった。[1] モデル方程式を非現実的にすることで、天気予報を改善できることもあるのだ。

バタフライ効果と天気予報

バタフライ効果は数理モデルで起こるが、現実の世界でも起こるのだろうか？　一匹の蝶がハリケーンを引き起こすことはまずないだろう。蝶の羽ばたきは大気にごくわずかなエネルギーを加えるだけだが、ハリケーンのエネルギーはきわめて大きい。エネルギーは保存されるのではなかったっけ？その通りだ。だが数学的には、羽ばたきは無からハリケーンを作り出しているわけではない。羽ばたきの効果が次々と伝播し、気圧配置の変化を引き起こす。最初は小さく局所的な変化だが、それが急速に広がり、地球全体の天気を一変させてしまうのだ。ハリケーンのエネルギーは最初からそこにあったが、羽ばたきによって配置を変えられたのだ。したがって、エネルギー保存則は支障にならない。

カオスは公式で解けるような単純な方程式には出現しない。歴史的には、カオスの驚きはそこにあった。しかし、ポアンカレの幾何学的方法で考えると、カオスも定常状態や周期サイクルといったよくある挙動と同様に、合理的で一般的な運動なのである。状態空間のある領域が局所的に引き伸ばされ、有界な領域に閉じ込められると、バタフライ効果が必然的に起こる。二次元ではカオスは起こりえないが、三次元以上では容易に起こる。カオス的挙動はエキゾチックに見えるかもしれないが、実際には物理系では非常にありふれた現象である。特に、攪拌が起こるプロセスの多くはカオスなのだ。

しかし、実際の天気でカオスが起こるかを判断するには注意が必要だ。全地球の状態を蝶の羽ばたき以外は同じ条件に揃えて、もう一度その天気を再現し、羽ばたきの影響を見ることはできない。しかし、より単純な流体系を用いた検証では、実際の天気も初期条件に鋭敏であることが示された。したがって、ローレンツへの批判は間違っていたのだ。バタフライ効果は、単純化されすぎたモデルに生じた不備などではない。

この発見は、天気予報の計算方法や提示方法を一変させた。天気予報の元々の考え方は、方程式は決定論的であるので、優れた長期予報をするためには、観測の精度を上げ、現在のデータを未来に投射する数値計算法を改善すればいい、というものだった。だが、カオスはすべてを変えた。数値予報の専門家は確率的方法に舵を切り、一定範囲の予報とその正確性を示すようになった。テレビやインターネットでは、最も確率の高い予報だけが提示される。ただし、「雨の確率は25％」というように、その予報の起こりやすさの評価を併記することが多い。

ここで基盤となる技術は、アンサンブル予報と呼ばれる。「アンサンブル」は物理学者が好んで使う用語で、数学者にとっては「集合」を意味する（この用語は、熱力学に由来するようだ）。アンサンブル予報では、ただ一つではなく、たくさんの予報を行う。19世紀の天文学者のように、現在の大気の状態を繰り返し観測して、予測するわけではない。1組の観測データに対して、10日先の予測プログラムを走らせる。次に、データにランダムな変動をわずかに加え、再びプログラムを走らせる。これをたとえば50回繰り返す。これによって、50個の標本が得られる。ランダムに変動した観測データを使っていたなら得られたはずの、50例の天気予報だ。これは、実際の観測値に近いデータから得られるさまざまな予報を検討していることにほかならない。最後に、ある地域で雨が降るという予報がいくつあるかを数えて、確率を求める。

1987年10月、BBCの天気予報士マイケル・フィッシュは、BBCに電話をかけてきて、ハリケーンがイギリスに接近していると警告した人がいます、と視聴者に伝えた。「もしこのテレビをご覧になっていたら、どうぞ心配しないでください。ハリケーンは来ませんから」と彼は言った。[2] そして、強風にはなるでしょうが、暴風はスペインとフランスに限られるでしょう、と付け加えた。その夜、「1987年のグレートストーム」と呼ばれる大嵐がイングランド東南部を襲い、時速220キロの暴風が吹き荒れ、時速130キロ以上の強風が吹き続けた地域もあった。1500万もの木々がなぎ倒され、道路は寸断され、数十万人が停電の被害を受け、シーリンク社のフェリーを含む船が何隻も座礁し、ばら積み貨物船が転覆した。保険会社は、損害賠償で20億ポンドもの保険金を支払った。

その日の天気に関するフィッシュの所見は、図の1行目の右側の地図に示された、たった一つの予報に基づくものだった。当時、彼が入手できたのはこれだけだった。その後、欧州中期気象予報センターは、同じデータを用いて過去に遡り、アンサンブル予報を出してみた。すると、アンサンブル予報の約4分の1では、ハリケーンの特徴である発達した低気圧が示された。

天気予報モデルの変遷

同様のアプローチは、より具体的な問題にも用いることができる。重要な応用例として、ハリケーンが形成されたあと、どこに向かうかを予測することが挙げられよう。ハリケーンは桁外れのエネルギーを持った熱帯低気圧で、上陸すると大きな被害をもたらし、その経路は驚くほど不安定だ。だが、それがたどるかもしれない複数の経路（つまり、アンサンブル）を集めて計算すれば、いつどこに襲来する確率が高いかを概算することができ、誤差の大きさも提示できる。そうすれば、どの程度の確率で危機が襲うか、少なくともある程度は信頼できる推定結果が得られるので、各都市はあらかじめ対策を打てるようになる。

アンサンブル予測の効果を上げるには、詳細な数学的課題を解決する必要がある。たとえば、この手法を改善する一助として、予測の正確性を事後評価しなければならない。また、大気の状態は連続

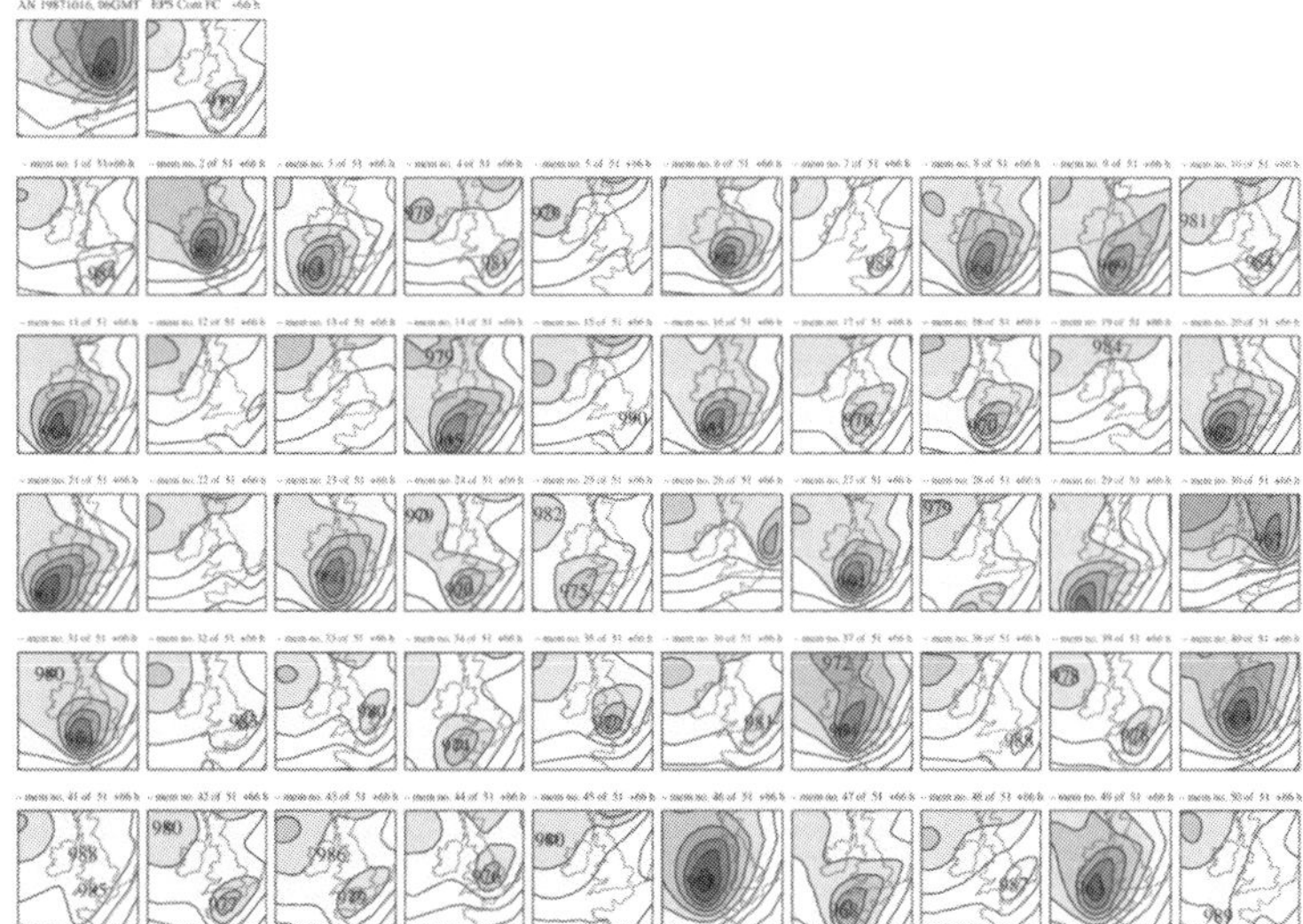

1987年10月15～16日についての、66時間先のアンサンブル予報。
（1行目右の地図）決定論に基づく予報。
（1行目左の地図）南端沿いの暴風を伴う、発達した低気圧を示す別の予報。
残りの50の地図は、初期条件にランダムな微小変動を加えて得られた予報。ほとんどで、発達した低気圧（暗い卵形の部分）が見られる。

して分布している「連続量」だが、数値モデルは必然的に、それを離散的な点（格子点）の集まりで近似することになる。さまざまな数学のトリックを駆使して計算をなるべく簡単にする一方、重要な効果は維持しなければならない。海洋の状態を計算に含める方法が発見されたのは、大きな進展となった。異なるモデルが併用できる場合には、マルチモデルアンサンブルと呼ばれる新しい確率的手法を使うこともできる。この方法では、単一のモデルではなく、たくさんのモデルを使って多くのシミュレーションを実行するのだ。これによって、初期値に対して予測結果がどれだけ鋭敏かだけでなく、モデルに組み込まれた仮定に対して予測結果がどれだけ鋭敏かを示すことができる。

数値予報が始まった初期には、コンピュータは存在しなかったので、手計算で12時間先の天気を予報するのに数日かかった。これは概念実証として有用であったし、数値計算法を改良するのに役立ったが、実用的ではなかった。コンピュータが登場すると、気象学者は実際の天気が判明する前に計算を終えられるようになったのだが、大きな公的機関が最速のコンピュータを用いても、1日に一つの予報を計算するのが関の山だった。今日では、1～2時間で、50以上の予報を出すのも難しくない。しかし、予報の精度を上げるためにより多くのデータを用いると、それに応じた速さのコンピュータが必要になる。マルチモデル手法を使うには、さらに大きな計算容量を持つコンピュータが必要になる。

実際の天気は他の影響も受けるため、初期値鋭敏性だけが常に予測不能性の主要因になるとは限らない。それに、蝶は1匹だけではないのだ。大気における微小変動は、地球上の至るところで常に起こっている。1969年にエドワード・エプスタインは、統計モデルを使えば、大気状態の平均と分散が時間とともにどう変動するかを予測できると提案した。だが、セシル・リースは、この方法がうまくいくのは、適用する確率分布が大気状態の分布と整合するときに限られることに気づいた。つまり、安易に正規分布などを仮定してはいけないということだ。ただし、決定論的だがカオスを生成するモデルを用いてアンサンブル予報が行われるようになると、このような統計性を式に含むモデルを用いた方法は廃れていった。

1週間先の天気予報は可能か？

天体観測における測定誤差と同様に、バタフライ効果も数え切れないほど起こると、ほとんどが互いに打ち消し合うと思われるかもしれない。だが、それは楽観的すぎる考えのようだ。そのことを発見したのも同じくローレンツだった。かの有名な蝶（バタフライ）が颯爽とその姿を現したのは、1972年にローレンツが「ブラジルの蝶のひと羽ばたきは、テキサスにトルネードを起こすか？」と題する有名な講演を行ったときだった。この題名は、ローレンツの1963年の論文を引用したものだと長い間考えられていたが、ティム・パーマーらは、ローレンツが1969年の別の論文を引用したのだと説得力のある主張をしている。(3) その論文でローレンツは、初期値鋭敏性よりもはるかに強い意味で、気象システムは予測不能だと述べているのだ。(4)

ローレンツの疑問は、「ハリケーンをどれだけ先まで予測できるか」だった。ハリケーンの空間規模（スケール）は、約1000キロメートルである。その内側には100キロ程度の中規模構造が存在し、その内部には直径1キロほどの雲がある。雲における乱流渦は直径数メートルである。ローレンツは、それらのうち、ハリケーンを予測するのに最も重要なのはどの規模の構造なのかを考えた。答えは自明ではない。小規模の乱流は「平均化」されて、予測とはほとんど関係しなくなるのか？

あるいは、時間が経つにつれて影響が拡大し、大きな違いを生み出すのか？

彼の答えは、こうした複数のスケールの構造を持つ気象システムには三つの特徴がある、というものだった。第一の特徴は、大規模スケールの構造では、誤差が約3日ごとに倍になる、というものだ。もしもそれだけが重要な影響をもたらす要素ならば、大規模スケールの観測誤差を半分にすれば、正確に予測できる範囲を3日延ばすことができる。そうすれば、数週間先まで正確な予測ができる可能性が開ける。しかし、これは第二の特徴のせいで不可能である。第二の特徴は、微細スケールの構造（個々の雲の位置など）では、誤差ははるかに短い時間で大きくなり、1時間程度で倍になる、というものだ。微細構造について予測しようという人はいないので、このこと自体は問題にならない。しかし、第三の特徴のせいでこれが問題になってくる。第三の特徴は、微細構造の誤差はより大きなスケールの構造に伝搬する、というものだ。実際のところ、微細構造の観測誤差を半分にしても、天気を予測できる範囲は数日どころか、たかだか1時間しか延ばせない。これらの三つの特徴を組み合わせると、2週間先の正確な予報を出すなど問題外だということがわかる。

ここまでは、初期値鋭敏性についての話だった。しかし講演の終わりの方で、ローレンツは1969年の論文を直接引用する発言をした。「わずかな観測誤差分だけ異なる初期状態を持つ二つの系は、有限の時間内で大きく異なる状態へと時間発展する。これは、ランダムに選択された二つの状態ほどに異なるという意味だ。初期の誤差を減らしても、この状態に至るまでの時間を延ばすことはできない」。換言すると、予測可能領域には絶対的な上限が存在し、観測がどれだけ正確でも、上限を延長することはできないのだ。これはバタフライ効果よりもはるかに強力だ。バタフライ効果では、十分な桁数まで観測の精度を上げれば、好きなだけ予測可能領域を長くすることができた。だが、ここでローレンツが主張したのは、どれほど観測が正確だとしても、予測可能領域は1週間程度が限度ということなのである。

パーマーらはさらなる調査を行い、ローレンツが考えたほど事態は悪くないことを示した。予測の上限を生み出す要因は、常に悪さをするわけではない。実際にアンサンブル予報では、2週間先まで正確な予測が可能な場合もある。ただしそのためには、大気中のより近接した点で多くの観測を行う必要があるし、最先端のパワーとスピードを持ったスーパーコンピュータを用いなければならないだろう。

ブロッキングを予測する

天気予報でなくても、天気について科学的な予測をすることはできる。その好例が、「ブロッキング」という頻発する気象パターンだ。ブロッキング現象が生じている域内では、ほぼ同じ大気の状態が1週間以上も続き、その後突然、一見するとランダムに、別の長期間続く大気の状態に遷移する。例としては、北大西洋振動や北極振動といった現象があり、その域内では偏西風が東西流型になる期間と南北流型になる期間が交互に起こる。こうしたブロッキングの状態については多くのことが知られているが、この二つの状態の遷移(おそらく、その最も重要な特徴)に関しては、よくわかっていない。

1999年にティム・パーマーは、非線形動力学を用いて大気の挙動の長期予測を改善する方法を提案した。[5] ダーン・クロメリンは彼のアイデアを掘り下げ、ブロッキングされた大気の状態は、大規模スケールの大気の非線形動力学において、ヘテロクリニックサイクルが発生していることと関係している、という有力な証拠を示した。[6] 10章の内容を思い出してほしい。ヘテロクリニック接続は二つの鞍点（ある方向については安定で、それ以外では不安定な平衡状態）を結ぶものだった。複数の鞍点をヘテロクリニック接続でつないでできたヘテロクリニックサイクルは、長時間持続する気流のパターンを作り出し、唐突に別のパターンに遷移する。このような直感に反した動きは、ヘテロクリニックサイクルと考えるとつじつまが合う。

このサイクルには予測不能性という要素があるが、その力学は比較的単純で、大半はきわめて予測可能である。その挙動の特徴は、長期にわたる不活性状態がときおり中断して、急激に活発な状態になる、というものだ。不活性状態が生じるのはシステムが平衡点付近にあるときなので、不活性状態の予測は可能である。不確実性が生じるのは、主に不活性状態が終わり、新しい気象パターンに遷移するときだ。

ヘテロクリニックサイクルをデータから検出するために、クロメリンは大気における「経験的固有関数」（共通した気流のパターン）を解析した。この手法では、独立な基本パターンの組み合わせで実際の気流を近似する。これによって、大気の運動を記述する複雑な偏微分方程式は有限個の変数を持つ常微分方程式に変換され、各成分のパターンが全体の流れに寄与する大きさがわかる。

クロメリンは、1948年から2000年までの北半球のデータを用いて、理論を検証した。そして、大西洋地域において、ブロッキングされた気流のさまざまなパターンが、共通する動的なサイクルでつながっている証拠を発見した。サイクルは太平洋および北大西洋上の南北流で始まり、これらの流れが融合して、北極圏で東西流を形成する。次に東西流は、ユーラシア大陸と北米西海岸まで伸長し、大部分は南北流に至る。サイクルの後半になると、異なる順序をたどりながら、流れのパターンは元の状態に戻り、約20日かかって1サイクルが完了する。これらが示唆するのは、北大西洋振動と北極振動は関係しており、それぞれが部分的な要因となって、互いを引き起こしているのかもしれないということだ。

熱エネルギーと温室効果

本当の天気工場は太陽だ。太陽から、地球の大気、海洋、陸地に熱エネルギーが降り注ぐ。地球の自転によって太陽が昇っては沈むので、地球全体が暖められては冷えるというサイクルを毎日繰り返す。このサイクルが気象システムを突き動かし、数多くの大規模スケールの気象パターンを規則的に作り出す。ただし、物理法則に強い非線形性が内在しているので、細かい効果には大きな変動が生じる。また、何らかの要因（太陽の熱出力の変化や、大気圏外に反射される熱量の変化、大気圏内に保たれる熱量の変化など）が、熱エネルギー量に影響を与えると、気象パターンは変動する。このような熱量の変化が全体的にあまりに長期間続くと、地球規模の気候変動が起きてしまう。

地球における熱バランスの変化の影響について、科学者は少なくとも1824年から調査を行っている。これはフーリエが、大気によって地球が温暖化することを発見した年でもある。1896年に、スウェーデンの科学者スヴァンテ・アレニウスは、大気中の二酸化炭素が温度に与える影響を調べた。二酸化炭素は、太陽の熱を閉じ込める「温室効果ガス」の一つである。アレニウスは、氷河や氷床（太陽光や熱を反射する）の変化など、他の要素も考慮に入れた上で、地球の二酸化炭素レベルを半分にすると、氷河期が引き起こされる可能性があると予測した。

当初、この理論に興味を示したのは、主に古生物学者だった。化石記録が唐突に変化する理由を、気候変動で説明できないだろうかと考えたからである。しかし、1938年にイギリスの技術者ガイ・カレンダーが、大気中の二酸化炭素の濃度と地球の気温の両方が過去50年間で上昇し続けているという証拠を集めると、この問題はもっと緊急に検討すべきものになった。ほとんどの科学者は、彼の理論を無視するか、反論するかのどちらかだった。しかし、1950年代の終わりまでには、二酸化炭素濃度の変化によって地球はゆっくりと温暖化しているのではないか、と考える科学者が現れた。1960年にチャールズ・キーリングは、二酸化炭素の濃度が間違いなく上昇していることを示した。エアロゾルが地球寒冷化を引き起こし、新たな氷河期が始まると危惧する科学者も少しはいたが、地球温暖化を予測する論文の方が6対1の割合で多かった。1972年にジョン・ソーヤーは、「人間が作り出した二酸化炭素と『温室』効果」と題した論文で、2000年までに予想される二酸化炭素濃度の上昇（約25％）によって、地球の気温は0・6℃上昇すると予測した。マスコミは氷河期が迫っていると強調し続けたが、科学者は地球寒冷化について心配するのはやめ、地球温暖化を真面目に検討するようになった。

1979年までに全米研究評議会は、二酸化炭素の上昇を野放しにしておけば、地球全体の気温は数度上昇するだろうと警告した。世界気象機関はこの問題を調査するため、1988年に「気候変動に関する政府間パネル」を設立し、ようやく世界は迫り来る脅威に気づき始めたのだった。次第に精度が向上していく観測によって示されたのは、気温と二酸化炭素濃度がどちらも上昇しているということだった。2010年のNASAの研究では、ソーヤーの予測が正しかったことが確認された。大気中の炭素同位体（同位体とは、原子番号が同じで質量数が異なる原子のこと）の割合を測定したところ、二酸化炭素を増加させた主な原因は人間の活動で、特に石炭や石油を燃やすことだと判明した。

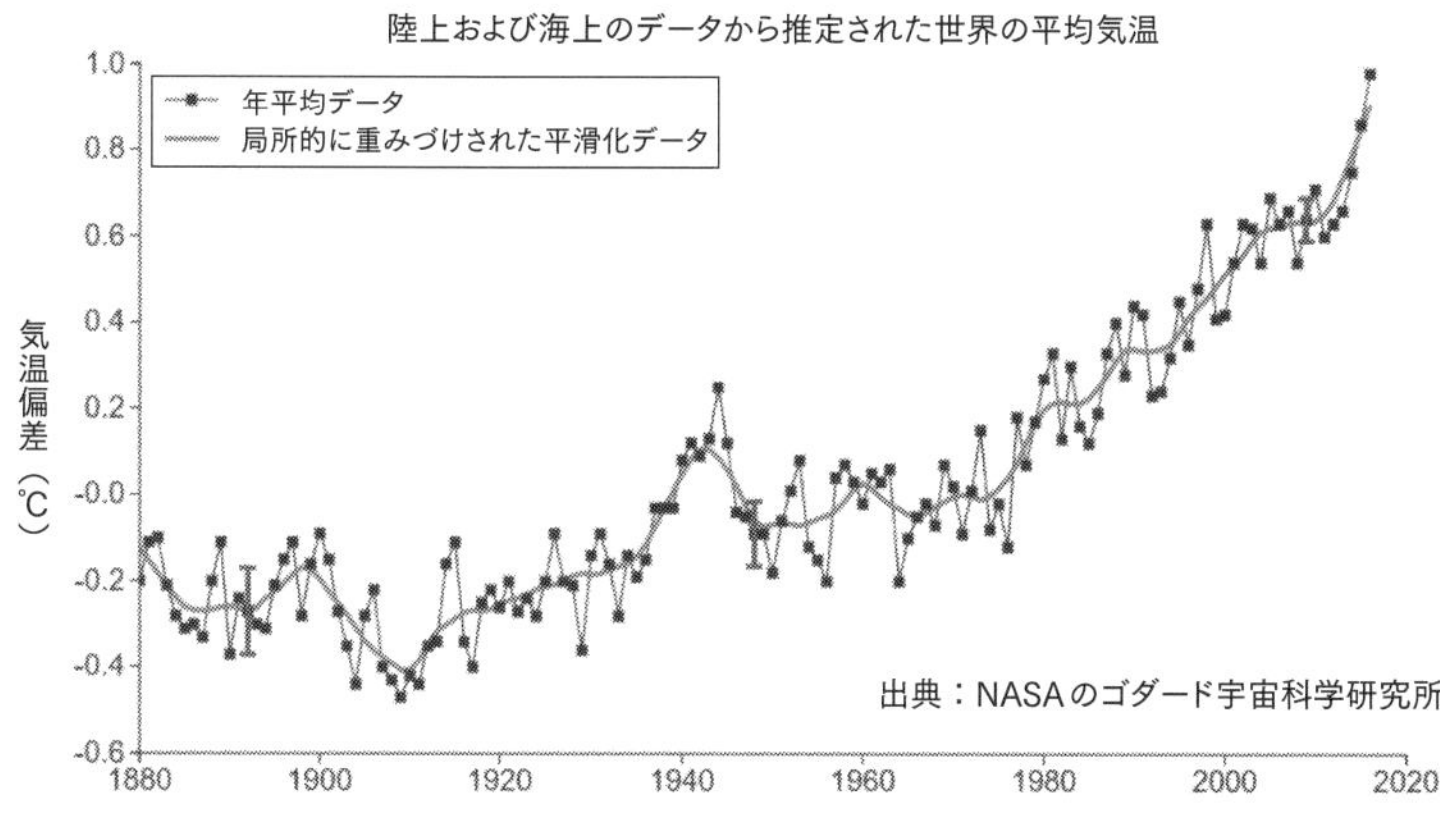

世界平均気温の推移（1880年から2020年まで）

地球温暖化は激しい議論の的となった。この議論に関しては、科学者の主張が正しいことが数年前に明らかになったが、反対派（「懐疑論者」でも「否定主義者」でも、お好きな言い方でどうぞ）は、ずっと科学に異議を申し立て続けている。彼らのお決まりの反論が世間知らずの人に受け入れられることもあるが、それがすべて間違いであることは、気象学者によって（たいていは数十年前に）証明されている。

今やほぼすべての国の政府は、地球温暖化が実際に存在していて、危険であり、その原因が私たち人間であることを認めている。明らかな例外は、アメリカ合衆国の現政権〔２０１９年時点のトランプ政権〕だ。彼らは科学的証拠に無関心であるらしく、短期的な政治的理由で、温室効果ガス削減に合意した２０１５年のパリ協定から離脱してしまった。ともあれ、50年にわたって態度を決めかね、気候変動否定論者による遅延作戦に邪魔されてきたが、アメリカを除く世界はついに本腰を入れた。パリ協定を支持するアメリカの州もいくつか存在するが、ホワイトハウスからは現在も馬鹿げた戯言が発せられている〔バイデン政権に交代したアメリカ合衆国は２０２１年にパリ協定に復帰した」。

地球温暖化と寒波

「東からの獣」（２０１８年2月に欧州を襲った大寒波）は、普段の寒波とはまったく違っていた。典型的なイギリスの冬の嵐は、西からやってくる。北極を旋回する寒気の巨大渦がジェット気流を作り、低気圧帯を駆動して西から襲ってくるのが、典型的なイギリスの冬の嵐だ。ところが２０１８年には北極が異常に温暖だったせいで、寒気が南下し、そのせいでシベリアからのさらに冷たい空気が中央ヨーロッパに流れ込み、それがイギリスにもやってきた。この寒波によって嵐（「エマ」と名づけられた）も発生した。寒波と嵐が組み合わさったせいで、降雪量は最大57センチにもなり、気温はマイナス11℃まで下がり、16人が死亡した。この異常な寒冷状態は1週間以上続き、規模はこれより小さかったものの、1ヵ月後にも同じような寒波に見舞われた。

アメリカも同様の寒波を経験している。２０１４年、アメリカ合衆国の多くの地域に非常に寒い冬がもたらされた。スペリオル湖は6月まで氷で覆われ、新記録となった。7月まで、メキシコ湾に隣接する州を除いたほとんどの東部の州では、通常よりも最大15℃も低い、涼しい気候となった。同時に、西部の州は異常な暑さに見舞われた。２０１７年の7月にも同じことが起こった。インディアナ州とアーカンソー州では記録上最も涼しい7月となり、ほとんどの東部地区で通常よりも涼しかった。

気候学者が主張するように、もしも人間活動が地球の温暖化を引き起こしているのなら、なぜこうした前例のないほどの寒波が起こり続けているのだろう？

その答えは、「人間の活動が世界を温暖化させているから」だ。

世界中のあらゆるところで同じだけ暖かくなっているのではない。温暖化の度合いが最も大きいのは極地周辺であり、最もダメージを受ける場所だ。北極の空気が暖められると、ジェット気流が弱まって南下する。そうすると、ジェット気流はより頻繁に位置を変えるようになる。２０１４年に北極の寒気をアメリカ東部に運んだのは、この効果だった。同時に、それ以外の地域には赤道地域から異常な暖気が流れ込んだ。ジェット気流がS字型のねじれを生み出したからである。そのせいで、西部の六つの州（ワシントン、オレゴン、アイダホ、カリフォルニア、ネバダ、ユタ）では、最も暑い7月の一つとなった。

地球の温暖化が進んでいるのに、異常な寒波が突然やってくる。この一見すると矛盾しているように思われる現象を解き明かしたいと心から願っている人は、インターネットにアクセスできるなら、すぐにその説明と、それを裏付ける証拠を見つけられる。まずは天気と気候の違いを理解しなければならない。

天気と気候の違い

「気候は常に変わっている」

この言葉は、気候変動に反対する理由として、昔から使われてきた。アメリカ大統領ドナルド・トランプは、地球温暖化と気候変動についてのツイートで、この言葉を繰り返してきた。他の多くの反論と違い、この反論には回答する価値がある。「いや、気候はつねに変動しているわけではない」というのがその答えだ。馬鹿なことを言っているなと思う人もいるかもしれない。明るく晴れた日もあれば、どしゃ降りの雨の日、何もかも埋もれるほど深く雪が積もる日もあるではないか。もちろん、天気は絶えず変化している！　それはそうだ。しかし、変わっているのは天気であって、気候ではない。天気と気候は違う。日常語ではそうではないかもしれないが、科学的な意味では両者は異なる。

私たちは皆、天気が何かを知っている。テレビの天気予報でお天気キャスターが伝える、雨、雪、曇り、強風、晴天などだ。天気予報では、明日かあるいは数日後の天気のことを知らせるが、これは科学的な定義と一致する。科学的には、天気とは数時間から数日間という短い時間スケールで起こることを意味する。気候はそうではない。気候という用語は大雑把に用いられることが多いが、数十年という長い期間における典型的な天気のパターンのことを意味する。公的には、気候は「天気の30年間の移動平均」と定義されている。その意味について、すぐに説明しよう。まず、平均が捉えにくいものであることを理解する必要がある。

たとえば、過去90日間の平均気温が16℃と仮定する。続いて熱波がやってきて、次の10日間は30℃に急上昇する。平均には何が起こるだろう？　平均も大きく上昇するはずと思うかもしれないが、実際にはたった１・４℃しか上がらない[7]。短期間の揺らぎがあっても、平均はあまり変わらない。一方で、もしも熱波が90日間続けば、１８０日間の平均気温は23℃まで上昇する。つまり、16℃と30℃の真ん中の値だ。長期間の揺らぎは、より強く平均に影響を与えるのだ。

30年間の気温の移動平均を算出するには、過去30年間のすべての日の気温を足し合わせ、それを総日数で割ればいい。この値はきわめて安定しており、平均が変わるのは、平均値と異なる気温が非常に長期間続く場合に限られる。そのうえ、それはすべて同じ方向に変化していなければならない（つまり、総じてより暑くなるか、総じてより寒くなるかのどちらかでなければならない）。暑い期間と寒い期間が交互に生じると、互いに打ち消し合ってしまう。たとえば、夏は概して冬よりも暑いが、

1年の平均気温はその間の温度になる。30年間の平均は、すべての揺らぎを加味した上で決まる典型的な気温だ。

それゆえ、気候が「常に変わっている」というのはありえない。しかし、天気は近年、劇的に変わっている。とはいえ、こうした天気の変化がいつまでも続くとしても、30年間の平均気温に影響を及ぼすには数年かかる。

さらに付け加えると、ここまで検討してきたのは局所的な気候（たとえば、あなたの地元の気候）にすぎない。「気候変動」という語が指しているのは、あなたの地元の気候ではない。気候学者が温暖化していると述べているのは地球全体の気候なのだ。それを調べるためには、長期間にわたるだけではなく、地球上のあらゆる地点を網羅して平均気温を出す必要がある。そこには、サハラ砂漠、ヒマラヤ山脈、氷に覆われた極地、シベリアのツンドラ、さらに海洋も含まれる。インディアナ州が通常より寒くなっても、ウズベキスタンが通常より暖かくなれば、二つの効果は打ち消しあって、地球全体の平均気温はほぼ同じ値に留まる。

最後に、用語について注意点を述べておこう。実は、気候に中期的な影響を及ぼす「自然な」（つまり、人間によって引き起こされたものではない）効果がいくつか存在する。一番馴染み深いのはエルニーニョだ。エルニーニョは、数年ごとに太平洋東部の温度が上昇する自然な現象である。一方、最新の文献のほとんどにおいて「気候変動」は、「人為的な気候変動」の略語として用いられている。「人為的な気候変動」とは、人間活動によって引き起こされる気候の変化のことだ。エルニーニョのような現象は、説明がついている。だが、いま議論に上っているのは、自然な効果では説明のつかない気候の変化だ。何らかの新しい要因が気候に影響を及ぼしている場合にのみ、そうした変化が起こるからである。

数多くの証拠から、そうした変化が起きていることは確認されている。そして、その要因は私たちにほかならない。人間活動によって、大気中の二酸化炭素濃度は400ppmを超えた。一方、過去80万年のほとんどの期間で、二酸化炭素濃度は170ppmと290ppmの間を変動していた（図は過去40万年を示す）[8]。300ppmを超えたのは、すべて産業革命以降である。二酸化炭素が増加するとより多くの熱が封じ込められることは、基礎物理でわかっている。地球の気温（氷床コアや大洋堆積物を非常に慎重に測定して推定する）は、過去150年の間に1℃近く上昇した。物理原理から、この温度上昇は二酸化炭素の増加によるものと示唆される。

1週間先の天気ですら予測できないのに、どうして20年後の気候を予測できるのか？

この疑問は、天気と気候が同じであるならば痛烈な反論になるだろうが、二つは異なる。たとえシステムの特徴の大半は予測不能だとしても、一部の特徴は予測可能な場合がある。たとえば1章で紹介した、小惑星アポフィスを覚えているだろうか？　重力の法則によると、2029年か2036年にこの小惑星が地球にぶつかる可能性があるが、どちらの年に衝突するかはわからない。しかし、もしもどちらかの年に衝突が起きるなら、それが4月13日であることは確実である。私たちが何かを予測できるかどうかは、予測対象とそれに関する事前知識に依存する。何らかのシステムについて、ある特徴はまったく予測不可能だとしても、別の特徴についてはかなりの自信を持って予測できる場合もある。ケトレーは、個々の特質は予測不能だが、集団の平均をとると、それらの特質をかなり正確に予測できる場合が多いことを発見した。

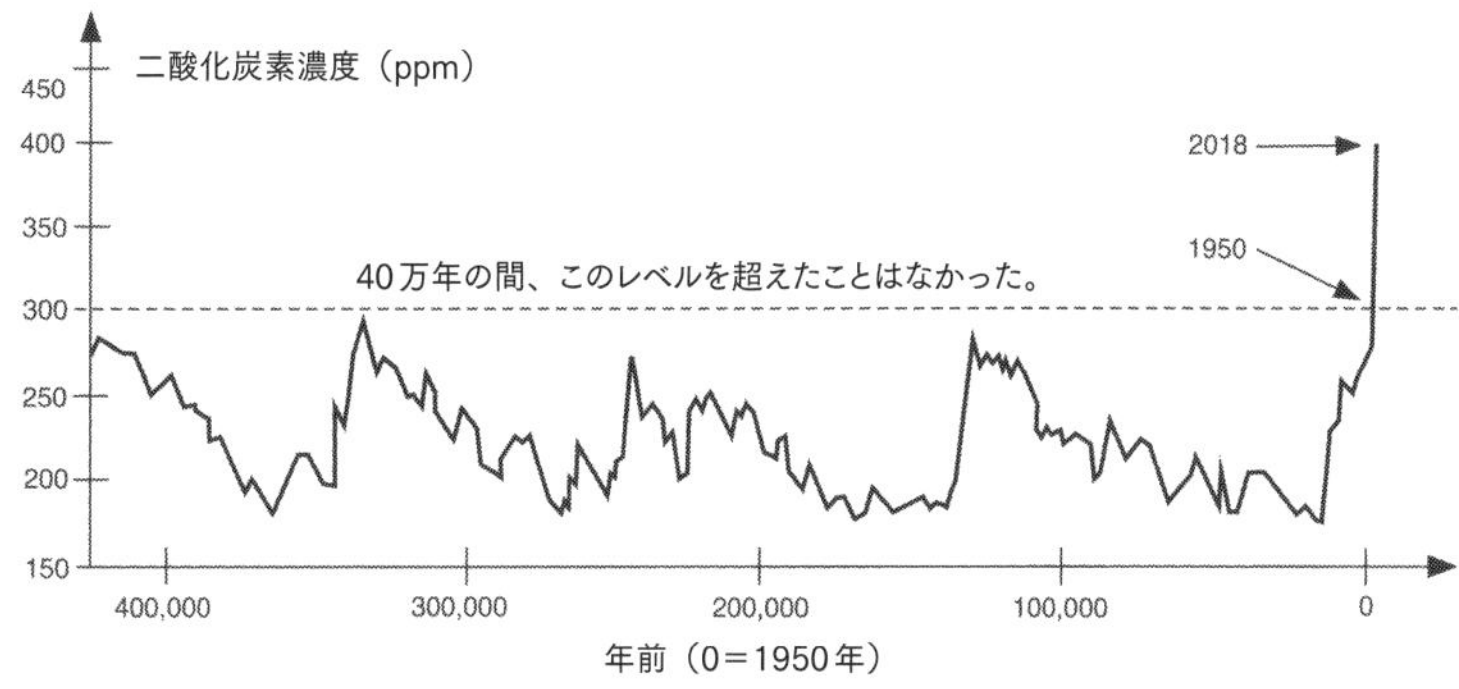

過去40万年における二酸化炭素濃度の変化。1950年まで300ppmを超えることはなかった。2018年の二酸化炭素濃度は407ppmである。

気候に対して、私たちがモデル化しなければならないのは、30年間の移動平均での緩やかな長期変動である。一方、気候変動をモデル化するためには、こうした長期変動が環境の変化（人間活動によって増加した温室効果ガスの量など）とどのように関係しているかも考慮しなければならない。これは簡単なタスクではない。気候システムは非常に複雑で、その応答を捉えにくいためだ。気温が上がると、より多くの雲が作り出され、太陽から入ってくる熱を反射する量が増える。一方で暖かい気温はより多くの氷を溶かし、暗い色の水が白い氷と置き換わると、太陽の熱を反射する量は減るかもしれない。二酸化炭素濃度が上がると、植物の生長の仕方も変わり、より多くの二酸化炭素を消費するかもしれない。このように、温暖化はある程度、自己補正している（最新の結果によると、二酸化炭素濃度が上昇すると、最初は植物が増えるが、残念なことに10年程度でその効果は消失する）。この類のあらゆる重要な効果を、モデルに盛り込む努力が必要となる。

　気候モデルは、微細スケールの気象データではなく、気候を直接扱うものであり、単純なものから過度に複雑なものまで多岐にわたる。複雑なモデルはより「現実的」で、気流などの関係する因子について既知の物理機構を数多く組み込んでいる。一方で、単純なモデルは、限定された因子のみに重点を置いている。単純モデルの長所は、理解しやすく、計算も容易な点だ。過度に現実的（すなわち、複雑な）モデルが優れているとは限らず、複雑なモデルには膨大な計算が伴うことも注意しなければならない。よい数理モデルが目指すべきは、すべての重要な特徴を保持しつつ、関係のない複雑性を取り除くことだ。アインシュタインの（ものだと伝えられる[9]）言葉によると、「できるだけ単純であるべきだが、単純すぎてもいけない」のだ。

どんなものが関わるのか、全体的な感じをつかむため、一つのタイプの気候モデルについてざっくりと説明することにしよう。モデルの目的は、時間が経つにつれて（つまり過去と未来で）地球の平均気温がどう変化するのかを理解することだ。気候モデルの計算は、原則として会計処理と同じである。すなわち、1年間に入ってきたエネルギー（主に太陽に由来するが、火山が放出する二酸化炭素も含められる）から、出ていったエネルギー（放射や反射によって地球から出ていった熱）を差し引くと、余剰な熱エネルギーを求めることができる。もしも収入（入ってきた量）が支出（出ていった量）を上回れば、地球は温暖化する。逆になれば、地球は寒冷化する。熱の「貯蓄」についても考慮する必要がある。というのも、熱は一時的に、どこかに貯えられることもあるからだ。貯蓄は支出の一種だが、収入として戻ってくることもある。

収入は（かなり）単純明快だ。大部分は太陽に由来する。太陽の放射するエネルギー量はわかっているし、そのうちのどれだけが地球に到達するかも計算できる。頭痛の種は支出の計算だ。熱い物体は熱を放射し、この熱放射に関わる物理法則は知られている。ここで関わってくるのが温室効果ガスだ（主に二酸化炭素とメタンだが、一酸化二窒素も含まれる）。これらのガスは「温室効果」によって熱を封じ込め、地球から放射される熱の量を減らす。さらに扱いにくいのは反射だ。熱を反射するのは、氷（氷は白いため、より多くの光を反射するので、熱もより多く反射される）や雲などだ。雲は入り組んだ形状をしており、モデル化が厄介だ。そのうえ、熱は吸収されることもある。特に、海洋は巨大な吸熱源となる（つまり、熱を貯蓄する）。ここで吸収された熱は、その後再び放出されるかもしれない（口座から貯蓄の一部を引き出す要領だ）。

数理モデルでは、これらすべての因子を考慮に入れ、太陽、地球、大気、海洋の間の熱の流れを方程式に書き下す。次に方程式を解くが、これはコンピュータの仕事だ。これらのモデルはすべて近似であることに注意しなければならない。つまり、どの因子が重要で、どの因子を無視してよいかを仮定した上でモデル化されているのだ。こうした性質があるため、どんなモデルにも攻撃される余地がある。絶対的な真理と考えられるモデルは一つとして存在しない。懐疑論者はこうしたあら探しをするチャンスを逃さないだろうが、重要なポイントは単純だ。すべてのモデルは次のように予測している。人間の作り出した過剰な二酸化炭素（化石燃料や森林などに貯留されている炭素を燃やすことによって生み出される）は、地球全体の温度を上昇させてきたし、これからも上昇させ続けるだろう。地球の温度は、私たち人間の活動がなかった場合と比較すると、明らかに上昇している。そうした余剰のエネルギーによって気象パターンが今までとは違う極端なものになると、それが平均化されて、気候変動となる。

気温の上昇が、正確にはどの程度の速さで起こり、どのように持続するかはわからないが、すべてのモデルで一致しているのは、次の数十年で気温が摂氏数度は上昇することだ。観測によると、１８

80年以来、気温はすでに0・85℃上昇している。実際のところ、製造業が大量の化石燃料を消費し始めた産業革命以降、気温はずっと上昇し続けている。この上昇率は加速しており、近年の温暖化の速さは初期の2倍になっている。一方、過去10年間で気温が上昇する速度は減速している。その理由の一部は、多くの国で化石燃料の使用を削減する措置がついに講じされたことにあるが、2008年の銀行の経営破綻によって引き起こされた世界的な景気後退も要因の一つだろう。ここに来て、気温が上昇する速度はまた加速している。

最大の脅威は、温暖化による氷の融解と、海水の膨張によって引き起こされる、海面水位の上昇だろう。しかし、それ以外にも脅威はたくさんある。海氷の消失、メタン（強力な温室効果ガス）を放出する永久凍土層の融解、病原菌を持つ昆虫の地理的分布の変化など、悪影響についてだけで一冊本が書けるほどだ（すでに大勢がそうした本を書いているので、私はやめておくことにする）。数十年先の環境への影響を正確に予測することは不可能だが（懐疑論者はそれをやたらに要求するが）、すでにさまざまな悪影響が生じている。すべてのモデルが、大規模で破滅的な事態になると予測している。唯一議論の余地があるとすれば、それがどれくらい大規模で、どれくらい破滅的かということくらいだろう。

1℃上昇するというのは、それほど悪いニュースではないのではないか？

世界の多くの地方では、気候が1℃上がれば喜ぶ人がいるだろう。起こるのがそれだけならば、それほど心配する必要はない。しかし、頭を働かせて考えよう。それほど単純な話なら、気候学者だってそうと気づくだけの頭はある。心配などしないだろうし、警告さえしなかっただろう。だが、人生や非線形動力学で生じるあらゆることと同様、問題はそんなに単純ではないのだ。

1℃はたいしたことではないように聞こえるが、過去の1世紀で私たち人類は、地球表面全体をそれだけ暖めたのだ。簡略化して言おう。大気、海洋、陸地で上昇する温度は異なる。屁理屈は抜きにして、それだけの広大な変化を引き起こすのに必要なエネルギーは甚大だ。そして、これが第一の問題だ。私たちは莫大な量の余剰エネルギーを、地球の気候を構成する非線形動力学系に注入しているのだ。

「人間がそれほど強大な影響を地球に及ぼせると考えるなんて、思い上がりだ」と言う人たちを信じてはいけない。一人の人間でも森を焼き払うことはできるし、そうすれば多量の二酸化炭素が発生する。私たちは小さな存在かもしれないが、大勢の人間がいるし、大量の機械を所有し、そのほとんどは二酸化炭素を放出する。229ページのグラフには、私たちがそれだけの影響を及ぼしてきた事実がはっきりと示されている。同じように、広範な影響を与えたことは他にもある。河川にゴミを投棄することによって、膨大な量のプラスチックゴミが海洋に流れ着き、あらゆる場所を汚染している。このことに、私たちは遅ればせながら気づいた。これは紛れもなく、私たちの犯した過ちだ。人間以外にプラスチックを作り出すものはない。ゴミを廃棄するだけで、海の生物の食物連鎖にダメージを与えてしまうのだ。それを考えれば、莫大な量の温室効果ガスを作り出すことによって人間が環境を破壊していると示唆するのは、思い上がりでも何でもない。人間の作り出す温室効果ガスの量は、地球上のすべての火山（海底火山も含める）が放出する総量の120倍に上る。[10]

1℃は無害に聞こえるかもしれないが、地球規模の莫大なエネルギーの増加は無害ではすまされない。余剰のエネルギーを非線形動力学系に注入すると、至るところで同じ分量だけわずかに挙動が変化するわけではない。システムが揺らぐ際の激しさ、速さ、大きさ、不規則さがすべて変わる。夏の気温が一様に１℃上がるわけではない。それまでの天気の範囲を外れて揺らぎ、熱波や寒波を引き起こす。これら個々の出来事は、数十年前に起こったことに似ているかもしれないが、極端な出来事があまり頻繁に起こると、何かが変わったことに気づく。いまや地球温暖化は、過去に比較できる例がないほど熱波が頻発する段階に達した。アメリカでは２０１０年に起こり、２０１１、２０１２、２０１３年に再び起こった。南西アジアでは２０１１年、オーストラリアでは２０１２年から２０１３年にかけて、ヨーロッパでは２０１５年、中国とイランでは２０１７年に熱波が起こった。２０１６年７月、クウェートの気温は54・８℃に達し、イラクのバスラの気温は53・９℃まで上昇した。これらの気温は、デスヴァレーを除く地球上で（現在までに）記録された最高の気温である。

２０１８年前半、厳しい熱波が世界各地を襲った。イギリスは、長期の干魃と凶作に見舞われた。スウェーデンでは山火事が起きた。アルジェリアでは、51・３℃というアフリカの過去最高気温を記録した。日本では気温が40℃を超えた際、少なくとも30人が熱中症で亡くなった。オーストラリアのニューサウスウェールズ州では最悪の干魃が起こり、水不足、凶作、家畜用の食糧不足に陥った。カリフォルニア州ではメンドシーノ郡で山火事が起こり、１００万エーカーの土地の４分の１以上が焼失した。このような記録は毎年塗り替えられている。洪水、嵐、暴風雪も同じだ。いずれの異常事態も起こる頻度が増している。

天気システムに付加された過剰のエネルギーは、気流の流れ方も変えている。たとえば現在、北極では、その他の地域よりもはるかに温暖化が進んでいるようだ。北極の温暖化により、極渦（高緯度地域で北極点を周回する冷たい風）の流れが変わる。温暖化で極渦の流れが弱められ、寒気がより多く周辺に広がるようになり、特に南に移動する。このようにして起こったのが、2018年前半にヨーロッパを襲ったあの寒波だった。地球温暖化のせいで、通常よりもはるかに寒い冬になるのは矛盾しているように思えるかもしれないが、矛盾してはいない。過分のエネルギーを加えて非線形系を乱すと、このようなことが起こる。例年よりも5℃低い気温でヨーロッパが立ち往生していたとき、北極は通常よりも20℃高い気温で暖かくなっていた。実質的には、私たちが過剰生産した二酸化炭素のせいで、北極からの寒気が私たちに届いたのである。

極地の氷が溶けると

地球の反対側でも同じことが起こっており、状況はさらに悪い。南極には、北極よりもはるかに多くの氷が蓄積されている。南極では北極よりもゆっくりと氷が溶けていると以前は考えられていた。しかし実際には、南極の方が速く溶けていることが判明した。ただ、沿岸の氷床の基部で融解が進んでおり、水中深くなので見えていないだけなのだ。これはとても悪いニュースだ。なぜなら、融解によって氷床が不安定になり、その氷がすべて海洋に流れ出すからだ。すでに莫大な量の氷棚が崩れている。

極地を覆う氷の融解は、まさしく地球規模の問題だ。溶けた氷が余剰な水となって海洋に流出し、海面が上昇するからである。現在の推定によると、北極と南極のすべての氷が溶けると、海面水位は80メートルかそれ以上、上昇するという。そのようなことは当分の間は起こらないだろう。しかし、私たちが何をしても、2メートルの上昇はすでに不可避と考えられている。もしも温暖化による気温上昇が1℃だけに抑えられるなら、この数字はもっと低くなるかもしれない。でも実際にはそうではないのだ。たとえ平均の気温上昇がちょうど1℃だったとしても（1℃の上昇は産業革命以来に起こったことだが）、水位上昇が2メートルを下回ることはないだろう。なぜ下回らないのか？　なぜなら、温暖化は均一ではないからだ。極地は、気温の上昇ができる限り小さくなってほしい場所なのだが、そこでは温帯地域よりも気温が大幅に上昇する。北極の気温は平均5℃上昇した。南極はそこまで温暖化が進んでいないように見えたため、かつてはそれほど深刻な脅威はないと思われていたが、それは科学者が水面下を観察する前のことだった。

融解によって失われた氷の正確なデータを、表面に蓄積する新たな氷のデータと組み合わせると、海面水位の上昇に南極がどれだけ関与しているかがわかる。アンドリュー・シェファードとエリック・アイヴィンズが指揮する極域科学者の国際チームは、「氷床質量収支の国際比較研究（IMBIE）」と呼ばれるプロジェクトで、氷床の融解による海面水位上昇の推定を行っている。24の独立な調査結果を組み合わせた2018年の報告[11]によると、1992年から2017年の間に、南極の氷床は2.72±1.39兆トンの氷を失い、地球の平均海面水位を7.6±3.9ミリメートル上昇させた（±の誤差は標準偏差を表す）。西南極では、氷が消失（主に、大陸の端にある棚氷の融解が原因）する速さは、過去25年で3倍になった（1年に530±290億トンの消失が、毎年1590±260億トンに増大した）。

スティーブン・リントゥールらは、2070年の南極に起こりうる二つのシナリオを調べてみた[12]。それによると、もしも現在起こっている温室効果ガスの放出が放置されれば（地球規模の思い切った行動に出ない限りはそうなるだろう）、1900年の基準値と比べて、地球の陸地の平均気温は3・5℃高くなる。これは、パリ協定で採用された上限の1・5〜2℃を優に上回る。融解する南極の氷のせいで、海面水位は27センチ上昇するだろうし、他の原因も加われば、それよりも大きく上昇するかもしれない。南極海の温度は1・9℃上昇し、夏には南極海の氷の43％が失われる。外来種が侵入する回数は10倍に増え、生態系はペンギンやオキアミなどの現在の種から、カニとサルパ（プランクトンの一種）に変わってしまうだろう。

氷が溶けると、正のフィードバックによる悪循環が起こり、問題が悪化する。新鮮な氷は白色をしており、太陽熱の一部を反射して大気圏外に返す。だが、海氷が溶けると、白い氷は暗い色の水になり、より多くの熱を吸収し、あまり熱を反射しなくなる。したがって、地域の温暖化は加速する。グリーンランドの氷河では、融解する氷が白い氷河を汚すので、そのせいで氷河の融解速度も増す。シベリアとカナダ北部では、土地は年間を通して凍っていたのだが、もはや「永久」凍土ではない。つまり、永久凍土が溶けているのだ。永久凍土には、腐った植物から発生する大量のメタンが閉じ込められているのだが、凍土が溶けるとそれが放出される。そして（皆さんご存じの通り）メタンは温室効果ガスであり、二酸化炭素よりもはるかに強力なのだ。

メタンハイドレートについては言うまでもない。これは、水の結晶構造内にメタン分子が閉じ込められた、氷に似た固体である。世界中の大陸棚の浅い領域に、メタンハイドレートは大量に堆積しており、3兆トンの二酸化炭素と同等の量だと推定されている。これは、人間が現在作り出している二酸化炭素の100年分に相当する。埋蔵されているこれらが融解し始めたら、いったいどうなるだろう。

1世紀で1℃の上昇は、それほど悪いニュースではないと思うだろうか？　もう一度考えてほしい。私たちが一致団結して行動できれば、将来にまったく希望が持てないことはない。温室ガス排出を低く抑えることができれば、地球の気温上昇は0・9℃に抑えられ、海面水位上昇は6センチに留まる。南極海の温度の上昇は0・7℃になり、夏に失われる南極海の氷は12％になる。この程度であれば、南極海の生態系は現在と同じままでいられるだろう。196ヵ国が参加したパリ協定の批准に加え、再生可能エネルギーの効率とコストが最近急速に改善していることを考えれば、温室効果ガスの排出を低く抑えるシナリオは実現可能である。石炭鉱業を復活させるために、アメリカがパリ協定からの離脱を決めたのは実に不幸なことだ。トランプ政権がいかなる幻想を抱こうとも、経済的に考えて、石炭鉱業の復活は望み薄だ。何をするのも勝手だが、さらに50年間、愚かな政治による遅延作戦を続ける余裕は世界にはない。

非線形動力学で天気を考える

非線形動力学は、天気や気候、また両者の関係や変動について、有益な視点を与えてくれる。これらのシステムは偏微分方程式に支配されるため、以下では力学系の用語を用いて説明するのが適切だろう。

ある地点における大気の状態空間は、温度、圧力、湿度などの組み合わせから成り立っている。この状態空間における各点は、天気を観測して得られた値の集まりである。時間が経過すると点は移動していき、軌道を形成する。移動する点を追従し、状態空間のどの領域を通過するかを見ることで、天気を読み取ることができる。短期的に異なる推移パターンを示す気象データは、それぞれが異なる軌道上にあることを意味するが、すべての軌道は、同じ（カオス的な）アトラクタ上にある。

天気と気候の違いは、天気はアトラクタを通る単一の経路であるのに対して、気候はアトラクタ全体である点だ。気候が変化しない場合、同じアトラクタ上には多数の経路がありうるが、長期的に見れば、それらはすべて似た統計的性質を持ち、同じ事象は同じ頻度で起こっている。天気が常に変動するのは、その力学によって、システムの状態が同じアトラクタ上の多数の異なる経路に導かれるためだ。一方で、何か通常から逸脱したことが起こらない限り、気候は変動しないはずだ。気候変動が起こるのは、アトラクタが変動するときだけなのである。アトラクタの変動が大きいほど、気候変動も劇的なものになる。

全地球の天気システムに対しても、同様の描像が当てはまる。変数は地球上の位置に依存するため、状態空間は無限次元の関数空間となるが、同じ区別がここでも成り立つ。天気のパターンはアトラクタ上の単一の軌道であるが、気候はアトラクタ全体なのだ。ただ、これはあくまでも比喩である。なぜなら、アトラクタを全体として観測するのは不可能だからだ。全体を観測するには、地球の天気パターンに関する膨大な記録が必要になる。しかし、そこまで詳細ではないものならば検出できる。それは、天気がある状態になる確率だ。これはアトラクタの不変測度と関係しており、もしも確率が変われば、アトラクタも変わることになる。だからこそ、30年間の統計平均で気候を定義し、統計平均を使って気候変動を監視することができるし、また気候変動していると確信することもできるのである。

気候が変動したときでさえ、ほとんどの天気は変動前とたいして変わっていないように見えるかもしれない。それが、私たちが気候変動に気づかない理由の一つだ。私たちは、寓話の茹でガエルのようなものだ。徐々に沸騰していく鍋の中に入れられているが、水温の上昇があまりにゆっくりなので、そのことに気づかず、鍋から飛び出さない。しかし、気候科学者は60年以上前に気づいた。彼らは世界中で異常気象の起こる頻度が上がっていることに気づき、記録し、検証して、その事実が誤りだと証明しようと試みたが、失敗に終わった。はっきりしたのは、異常気象が頻繁に起きるようになっているということだった。地球温暖化で予測される通りになっているのである。

主にこうした理由から、科学者は最近、地球温暖化ではなく気候変動と呼ぶようになっている。気候変動という語の方が、起きている効果を正確に説明できるからだ。だが、気候変動の原因は、これまでと変わらない。人間が過剰な温室効果ガスを作り出すことによって、地球が温暖化しているのが原因なのだ。

頻発する大洪水

気候アトラクタの変動は心配だ。わずかのアトラクタ変動でも、大きな悪影響を与えることがあるからだ。私が言いたいことはどの異常気象にも当てはまるが、話の都合上、ここでは洪水を取り上げることにする。洪水防止用の構造物の設計をする技師には、10年洪水、50年洪水、100年洪水といった便利な概念がある。これは、平均して10年に1度、50年に1度、100年に1度の割合で発生するレベルの大洪水のことだ。洪水のレベルは溢れた水が到達する水位で測る。高い水位の洪水が起こることは稀であり、それらを防止するには費用がかかる。ときには、防止対策費が被害総額の見積もりより高くつくこともある。ここでは、100年洪水の水位を想定してみよう。

洪水で起こる水位の統計が変わらない限りは何も問題ないが、統計が変わったらどうなるだろう？洪水の平均水位が上昇すると、高い水位の洪水がより頻繁に起こるようになる。平均周辺の揺らぎ、つまり水位の標準偏差が大きくなる場合にも同じことが言える。平均水位の上昇も、水位の標準偏差の拡大も、地球温暖化による余剰エネルギーによって生み出されるものだ。この二つが合わさると、

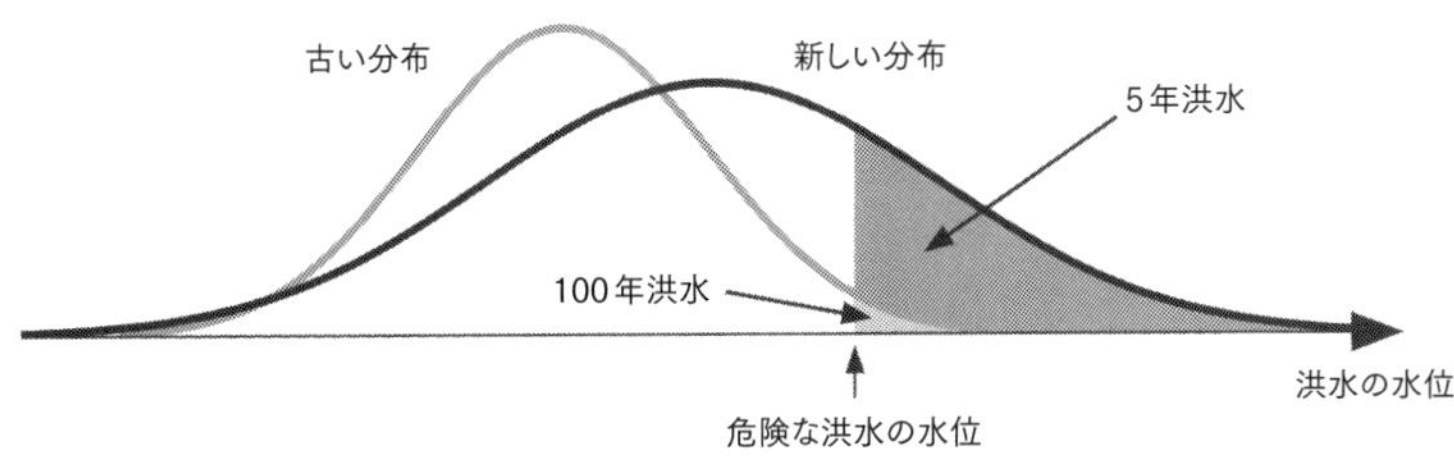

水位の平均と標準偏差が増加すると、100年洪水が5年洪水に変わってしまうことがある。

互いに強め合う。これらの効果がどう組み合わさるかを示したのが図のグラフである。単純化するために正規分布を用いているが、同様の論理は、もっと現実に即した分布でも当てはまる。

古い確率分布で危険な洪水の水位に対応するのは、曲線の下の薄い灰色の領域であり、その面積はごく小さい。しかし、分布が新しいものに変わると、危険な水位に対応する部分には濃い灰色の領域も加わり、はるかに大きな面積になる。新しい分布の面積が示しているのは、そうした危険な洪水が、おそらく5年に1度という確率で起こるということだ。もしそうならば、これまで100年に1度の洪水であったものが、いまや5年に1度の洪水になったことになる。危険な洪水が起こる頻度は20倍に跳ね上がり、この臨界水位を超える洪水はめったにないので予防策は不要だと正当化していた経済試算は、もはや当てはまらない。

沿海部の地域では、豪雨の引き起こす洪水の危険性は、高潮や海面水位の上昇によってさらに高まる。また、こうした洪水の要因はどれも、地球温暖化によってさらに悪化する。現実に即した数理モデルによると、全世界の二酸化炭素排出量が劇的に減らない限り、ニュージャージー州のアトランティックシティーはまもなく慢性的な洪水に悩まされるようになる。[13] 30年以内に、現在では1世紀に1度しか起こらない水位の大洪水が、1年に2度起こるようになる。100年洪水は6ヵ月洪水になり、1080億ドルの資産価値のある家々を危険にさらすことになる。そしてこれは、たかだか一沿岸都市の話である。現在、アメリカの人口の39％が、海岸に隣接する郡に居住しているのだ。

12　医療を統計する

自然死とは、医師の助けなしに一人で死ぬこと。

無名の男子生徒、試験の答案

１９５７年に新しい特効薬がドイツで発売された。この薬は、医師の処方箋なしで購入できた。当初は精神安定剤として販売されたが、のちに妊婦のつわりを和らげるのに推奨された。商標名はコンテルガンだったが、一般名称はサリドマイドだった。しばらくして医師たちは、アザラシ肢症（四肢の長骨の欠損あるいは発育不全のため、手や足が胴に直接ついているように見える奇形症で、死に至るケースもある）の新生児が急増したことに気づき、薬が原因であることを知った。約１万人の子供が被害を受け、２０００人が亡くなった。妊婦は薬を服用しないように勧告された。そして、長期にわたって服用すると神経障害を引き起こすことが判明したあと、１９５９年にこの薬は回収された。しかしその後、特定の疾患（ある型のハンセン病と、多発性骨髄腫）の治療薬として、サリドマイドは承認された。

サリドマイドの悲劇は、医療における不確実性の問題を思い出させる。薬の臨床試験は広範囲に行われた。また、母体と胎児を隔てる胎盤関門をサリドマイドは通過できないので、胎児に影響を及ぼすはずがないというのが一般通念だった。それでもなお、研究者は催奇性（胎児に奇形を生じさせる）効果がないかを確かめるために、実験小動物を使って標準試験を行った。そして、これらの試験で有害性は示されなかった。だが、その後の調査で、人間は催奇性の点で例外的であることが判明したのである。医療専門家や製薬会社、医療機器（人工股関節などの）メーカー、あるいはさまざまな治療法（たとえば、どのようにがん患者に放射線治療を施すのが最善かなど）を試す医師は、治療が効果的かどうかを試験し、患者のリスクを減らす方法を編み出してきた。サリドマイドの事例からわかるように、それらの方法は絶対に間違いのない確実なものではないが、それでも不確実性を減らすには合理的なやり方なのである。ここで主なツールとなるのは統計である。そして、それが医学でどのように使われているかを見ることで、基本的な統計の概念とテクニックを理解することができる。これらの方法は、統計学者たちが新しいアイデアを思いつくたびに絶えず改良されている。

こうした研究はすべて、倫理的な問題を抱えている。というのも、新薬や新しい治療法、新しい治療プロトコールは、ある時点で人間の被験者を使って試験しなければならないからだ。かつては、犯罪者、軍人、貧困者、あるいは奴隷に対して、彼らの理解や同意を得ずに医学実験が行われていたこともあった。だが、今日の倫理規範はもっと厳しい。非倫理的な実験は依然として行われているが、世界のほとんどでそのような実験は稀な例外であり、発見されれば刑事訴追される。

医療で生じる不確実性には主に三つのタイプがあり、それぞれ薬、医療機器、治療プロトコールが関わっている。これら三つはすべて実験室で開発され、入念に試験された上で、実際に人が使う運びとなる。試験には動物を用いる場合もあるが、その際には新たな倫理的配慮が必要となる。必要な情報を得るのに他の手段がない場合以外は、動物を用いるべきではないし、用いる場合は厳格な規定に従わなければならない。動物実験を完全に禁止すべきだと訴える人もいる。

こうした試験の後半では通常、臨床試験、つまり人に対する実験が行われる。医者が薬、機器、治療プロトコールを患者に使えるようにするためには、この試験が必要なのだ。政府の規制当局は、危険性と将来の利益とを見極め、それに基づいて試験を認可する。実施が許可されたからといって、その試験が安全だと考えられるわけではない。したがって、試験のすべての過程において、リスクに対する統計的な考え方が深く関わってくる。

異なる環境では異なるタイプの臨床試験が運用される（何もかもを網羅するのはあまりにも複雑だ）が、少人数の被験者（ボランティアや既存の患者）を対象にしたパイロット試験から始めるのが通例である。統計的には、少数の標本に基づいた結果は、多数の被験者から得られた結果よりも信頼性に欠けるが、パイロット試験からはリスクに関する有益な情報が得られるので、その後の臨床試験の実験計画を改善することができる。たとえば、もしも治療によって重い副作用が生じたら、試験は打ち切られる。だが、特別にひどいことが起こらなければ、試験は拡大され、多数の被験者を対象にして進められる。この段階では、統計的手法によって、治療の効果についてより信頼性の高い評価が下されることになる。

この種の試験に合格して承認されれば、その治療法を医師が患者に施すことが可能になる。だが、その治療が適切と考えられる患者のタイプについては、制限されることが多い。そして、研究者は治療結果のデータを収集し続ける。これらのデータによって、その治療の信頼性が高まることもあれば、最初の臨床試験では現れなかった新たな問題が判明したりもするのである。

臨床試験の計画

実践的な問題や倫理的な問題はさておき、臨床試験を設定するときに軸になるものが二つあり、両者は関連している。一つは、試験で得られたデータの統計解析である。もう一つは、試験の実験計画、すなわち、有益でできるだけ信頼性の高いデータを得るための試験をどうやって設計するかである。データ解析に用いられる手法は、収集するデータの種類と収集方法に影響を及ぼす。一方、実験計画は、収集可能なデータの範囲と結果の信頼性を左右する。

あらゆる科学実験で、同様の検討が行われている。だから、臨床医は実験科学の手法を取り入れることができるし、また臨床医の研究が科学的知見全般の向上に寄与することにもなる。

臨床試験では主に二つの点を調査する。「治療効果はあるか?」と「安全か?」というのがそれだ。実際には、いずれの要素も絶対ではない。たとえば、少量の水を飲むのは100%に近い確率で安全だ(だが、完全に安全ではない。喉を詰まらせるかもしれない)。だが、麻疹を治すことはできない。一方で、子供が受ける麻疹の予防接種は、ほぼ100%効果があるが、完全に安全ではなく、稀に接種による激しい副反応が起こることがある。だが、これらは極端な例であり、多くの治療は水よりは危険性が高く、予防接種よりは効き目が小さいものである。したがって、安全性と有効性の間にはトレードオフがあるに違いない。ここで登場するのがリスクだ。有害事象に関わるリスクとは、それが発生する確率とそれがもたらす危害の大きさを掛け合わせたものである。

たとえ実験計画を設計する段階でも、実験者はこれらの要素を計算に入れるように努める。治療のために薬を飲んだ人たちが重い副作用に苦しむことがなければ、安全性の問題はある程度解決する。もし副作用があれば、少なくとも最初の試験結果が出るまで、試験の規模を広げずに小さいままにしておかなければならない。実験計画法の重要な特徴の一つは、対照群を使うことだ。対照群とは、薬や治療を与えられていない人々のことである。薬を投与されたグループと投与されていないグループを比較すれば、薬を投与されたグループだけを検査する以上のことがわかる。もう一つの重要な特徴は、試験を実施する条件である。この試験は結果が信頼できるような仕組みになっているか、を考えるのだ。サリドマイドの試験では、胎児への潜在的リスクが過小評価されていた。あとから考えれば、妊婦を対象にした試験にもっと重きを置くべきだった。だが実際のところ、このように新しい教訓を学びながら、臨床試験の構造は進化していくのである。

　もっと微妙なのが、実験者が自分の集めるデータに影響を与えてしまうという問題だ。無意識のうちにバイアス（偏見）が入り込む可能性がある。もちろん、意識的なバイアスが入り込むことだってある。自分好みの仮説を「証明」しようとして、都合のいいデータだけを選び出せばそうなるだろう。今日実践されている臨床試験のほとんどには、三つの重要な特徴が見られる。話をわかりやすくするため、新薬を試験する場合を考えよう。一部の被験者には薬が投与されるが、対照群の被験者にはプラセボが与えられる。プラセボとは、見たところ本物の薬とほとんど区別がつかないが、有効成分がまったく入っていない偽物の薬のことだ。

　第一の特徴は、無作為化（ランダム）である。どの患者が薬を受け取り、どの患者がプラセボを受け取るかは、ランダムに決められなければならない。

　第二の特徴は、盲検法である。被験者は、自分が薬を受け取ったのか、あるいはプラセボを受け取ったのか、知ってはならない。もし知っていたら、症状とは異なる報告をするかもしれないからだ。二重盲検法では、どの被験者に薬あるいはプラセボが投与されたかは、研究者にも知らされない。これによって、データの解釈や収集の際や、統計的な外れ値を除く操作の際に、無意識のバイアスが入り込むのを防ぐことができる。さらに手間のかかるやり方には、ダブルダミー法がある。そこでは二つの薬を比較するため、それぞれのプラセボを用意し、被験者は薬とプラセボの両方を、組み合わせを変えて投与される。

第三の特徴は、比較対照のためにプラセボを使うと、今ではよく知られている「プラセボ効果」が生じることを研究者は説明しなければならなくなることだ。プラセボ効果とは、医師から薬をもらったという理由だけで、患者の気分がよくなる効果のことだ。たとえ患者がプラセボだと知っていても、この効果は生じる可能性がある。

臨床試験の性質（病気の種類や被験者の状態）によって、これらの手法が使えない場合もある。患者の同意なしに、薬の代わりにプラセボを与えることが倫理に反する場合もあるからだ。しかし、同意を求めると、その試験は盲検ではなくなってしまう。この問題を回避する方法が、実薬対照試験だ。新規の薬剤の臨床試験で、比較的効果があるのがわかっている既存の薬剤との比較が目的である場合には、実薬対照試験が行われる。そこでは、一部の患者は既存の薬を投与され、別の患者は新しい薬を投与される。患者に試験の内容を説明してもかまわない。ただし、二つの薬剤をランダムに選んで投与することについて同意を得る。そのような状況でも盲検法に基づいた臨床試験はできる。科学的にはそれほど満足のいくものではないかもしれないが、他の方法よりも倫理的な配慮がなされている。

フィッシャーの方法

臨床試験で用いられる伝統的な統計手法は、1920年代にローサムステッド農業試験場で開発された。農業試験場は、医学とかけ離れているように見えるかもしれないが、ここでも実験計画とデータ解析について似た問題が持ち上がったのだ。手法の開発に最も強い影響を与えた人物が、ローサムステッド農業試験場で仕事をしていたロナルド・フィッシャーだった。彼は「実験計画の原則」を確立して中心となる考えを定め、そこで開発された基本的な統計的ツールの多くは、今日でも広く用いられている。そのほかに、ツールの開発に貢献した当時の先駆者には、カール・ピアソンやウィリアム・ゴセット（彼は「スチューデント」というペンネームを使っていた）がいる。彼らは確率変数を表す記号を用いて統計検定や確率分布の名前をつけたため、今日でもt検定、カイ二乗検定（χ^2）、ガンマ分布（Γ）のような用語が用いられている。

統計データを分析するには、主に二つの方法がある。パラメトリックな方法では、パラメータ（平均や分散など）を含む特定の確率分布（二項分布や正規分布など）を用いてデータをモデル化する。それによって、データに最もフィット（適合）するパラメータ値を求め、確率の高い誤差範囲やフィッティングの有意性を推定するのだ。もう一方のノンパラメトリックな方法では、明示的なモデルを避け、データのみを拠りどころとする。細かい説明をせずにデータを表示するヒストグラムは、その簡単な例である。フィッティングが良好ならば、パラメトリックな方法の方がよい。ノンパラメトリックな方法には柔軟性があり、根拠のない仮定を置く危険性もない。どちらのタイプに基づく方法も豊富に存在する。

これらの手法のなかでも最も広く用いられているのは、データが科学的仮説を支持するか（あるいは支持しないか）を調べるために、データの有意性〔確率的に偶然とは考えにくく、意味があると考えられること〕を検定するフィッシャーの方法である。これはパラメトリックな方法で、通常は正規分布に基づいている。1770年代にラプラスは約50万人の出生記録を調査し、男女の性別分布を解析した。データによれば、男子の出生数の方が多かった。そこでラプラスは、男子の出生数が上回るのはどれだけ有意かを知ろうとした。彼はまず、「男子の生まれる確率と女子の生まれる確率は等しく、二項分布に従う」というモデルを立てた。そして、このモデルが当てはまるなら、観測されたデータの数字が出る確率はいくつになるかを考えた。彼が計算してみたところ、そうなる確率は非常に小さかった。したがって、もし男子と女子の出生確率が本当に半々ならば、観測されたことが起こる可能性はきわめて低いと彼は結論した。

この類の確率は、現在ではp値として知られている。フィッシャーはこの手続きを定式化した。彼の方法では、二つの対立する仮説を比較する。一つ目の帰無仮説は、観測結果は純粋な偶然から生じたと主張する。もう一方の対立仮説は、そうではないと主張する。そして、私たちが本当に興味を持っているのは、対立仮説が正しいかどうかだ。そこで帰無仮説を立てて、与えられたデータが得られる確率（あるいは、与えられたデータが適切な範囲にある確率）を計算する。この確率は通常「p」と表記され、そこからp値という用語が生まれた。

たとえば、1000人の新生児を標本にして、男子と女子の出生数を数え、男子が526人、女子が474人という結果になったとしよう。男子の出生数の方が多いが、それが有意かどうかを知りたい。そこで、「この男女の出生数は偶然によるものだ」という帰無仮説を立てる。対立仮説は、そうではないと主張する。だが実のところ、「526という数字そのものが偶然生じる確率」には、あまり興味はない。興味があるのは、「男子の出生数が上回る」というデータがどれほど極端なのかということだ。男子の数が527人でも、あるいは528人以上の数であっても、それが通常よりも男子の数が多いという証拠になるだろう。したがって重要なのは、526人かそれ以上の男子が偶然に生まれる確率であり、適切な帰無仮説は「526人かそれ以上の男子が偶然に生まれる」となる。

では、帰無仮説の起こる確率を計算しよう。ここで明らかになるのだが、これまで私が帰無仮説について述べてきたことからは、重要な要素が抜けていた。それは、このデータが従うと仮定する確率分布だ。ここではラプラスに倣い、男子と女子が半々の確率で生まれ、二項分布に従うと仮定するのが理にかなっているだろう。だが、どのような分布を選んだとしても、それは暗黙のうちに帰無仮説に組み込まれている。ここで扱う出生数は大きいため、ラプラスの選んだ二項分布は適切な正規分布で近似することができる。計算して得られる結論は、$p=0.05$となる。つまり、そのような極端な値が偶然出る確率はわずか5%しかないということだ。フィッシャーの用語では、有意水準5%で「帰無仮説を棄却する」という。これは、帰無仮説が間違っていることに95%の確信があり、対立仮説を採用する、ということを意味する。

これは、観測された数値が統計的に有意である(つまり、偶然に生じたものではない)ことに95%確信がある、という意味なのだろうか? いや、そうではない。本当に意味していることは、曖昧な言葉で濁されている。本来の意味は次の通りだ。観測された数値が偶然によるものではないことに95%の確信が持てるが、それは男女が五分五分の確率で生まれるという二項分布(あるいはそれに相当する近似された正規分布)に従っている場合に限る、ということだ。つまり95%の確信を持って言えるのは、「観測された数値が偶然に生じたものではない」か、あるいは「観測データが従っていると仮定した分布が誤っている」かのどちらかなのである。

フィッシャーが複雑極まる用語を使った結果、最後のフレーズは簡単に忘れ去られてしまうことが多い。もし仮定した分布が誤っていたのなら、私たちが検定したいと考えている仮説は、対立仮説と同一のものではなくなってしまう。先ほどのフレーズで厄介なのは、私たちが「最初から間違った統計モデルを選んでいた」可能性だ。この例では、それほど心配しなくてもいい。二項分布（あるいは正規分布）は妥当性が高いからだ。しかし、正規分布が不適切な場合もあるのに、デフォルトで正規分布を仮定してしまう傾向がある。学生は検定法を学び始めるとき、たいていこの点について警告されるが、しばらくすると頭の中から消えてしまう。出版される学術論文ですら、この点を誤っているものがある。

近年、p値に関する第二の問題が注目を集めている。統計的有意性と臨床的有意性（被験者の臨床状態の変化から判断する実際の治療効果）の違いの問題だ。たとえば、発がんリスクに関する遺伝子検査が、99％の水準で統計的に有意だったとしよう。良好な検査法であるように思われる。しかし実際のところ、この検査は、10万人につき1回しかがんを検出しない一方、「偽陽性」（がんが検出されたように見えたが、結局そうではなかった検査結果）を、10万人につき1000回出すかもしれない。いくら統計的有意性が大きくても、これでは臨床的に価値がない検査になってしまう。

ベイズの定理の医療応用

医療における確率の問題には、ベイズの定理で解けるものがある。典型的な例を紹介しよう[1]。女性の乳がんを早期に検出する標準的な方法は、マンモグラフィー（低線量の乳房X線撮影）だ。40歳女性の乳がん罹患率は約１％である（生涯罹患率は約10％で、この値は上昇している）。いま40歳の女性がマンモグラフィーでスクリーニング検査を受けると仮定する。乳がんを患っている女性の約80％がこの検査で陽性反応を示し、乳がんでない女性の10％も陽性反応（偽陽性）を示すとする。ある女性が検査で陽性反応を示したとき、彼女が本当に乳がんである確率はいくつか？

　この質問をされて、正しく答えられる医師はわずか15％にすぎないことを、１９９５年にゲルト・ギーゲレンツァーとウルリヒ・ホフレーゲは発見した[2]。ほとんどの医師は70～80％と回答する。

　ベイズの定理を用いて確率を計算できるが、代わりに以下のように、８章と同じ推論を用いることもできる。話をわかりやすくするため、この年齢層の女性１０００人を標本として考えよう。とはいえ、標本の大きさは関係ない。なぜなら、ここでは比率を考えているからだ。関係する数字は、確率で決められた比率に正確に従うと仮定する。現実ではそうなることはないが、ここでは確率を計算するために仮想の標本を使っているので、こう仮定しても問題はない。確率で決められた比率により、これら１０００人の女性のうち、10人ががんを患っていて、そのうちの８人が検査でがんを検出される。がんでない残りの９９０人の女性のうち、99人が検査で陽性反応を示す。したがって、陽性者の総数は１０７人だ。このうち、８人ががんを患っているので、確率は$\frac{8}{107}$で、約７・５％となる。

　この数字は、ギーゲレンツァーらの実験で確率を見積もるようにと言われたときに、大半の医師が答えた値の約10分の１だ。とはいえ、実験で即座に推定値を出すようにと言われたときよりも、実際の患者に相対しているときの方が、彼らはもっと注意を払って考えるかもしれない。そう信じよう。あるいは、適切なソフトウェアを使って面倒な計算を回避できればなおよいだろう。彼らの推論の誤りは、偽陽性を無視して80％と見積もった点、あるいは、偽陽性の影響は小さいと仮定して、値を70

%程度に減らした点にある。がんでない女性は、がんを患っている女性よりもはるかに多いため、このような考え方ではうまくいかない。偽陽性率が真陽性率より低いとしても、がんでない大多数の女性が、がんを患っている女性の数を圧倒してしまうのだ。

これは、条件付き確率に関して推論を誤るもう一つの例である。医師は、

・検査で陽性反応を示した女性が、実際に乳がんである確率

について考えていなければならないのに、

・乳がんの女性が検査で陽性反応を示す確率

について、実質的には考えている。

面白いことに、ギーゲレンツァーとホフレーゲによれば、こうした数字が言葉を加えた語りで伝えられると、医師たちはもっと正確な確率を算定するのだという。「確率1%」が「100人に1人の女性」などに置き換わると、医師たちは心の中で、私たちが今行った計算に似たものを視覚化する。心理学の研究によると、数学や論理の問題が物語（特に、馴染みのある社会状況での物語）として提示されると、もっと問題が解けるようになることが多いのだという。歴史的に見ると、数学者が確率論に取り組むよりもはるか前に、賭博師はその基本的特質の多くを直感的に理解していた。

ロジスティック回帰、コックス回帰、ブートストラップ法

ここからは、より高度な統計手法を用いた現代医療の臨床試験について見ていこう。その準備として、まずは三つの手法を紹介する。二つは、最小二乗法やフィッシャーの統計検定を使う伝統的な路線に従う手法だが、設定の仕方が従来とは少々異なっている。三つ目はより現代的な手法だ。

統計解析では、利用できるデータが「イエス」か「ノー」のどちらかしかない場合がある。運転免許試験の結果が「合格」か「不合格」のどちらかであるのと同じだ。このような二値の結果に対して、何かが影響を及ぼすのかどうかを突き止めたいとしよう。たとえば、運転教習を受けた時間数が、試験の合格率に影響するだろうか？　まずは、教習時間数に対して、試験の結果（たとえば、0を不合格、1を合格とする）をグラフにプロットしてみる。もしもプロットした点が連続に近い広がりを示していたら、回帰分析を用いて最良の直線を適合させ、相関係数を計算して、直線の有意性を検定できるだろう。しかし、データ値がたった二つしかないのなら、直線モデルにはあまり意味がない。

1958年にデヴィッド・コックスは、ロジスティック回帰を用いる手法を提案した。ロジスティック曲線は滑らかな曲線で、0からゆっくりと増加し、半ばで急激に上昇したのち、1に近づくにつれて再びゆっくりと増加する。真ん中における急激な上昇の傾きとその位置が二つのパラメータとなり、曲線の形を決める。この曲線を使えば、運転者に対する試験官の意見（尺度は「下手」から「上手」まで）を推定することができる。あるいは試験が点数で決まるなら、実際に試験官が採点した点数を推測したものだと考えてよい。ロジスティック回帰では、「合格」と「不合格」のデータだけを使って、意見や点数が従うと仮定された分布にロジスティック曲線を当てはめようとする。その際には、「最良適合（ベストフィット）」の定義に従って、曲線がデータに最も適合するようなパラメータ

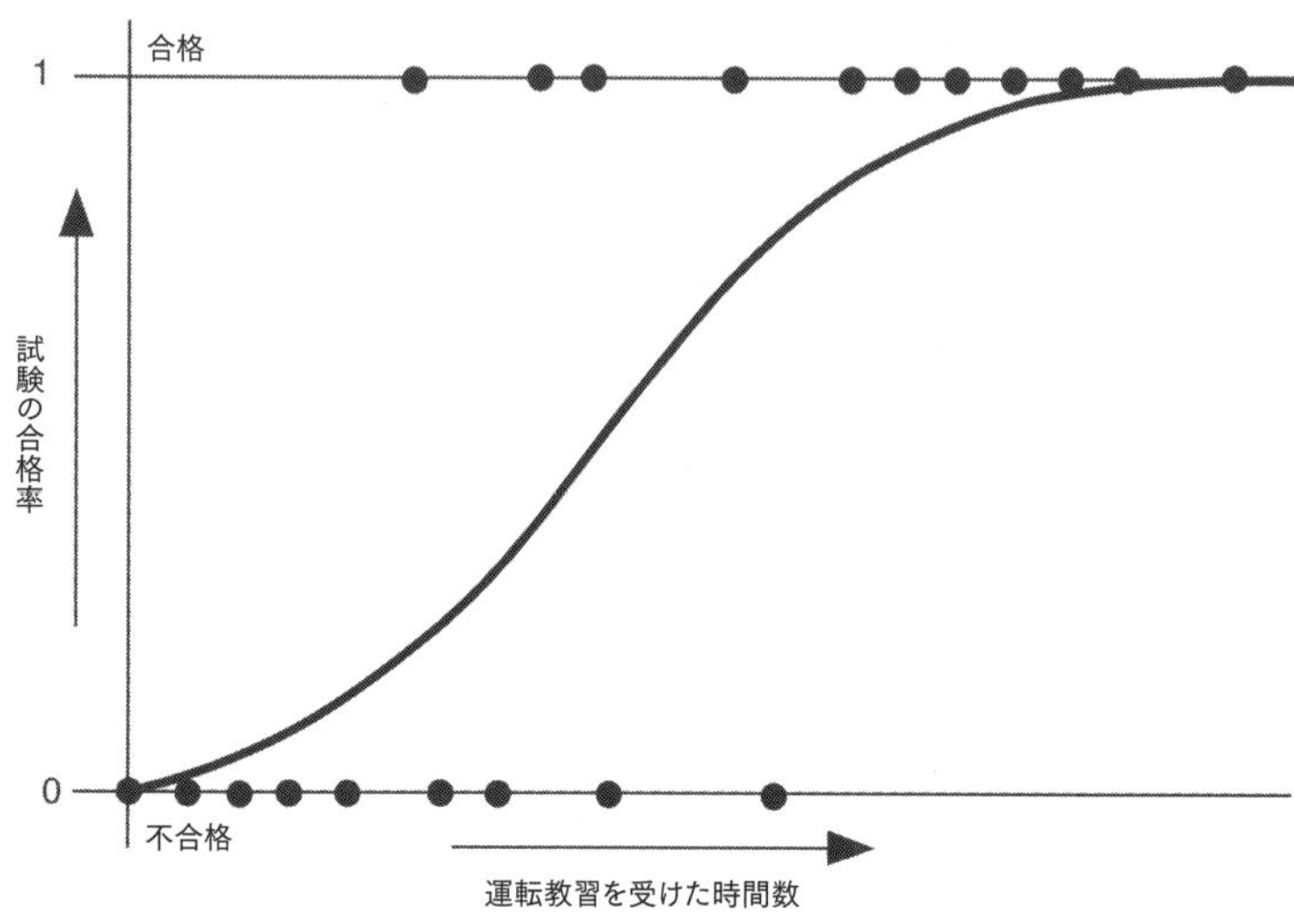

仮想的な運転免許試験のデータ（点）と、それに適合させたロジスティック曲線

を推定する。つまり、最良の直線を当てはめようとする代わりに、最良のロジスティック曲線を当てはめるのだ。主要なパラメータは通常、対応するオッズ比として表され、二つの結果（1と0）の相対確率を示す。

第二の方法であるコックス回帰も、コックスによって1972年に開発された。これは「比例ハザードモデル」で、時間とともに変動する事象を扱うことができる。[3] たとえば、ある薬を飲むと、発作が起こりにくくなるか？ もしそうなら、どれだけ起こりにくくなるだろう？ ハザード比は、一定期間内に発作が起こる確率を表している。ハザード比を2倍にすると、発作が起こるまでの平均時間は半分になる。この統計モデルでは、特定のハザード関数（ハザード（死亡リスク）が時間によってどう変わるかを表す関数）を仮定する。関数に含まれるパラメータは、他の要因（治療など）によってハザード関数が変わる様子をモデル化する。コックス回帰の目的は、これらのパラメータを推定し、その値を使って、治療などの要因が発作（あるいは調査中の他の臨床的結果（アウトカム））の起こりやすさにどれだけ有意に影響を与えるかを定めることである。

第三の方法は、標本から計算された統計量（標本平均など）の信頼性を推定するのに用いられる。この問題はラプラスまで遡るものだ。天文学では同じものを何度も測定し、中心極限定理を適用することで、この問題に対処できる。しかし、臨床試験や科学の他の分野の多くでは、そうしたアプローチが使えないこともある。１９７９年に、ブラッドレイ・エフロンは、「ブートストラップ法――ジャックナイフ法の別の見方」(4)と題した論文で、データを追加せずに分析を進める方法を示唆した。ブートストラップという用語は、「ブーツのつまみ（ブートストラップ）を引っ張って起き上がる」ということわざ〔人の助けを借りずに独力でやり遂げるという意味〕に由来する。副題のジャックナイフという語は、それより前に行われていた同様の試みを指している。ブートストラップ法の基になるのは、同じデータの「再標本抽出（リサンプリング）」だ。つまり、既存のデータから一連の標本をランダムに再抽出し、それらの平均（あるいは、調べたい何らかの統計量）を計算し、得られた値の分布を見つけ出すのである。こうした再標本抽出によって得られた分布の分散が小さければ、元の標本の平均は、母集団の真の平均に近い可能性が高い。

たとえば、ある標本（サイズは20人）の身長に関するデータがあり、このデータから地球にいる人間全員の平均身長を推論したいとする。検討している標本のサイズはかなり小さいので、標本平均の信頼性は疑わしい。最も簡単なブートストラップ法では、元々の標本から20人をランダムに選び、新しい標本の平均を計算する（再標本抽出の際には、同じ人が1回以上選ばれてもよい。統計学者はこれを「復元抽出」と呼ぶ。そうすれば、毎回同じ平均が得られることはない）。同様に、データを何度も（たとえば1万回）再標本抽出する。そして、再標本抽出されたデータ点の分散などの統計量を計算する。あるいはヒストグラムを描いてもよい。コンピュータを使えばこうした操作は簡単にできるが、昔は実行するのは不可能だったので、やってみようと言い出す人は誰もいなかった。奇妙に思えるかもしれないが、正規分布を仮定する伝統的な手法や、元々の標本の分散を計算する手法よりも、ブートストラップ法の方が良好な結果が出る。

抗うつ薬は産まれてくる子供に影響を与えるか？

さあ、これから、周到にデザインされた現代医療の臨床試験について見ていこう。ここで取り上げるために私が医学文献から選んだのは、アレクサンダー・ヴィクトリンらによる2018年の研究論文だ[5]。すでに広く普及している既存の薬剤について、その予期せぬ効果を調べるという研究である。具体的には、受胎時に父親が抗うつ薬を服用していた場合に、何が起こるかを調べるのが目的だった。薬が産まれてくる子供に有害な影響を与えるという証拠はあるだろうか？　彼らは、可能性のある四つの帰結（早産、奇形、自閉症、知的障害）について検討した。

研究は、17万5008人の子供という非常に大きな標本を使ったものだった。「スウェーデン出生登録台帳（レジスター）」（スウェーデンで産まれた子供の99％が登録されている）によると、標本の子供たちは全員、2005年7月29日から2007年12月31日までの間にスウェーデンで受胎している。このデータベースの情報を使えば、1週間以内の精度で受胎日を計算することができるのだ。スウェーデン統計局が集計している「多世代登録台帳」を用いて、父親は識別された。データベースでは生物学的な親と養親を区別しているので、生物学的な父親だけを調査対象にすることができた。必要なデータが入手できない場合、その子供は対象から除かれた。ストックホルムの倫理委員会は研究を認可し、この研究の性質上、スウェーデンの法律下では個人に同意を得る必要はなかった。秘密保持を徹底するためのさらなる予防措置として、すべてのデータは匿名にされた。つまり、データから個々人の名前が特定されることはない。子供たちが８歳か９歳に達する２０１４年までのデータが収集された。

受胎期に父親が抗うつ薬を服用していたのは３９８３例だということが判明した。これを第一グループとする。父親が薬を服用していなかった子供は16万４４９２人で、これが対照群（第二グループ）となる。残りの２０３３人の子供は、第三の「陰性対照群（ネガティブコントロールグループ）」となる。その父親は受胎時に抗うつ薬を服用してはいなかったが、その後に母親が妊娠している間に服用した（薬が有害ならば、第一グループには影響が現れ、第二グループには現れないはずだ。また、薬物あるいはその効果が父親から子に伝わるのは主に受胎時だろうから、第三グループに影響が現れることは予想でき**ない**。この予想を検証するのは有益だ）。

研究報告によると、調査した四つの帰結（早産、奇形、自閉症、知的障害）はどれも、父親が受胎期に抗うつ薬を服用したのが原因で生じたわけではなかった。研究チームがどのようにこの結論に至ったのかを見てみよう。

データを客観的なものにするため、研究者は標準的な臨床的分類を用いて、四つの不運な帰結を検出し定量化した。統計分析では、条件やデータに適したさまざまな手法を用いた。仮説検定では、有意水準を５％に選んだ。早産と奇形の二つについて入手可能なデータは、「その帰結になった」か「そうでない」かのどちらか（つまり二値データ）だった。二値データに適しているのは、ロジスティック解析である。それにより、早産と奇形のオッズ比を、95％の信頼区間を用いて定量化し推定した。信頼区間とは、統計量の値の範囲を定義するもので、統計量がその範囲内に含まれることに95%の確信があることを意味する(6)。

残りの二つの帰結、すなわち自閉症スペクトラム障害と知的障害は精神疾患である。これらは子供が年をとるにつれて顕在化するため、データは時間に依存する。その効果をコックス回帰モデルを用いて補正し、ハザード比を推定した。同じ親から生まれた兄弟のデータからは擬似相関が生じる可能性があるため、ブートストラップ法を用いて感度分析も行い、統計解析の信頼性を評価した。

結論として研究チームは、抗うつ薬と四つの帰結との潜在的な関連性を数値化した統計的証拠を示した。まず、最初の三つの帰結については、薬との関連を示す証拠はなかった。次に、第一グループ(受胎期に父親が薬を服用した)と第三グループ(父親は受胎期には服用しなかったが、母親の妊娠中に服用した)とを比較した。最初の三つについては、やはり大きな違いはなかった。だが、四つ目の帰結である知的障害については、わずかな違いがあった。もしそれが、第一グループで知的障害のリスクが高くなることを示していたなら、抗うつ薬が受胎時に何らかの影響を与えたのだとほのめかすことになったかもしれない(なんといっても、やがて育つ胎児に影響を与える可能性があった唯一の機会なのだから)。しかし実際には、知的障害が生じるリスクは、第三グループよりも第一グループの方がわずかに**低かった**のだ。

これは素晴らしい研究だ。注意深く実験計画を立て、正しい倫理的手続きを踏み、フィッシャーの仮説検定の枠組みを超えたさまざまな統計手法を適用した。そして、結果の信頼性のレベルを示すために、信頼区間などの従来の考え方を利用したが、適用する手法やデータのタイプに合わせてそれらを調整したのだ。

13 金融占い

投機家は企業活動の堅実な流れに浮かぶ泡沫としてならばあるいは無害かもしれない。しかし企業活動が投機の渦巻きに翻弄される泡沫になってしまうと、事は重大な局面を迎える。一国の資本の発展が賭博場(カジノ)での賭け事の副産物となってしまったら、なにもかも始末に負えなくなってしまうだろう。

ジョン・メイナード・ケインズ『雇用、利子および貨幣の一般理論』
(間宮陽介訳、岩波文庫)

2008年9月15日、大手投資銀行のリーマン・ブラザーズが倒産した。想像もできないことが現実となり、長期間続いていた好景気は急停止した。アメリカの住宅ローン市場について沸き上がった不安は、あっという間に金融部門全体に影響を及ぼす最悪の事態に発展した。2008年の金融危機のせいで、全世界の金融システムは破滅しかねなかった。大惨事が避けられたのは、各国政府が納税者のお金を、金融不安を引き起こした当の銀行に大量に注ぎ込んだからだった。そして、その遺産として残されたのは、あらゆる経済活動の世界的低迷、つまり大不況だった。この悪影響は10年経った今でも依然として蔓延している。

金融危機の原因については、ここでは深入りしたくない。複雑で多岐にわたり、論争の的になっているからだ。とはいえ、傲慢さと貪欲さが組み合わさった結果、「デリバティブ」の価値とリスクを楽観的に見積もりすぎるようになったからだ、とおおむね考えられている。「デリバティブ」は複雑極まりない金融派生商品で、それを本当に理解している人は誰もいなかったのだ。だが、原因が何であれ、金融危機は金融業務には不確実性が深く内包されていることをまざまざと見せつけた。それ以前は、金融の世界は頑丈で安定しており、私たちのお金を預かっているのは高度な訓練を受けた専門家で、豊富な経験に基づいてリスクに対して慎重で保守的な対応をするのだと、私たちのほとんどが想定していた。だが、金融危機で私たちは現実を知った。それ以前にも数々の危機があり、私たちの見方は楽観的すぎると警告していたのだが、ほとんど注目されずに終わってしまったし、たとえ気づかれたとしても、二度と繰り返されることのない過ちだとして片付けられていた。

金融機関にはいろいろな種類が存在する。日常的な銀行では、私たちは店内で小切手を預金したり、店外の現金自動預け払い機（ＡＴＭ）を利用したり、バンキングアプリやインターネットバンキングを利用して送金したり、入金を確認したりする。投資銀行はまったく異なる業務を行い、プロジェクトや新規事業、投機的事業に融資する。日常的な銀行はリスクがないはずだが、その一方で、投資銀行はリスクという要素を避けることはできない。英国では、以前はこれら二つのタイプの銀行は、互いに柵で仕切られていた。そして、住宅ローンを提供する住宅金融組合は「共済」組織、つまり非営利団体だった。保険会社は保険の販売に専念し、スーパーマーケットは肉や野菜の販売に専念していた。これらすべてを変えたのが、１９８０年代の金融自由化である。銀行は住宅ローンの融資に乗り出し、住宅金融組合は社会的役割を放棄して銀行になり、スーパーマーケットは保険を販売するようになった。わずらわしい規制を廃止することにより、当時の政府は異なるタイプの金融機関の間に立ちはだかっていたファイアウォールも撤廃した。だから、いくつかの主要銀行が「サブプライム[1]」住宅ローン問題を起こしたとき、他の機関も同じ問題を起こしてしまったのだ。そして、危機は山火事のように広がった。

とはいえ、金融問題を予測することは非常に困難だ。株式市場は高度に組織化され、ビジネスの資金源として役立ち、雇用の創出に貢献するが、基本的には賭博場であり、サンダウン競馬場で4時30分に出走するレースでギャロッピング・ジェロラモに賭けるのとなんら変わりない。トレーダーが、ドルをユーロに、あるいはそのいずれかを円、ルーブル、ポンドに交換する外国為替市場が存在しているのは、主として、非常に大口の取引でも非常に小さな利益しか出ないようにするためだ。経験豊富なプロの賭博師がオッズを把握し、賭けを最適化しようとするのとまったく同じように、プロのディーラーやトレーダーは自らの経験を駆使してリスクを低く抑え、利益を高めようとする。しかし、株式市場は競馬よりも複雑で、今日のトレーダーは複雑なアルゴリズム（コンピュータに実装された数理モデル）に頼り切っている。多くの取引が自動化され、アルゴリズムは一瞬で決定を下し、人間の介入なしに互いに取引する。

こうした事態を生み出す基になったのは、金融問題をもっと予測可能なものにしたいという願望だった。つまり、不確実性を減らし、その結果としてリスクを減らしたいと望んだのである。この願いがかなったと、あまりにも多くの銀行家が誤解したために金融危機が起こった。結局のところ、彼らはただずっと水晶玉を眺めていたようなものだったのだ。

メディチ銀行、チューリップ・バブル、南海泡沫事件

これは新しい問題ではない。

1397年から1494年にかけてルネサンス期のイタリアでは、有力なメディチ家が全ヨーロッパで最大かつ最も信用のある銀行を経営していた。そのおかげで、メディチ家はしばらくの間、ヨーロッパで最も裕福な一族となった。1397年、ジョヴァンニ・ディ・ビッチ・デ・メディチは、甥の銀行から自分の銀行を分離し、フィレンツェに移した。メディチ銀行は成功して拡大し、ローマ、ヴェネツィア、ナポリに支店を開いたのち、さらにジュネーブ、ブルージュ、ロンドン、ピサ、アヴィニョン、ミラノ、リヨンにも手を広げた。1464年にコジモ・デ・メディチが亡くなり、息子のピエロに代替わりするまで、コジモの支配下で万事は良好に進んでいるように見えた。しかし、その裏でメディチ家は湯水のように金を使っていた。1434年から1471年まで、彼らは1年につき約1万7000枚のフローリン金貨を浪費した。これは現在の2000万~3000万ドルに相当する。

傲慢(ヒュブリス)は天罰(ネメシス)を招くという言葉通り、破綻は起きるべくして起きた。それは悪徳支店長がいたリヨン支店から始まり、ロンドン支店が続いた。ロンドン支店は現地の支配者たちに多額の金を貸しつけていたのだが、これはリスクの高い判断だった。というのも、当時の王や女王は刹那的で、借金を返済しないことで悪名高かったからである。その結果、ロンドン支店はフローリン金貨5万1533枚という巨額損失を出し、1478年に破綻した。ブルージュ支店も同じ間違いを犯した。ニッコロ・マキャベリによると、ピエロは負債を取り立てて財政のてこ入れを図ろうとしたものの、そのせいで地元企業がいくつか破産し、多くの有力者の不興を買った。こうして支店は次々と破綻していった。そして、1494年にメディチ家が失墜して政治的影響力を失ったとき、メディチ銀行の終焉が迫ってきた。この段階でさえメディチ銀行はヨーロッパ最大の銀行だったのだが、フィレンツェ本店は暴徒の焼き討ちで全焼し、リヨン支店は敵対的買収の対象となった。リヨン支店の支店長はあまりに多くの不良債権を抱え込んでおり、その失態を隠すために、他行から多額の借金をしていた。

すべてが恐ろしいまでに似通っている。

1990年代のインターネット・バブル（ドットコム・バブル）の最中、投資家たちは収益性の高い製造業（つまり、実際に商品を製造している企業）の持ち株を売却し、屋根裏部屋で一握りの若者がコンピュータとモデムを使って作業しているような小さな会社に投資した。連邦準備制度理事会議長のアラン・グリーンスパンは1996年のスピーチで、「根拠なき熱狂」という言葉を使って株式市場を批判した。この言葉を気に留める者はいなかったが、2000年にインターネット関連株は急落した。2002年までに彼らは時価総額で5兆ドルを失った。

このようなことも、以前に何度も起こっている。

17世紀のオランダは繁栄して自信に溢れ、極東との貿易で莫大な利益を上げていた。そんななか、チューリップというトルコ産の稀少な花がステータスシンボルとなり、価値が急騰した。そして「チューリップ・バブル」が起こり、チューリップ取引が専門に行われるようになった。投機家は球根を買い占め、それを隠してわざと品薄状態にし、価格をつり上げた。続いて、先物市場が登場した。現物のないまま、将来のある時期にチューリップの球根を売買するという先物取引をするようになったのである。1623年までに、稀少な品種のチューリップの価値は、アムステルダムの商人の家よりも高くなった。とうとうバブルが弾けたとき、オランダの経済は40年前に逆戻りした。

1711年にイギリスで「南海会社」が創設され、南アメリカとの独占貿易を国王から勅許された。投機によって株価が10倍に跳ね上がり、人々は熱に浮かされたように株を買いに走り、それに便乗して怪しげな会社がいくつも設立された。ある会社の設立趣意書には「莫大な利益を出し続けるが、それが何なのかは誰もわからない」と書かれていたし、正方形の砲弾を製造する会社もあった。そして、皆が正気に戻ったとき、市場は破綻した。一般投資家は貯蓄をすべて失ったが、南海会社の大株主と理事はずっと前に売り抜けていた。最終的には、第一大蔵卿のロバート・ウォルポール（彼は株式市場のピーク時に持ち株をすべて売却していた）が事態の収拾に乗り出し、負債を政府と東インド会社で分割させた。理事たちの財産から投資家に対する補償がなされたものの、悪党たちの多くは罰を逃れた。

数理経済学の誕生

南海会社のバブルが弾けた当時、造幣局長官を務めていたのはニュートンだった。局長として、巨額の金融取引を理解していなければならない立場にあった彼は、次のように述べた。「星の動きは計算できるが、人々の狂気は計算できない」。だが、数学志向の研究者が市場構造の問題に取り組むようになるにはしばらく時間がかかったし、研究が始まってからも、合理的な意思決定はどのようになされるか（あるいは、どのような行動が合理的と推測されるか）という問題に重点が置かれていた。19世紀になってようやく、経済学が数学の装いをまとうようになった。とはいえ、ドイツのゴットフリート・アッヘンヴァル（「統計学」という語を発明したとされる人物）やイングランドのウィリアム・ペティ卿（1600年代半ばに租税について著述した）などの貢献によって、しばらく前から数学に基づく経済学は醸成されつつあった。ペティは、税金は公平で、比例的で、定期的で、正確な統計データに基づくべきであると提案した。1826年までにヨハン・フォン・チューネンは、農地利用などの経済システムに関する数理モデルを構築し、その分析方法を開発していた。

当初、これらの方法は代数や算術を基にしていたが、のちに数理物理学の素養を持つ新しい世代の学者たちが参入してきた。ウィリアム・ジェヴォンズは『経済学原理』において、経済学は、「数学的でなければならない。それは、経済学が量を扱うからという理由に尽きる」と主張した。商品の販売数と価格に関する十分なデータが集まれば、経済取引の基礎となる数学法則が明らかになるに違いない。彼は「限界効用」という概念を生み出した。「どんなもの（たとえば、人間が食べざるを得ない日常的な食品）でも、その量が増えると、その最後の一個から得られる効用（あるいは利益）は減少する」。つまり、ものの数が少ないときに比べて、十分にある場合には、その数が増えるに伴って効用が減る、ということだ。

「古典的」な数理経済学がはっきりと見てとれるのは、効用という概念を強調したレオン・ワルラスやオーギュスタン・クールノーの研究だ。効用とは、商品を購入する人にとって、その商品がどれだけ価値があるかを指す。たとえば、もしあなたが牛を買うとしたら、餌などにかかる出費と、牛乳や肉を売って得られる収入との差引勘定をすることだろう。購入者はさまざまな選択肢から、効用を最大化するものを選ぶはずだ、というのがワルラスらの理論だ。効用が選択にどう依存しているかを表す効用関数を妥当な方程式で書き下すことができれば、微積分を用いてその最大値を求めることができる。数学者であるクールノーは1838年に、同一商品を供給する二つの会社が市場を独占し、互いに競争するモデルを作った（こうした設定は「複占」と呼ばれる）。それによると、どちらの会社も相手が生産する量に応じて価格を調整し、両社がともにできるだけ業績を上げられるような均衡状態（または定常状態）に落ち着く。「均衡」という言葉はラテン語で「等しい釣り合い」を意味しており、いったんそのような状態に到達すると、そこから変化しないことを表す。ここでこうした均衡に落ち着く理由は、変化すればいずれかの会社に不利益がもたらされるからだ。

こうして均衡状態に収束するメカニズムと効用が数理経済学の考え方を支配するようになったが、そうした傾向に最も影響を及ぼしたのがワルラスだった。彼は、均衡モデルを国の経済全体、ひいては世界全体までにも拡張しようと試みた。これがワルラスの一般均衡理論である。任意の取引について売り手と買い手の選択を記述する式を作り、それを地球上のすべての取引に当てはめ、式を解いて均衡状態を求めれば、万人にとって最良の選択肢が見つかる、というのである。これらの一般式は複雑すぎて、当時の方法では解くことができなかったが、この理論から二つの基本原理が導き出された。ワルラスの法則によれば、一つを除くすべての市場が均衡状態にある場合は、最後の一つの市場も均衡状態にある。理由は、もし最後の市場が変動するなら、それによって他の市場も変動することになるからだ。もう一つの原理は、「タトヌマン」である。これは「模索」を意味するフランス語で、実際の市場で均衡が達成される過程についての、彼の見解を表す語である。そこでは、市場はオークション（競売）とみなされる。競売人が価格を提示し、購入者は価格が気に入ったときに、その商品に入札し、買い物かごに入れる。ここではすべての商品について、こうした留保価格〔商品を買ってもよいと考える上限値〕があると仮定されている。この理論の一つの欠点は、すべての商品がオークションにかけられるまで誰も何も購入できず、オークション進行中に留保価格が修正されることもないことだ。実際の市場ではこのようなことはない。また、実のところ、「均衡」が意味のある形で現実の市場に当てはまる状態なのかどうかも定かではない。不確実性に満ちたシステムのモデルとしてワルラスが構築したのは、単純な決定論的なモデルだった。彼のアプローチが長続きしたのは、それよりもいいモデルを誰も思いつかなかったからにほかならない。

統計学の数学的定式化を懸命に行っていたエッジワースは、1881年刊行の『数理心理学――道徳学への数学的応用に関するエッセー』において、同様の数学的アプローチを経済学に応用した。そして20世紀初頭には、新しい数学的手法が登場し始めた。ヴィルフレド・パレートは、経済主体(エージェント)が選択を改善しようとしながら商品を取引するモデルを構築した。エージェントが、他の誰かの状況を悪化させなければ自分の状況を改善できない状態に達すると、システムは均衡状態となる。このような状態は、現在「パレート最適」と呼ばれている。1937年にジョン・フォン・ノイマンは、ブラウワーの不動点定理という位相幾何学の強力な定理を用い、適切なクラスの数学モデルには常に均衡状態が存在することを証明した。彼は経済的価値は成長することができると設定し、均衡状態では成長率と金利が等しくなることを証明した。彼はまた、ゲーム理論も生み出した。ゲーム理論では単純化した数理モデルを用いて、競合するエージェントが自分の利得を最大にするために、限られた範囲の戦略からどれを選ぶべきかを分析する。その後ジョン・ナッシュは、ゲーム理論における均衡状態に関する研究で、ノーベル経済学賞を受賞した[2]。彼の提唱したナッシュ均衡は、パレート最適と密接に関連するものだった。

20世紀半ばまで、古典数理経済学のほとんどの重要な概念は揺るぎない地位を保っていた(今でも大学で広く教えられてるし、数十年にわたり、経済学に対する唯一の数学的アプローチだった)。今日でも用いられている古めかしい用語の多く(市場や買い物かごなど)や、経済の健全性の指標として成長を重視する慣習は、この時代に由来する。古典理論は、不確実な経済状況下で意思決定をするための体系的なツールをもたらし、十分に有効に機能する。ただし、このタイプの数理モデルには深刻な限界があることが次第に明らかになっている。特に、エージェントが完璧に合理的で、自身の効用曲線を正確に把握して、その最大化に努めるという考えは、現実と一致しない。また、古典数理経済学は広く受け入れられているが、驚くべきことに、ほとんどの理論は実際のデータに対して検証されたことがないのだ。つまり、古典数理経済学は、実験的な基礎を持たない「科学」なのだ。偉大な経済学者のジョン・メイナード・ケインズは次のように書いている。「最近の『数理』経済学の大半は、それらが依拠する、出発点におかれた諸仮定と同様、単なる絵空事にすぎず、その著者が仰々しくも無益な記号の迷路の中で現実世界の複雑さと相互依存とを見失ってしまうのも無理からぬことである」〔『雇用、利子および貨幣の一般理論』間宮陽介訳、岩波文庫〕。このような状況の改善に向けた現代の試みのいくつかについては、この章の終わりにかけて概観することにする。

物理学を用いた経済学

数理ファイナンスの一分野で、それまでとは質の異なる考え方が現れた。ルイ・バシュリエが1900年にパリで発表した博士論文である。バシュリエは当時屈指の（また世界最高の）フランス人数学者であるアンリ・ポアンカレに師事していた。その学位論文の題目は「投機の理論」だった。数学の専門分野に依拠した題名をつけることもできたが、バシュリエは株式投機に触れた題目にした。株式は、それまでに数学が扱ったことのない分野だったため、結果としてバシュリエは苦労した。だが、彼の数学はそれ自体見事なものであり、同じ数学のアイデアを別の問題に応用することで、数理物理学にも大きく貢献した。しかし彼の業績は、数十年後に再発見されるまで、世に知られることもなく埋もれていた。バシュリエは、金融の不確実性に対して「確率論的」手法（ランダムな要素を組み込

1984年から2014年までのFTSE100指数

んだモデル）を開発した先駆者だった。

新聞の経済欄を読んだり、インターネットで株式市場に目を光らせていたりするなら誰でも、株価の変動が不規則で、予測できないことにすぐ気づくだろう。この図は、ＦＴＳＥ１００指数（イギリスの株式市場における上位１００社の総合株価指数）が、１９８４年から２０１４年の間にどのように変動したかを示している。滑らかな曲線ではなく、ランダムウォークのように見える。バシュリエはこの類似性を手掛かりに、ブラウン運動と呼ばれる物理現象を基にして、株価の変動をモデル化した。ブラウン運動について説明しておこう。１８２７年、スコットランドの植物学者ロバート・ブラウンは顕微鏡を用いて、花粉の中に含まれていた微粒子が外に出て、水中を浮遊する様子を観察した。彼は粒子がランダムに揺れ動いていることに気づいたが、その理由は説明できなかった。１９０５年にアインシュタインは、微粒子が水分子と衝突していることが原因であると示唆した。アインシュタインはこの物理現象を数理的に解析し、その解析結果は、物質が原子でできていることを多くの科学者に納得させることになった（この考えが1900年に大いなる物議を醸したとは驚くべきことだ）。1908年にジャン・ペランは、アインシュタインの説が正しいことを証明した。

バシュリエはブラウン運動のモデルを用いて、株式市場に関する統計学的な疑問を解こうとした。その疑問とは、「期待される株価、すなわち株価の統計平均は、時間とともにどのように変化するか？」というものだ。より詳細に言うならば、「株価の確率密度関数はどのようなもので、どう時間発展するか？」になる。この答えがわかれば、将来の株価とその変動幅を推定することができる。バシュリエは、現在ではチャップマン＝コルモゴロフ方程式と呼ばれる、確率密度関数に関する方程式を書き下し、これを解いたところ、時間経過とともに分散（広がり）が直線的に増大する正規分布が得られた。現在では、これは拡散方程式に従う確率密度関数として知られている。拡散方程式は熱伝導系で最初に現れたため、熱方程式とも呼ばれる。コンロで金属製の片手鍋を加熱すると、発熱体には直接触れていないのに取っ手が熱くなるが、これは熱が金属を通して拡散するからである。1807年にフーリエは、このプロセスを支配する「熱方程式」を書き下した。この方程式は、インクの滴がコップの水に広がる現象のような、他のタイプの拡散にも当てはめることができる。バシュリエはブラウン運動のモデルを用いて、オプション価格が熱のように拡散していくことを証明した。

彼はまた、ランダムウォークを用いて第二のアプローチも生み出した。ランダムウォークの歩幅を細かくし、よりすばやくステップを踏めば、それはブラウン運動に近づいていく。こうして、彼はランダムウォークを使った考え方でも、同じ結論が得られることを証明した。次に、「オプション」の価格が時間が経つにつれてどのように変動するかを計算した（オプションとは、将来の特定の期日に特定の価格で、ある商品を買うまたは売る契約のことである。この契約は売買することができる。だが、売買によって損するか得するかは、商品の実際の価格がどう変動するかにかかっている)。現在の価格がどのように拡散しているかを理解することで、将来の価格を最もよく推定できるのだ。

バシュリエの論文は、珍しい応用分野の研究だったせいか、鈍い評価しか得られなかったが、査読を通過し、一流の科学雑誌に掲載された。だがその後、バシュリエのキャリアはある不幸な誤解のせいで台無しになってしまった。彼は拡散や関連する確率論に関する研究を続け、ソルボンヌ大学の教授になり、第一次世界大戦が始まると軍に入隊した。戦後、いくつかの期限つきの学術職を経たあと、彼はディジョンにある大学の終身雇用ポストに応募した。候補者の評価を行っていたモーリス・ジュブレは、バシュリエの論文の一つに重大な誤りがあると考え、数学者のポール・レヴィも同意した。こうして、バシュリエのキャリアは丸つぶれとなってしまったのである。しかし、彼らはバシュリエの表記の仕方を誤解していただけで、論文に間違いはなかった。バシュリエはこのことを指摘する怒りの手紙を書いたが、無駄に終わった。最終的に、バシュリエが最初からずっと正しかったことにレヴィは気づいて謝罪し、両者は和解した。それでも、レヴィが株式市場に関するバシュリエの応用研究に魅力を感じることはなかった。彼のノートには、バシュリエの論文についてこんなコメントが残されている。「金融ばっかりだ!」

ブラック＝ショールズ方程式

時間の経過につれ、オプション価格がランダムに揺らぎながら変動する様子を解析したバシュリエの研究は、数理経済学者や市場調査員に取り上げられるようになった。彼らの目的は、現物商品ではなく、そのオプションが取引される市場を理解することにあった。ここで根本的な問題になるのは、オプションの価値を定める合理的な方法を見つけることだ。関係者全員が同じルールを用いれば、それぞれが独立にオプション価格を計算できるようになる。これにより、特定の取引に伴うリスクを評価することが可能となり、市場活動が促進される。

1973年、フィッシャー・ブラックとマイロン・ショールズは、政治経済学の専門誌に「オプションと企業負債の価値評価」と題した論文を発表した。それに先立ち、彼らは10年をかけてオプション価格を合理的に決定する数式を作り上げていた。その数式を用いた取引の実験はあまりうまくいかなかったので、彼らは推論を公表することにしたのだ。ロバート・マートンによって数学的説明が与えられると、彼らの式は「ブラック＝ショールズのオプション価格決定モデル」として知られるようになった。このモデルは、オプション価格の変動と、それに対応する現物商品によるリスクとを区別し、デルタヘッジと呼ばれる取引戦略に導く。デルタヘッジとは、現物商品の売買を繰り返すことによって、オプションに関連するリスクを排除する方法のことだ。

このモデルは偏微分方程式で表され、バシュリエがブラウン運動から抽出した拡散方程式と密接に関連している。これがブラック＝ショールズ方程式だ。どのような状況に対しても、方程式の解を数値計算で求めれば、オプションの適性価格が得られる。「合理的な」価格がただ一つ存在することは（たとえそれが特定のモデルに基づいた価格で、現実には当てはまらないかもしれないとしても）、この式を使うよう金融機関を焚きつけるには十分だった。その結果、巨大なオプション市場が誕生した。

ブラック＝ショールズ方程式に組み込まれた数学的仮定は、必ずしも現実的でない。注意すべき点は、この式の基になっている拡散過程の確率分布は正規分布であるので、極端な事象（レアイベン

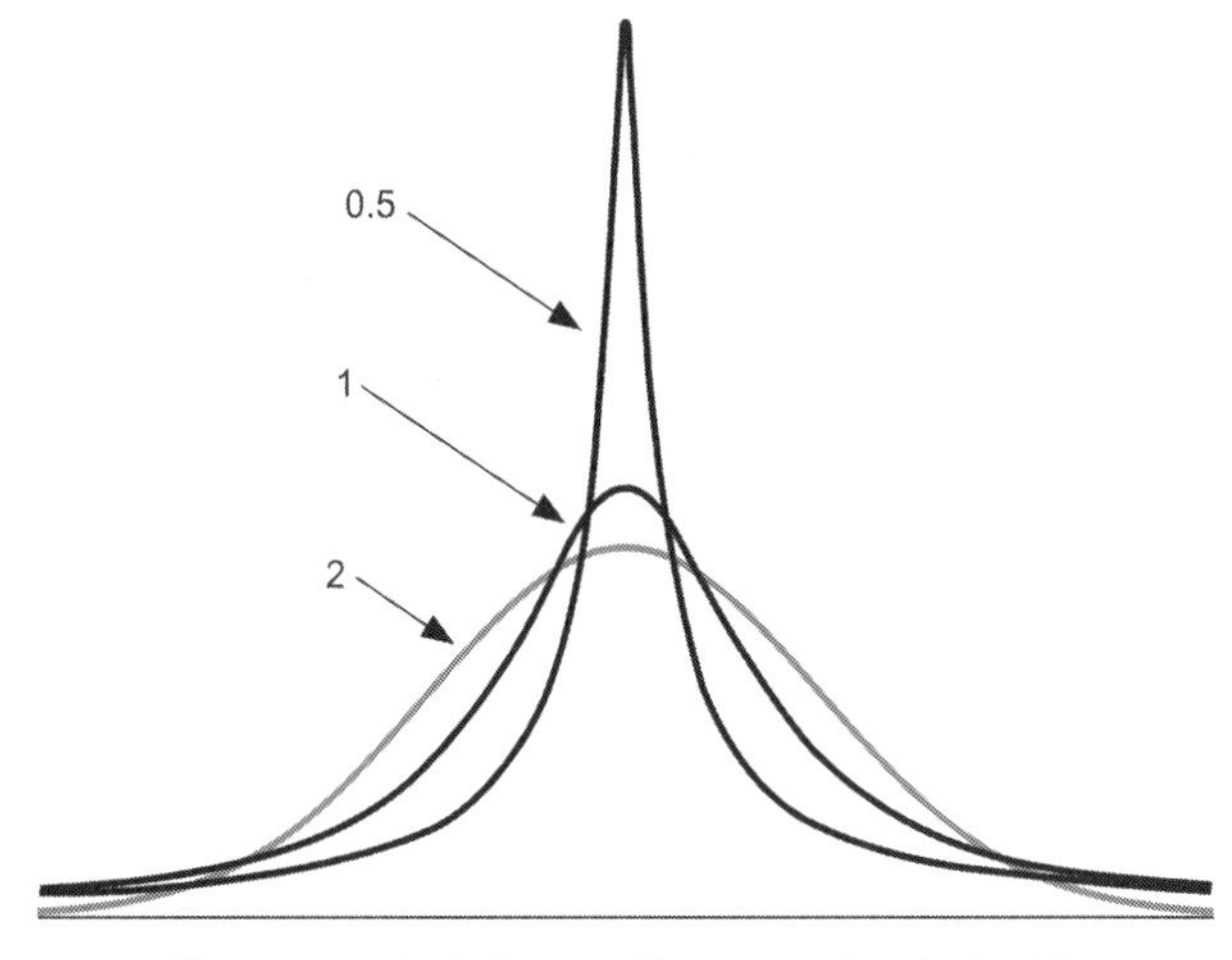

ファット・テールを持つ二つの分布（黒）と、比較のための正規分布（灰色）。三つとも「安定分布」であり、それぞれのパラメータの値 (0.5, 1, 2) が矢印で示されている。

ト）の起こる可能性が非常に低いことだ。ところが実際には、極端な事象は頻繁に起こり、そうした現象は「ファット・テール」と呼ばれる[3]。図に挙げているのは「安定分布」と呼ばれる確率分布で、主要な一つのパラメータの値を変えたときに現れる、三つの分布を示している。パラメータの値が2のとき、ファット・テールを持たない正規分布（灰色の曲線）が得られる。他の二つの分布（黒い曲線）にはファット・テールがある。黒い曲線はグラフの両端に近づくと、灰色の曲線よりも高い値になり、ファット・テール（太い尻尾）を形成しているのだ。

正規分布を使って、ファット・テールが含まれている金融データをモデル化すると、極端な事象の起こるリスクが大幅に過小評価される。確かに極端な事象は、ファット・テールの有無にかかわらず、標準的な事象と比べて稀にしか起こらない。しかしファット・テールが存在すると、極端な事象も一般的に起こるようになるので、深刻な問題を引き起こす。そしてもちろん、あなたが多額のお金を失って大損するのも、そうした極端な事象のせいなのだ。突然の政変や大企業の倒産といった予期せぬショッキングな出来事が起こると、ファット・テールを持つ分布が示す以上の確率で、極端な事象が起こる。インターネット・バブルと2008年の金融危機には、この種の予期せぬリスクが関わっていた。

こうした懸念があったにもかかわらず、ブラック゠ショールズ方程式が広く用いられていたのは、実用面の理由からだった。方程式の計算は簡単で、ほとんどの場合、実際の市場の状態を適切に近似することができた。億万長者の投資家であるウォーレン・バフェットは、次のように警告していた。「ブラック゠ショールズ方程式は、金融界では聖書のように絶対視されている。……しかし、この式を長期間にわたって適用すると、デタラメな結果が生じる恐れがある。公平を期すなら、ブラックとショールズはほぼ間違いなく、この点を熟知していた。しかし、彼らの熱烈な信奉者たちは、二人が最初に式を発表した際に付記した注意事項をすべて無視しているようだ[4]」

その後、ブラック゠ショールズ方程式よりも洗練された現実的なモデルが作られ、それによって、より複雑な「デリバティブ」という金融商品が考案されることになった。2008年の金融危機の原因の一つは、クレジット・デフォルト・スワップや債務担保証券といった人気の高いデリバティブの真のリスクを、モデルが認識できなかったことにあった。モデルはこれらの投資にリスクはないと判断したが、実は無リスクではなかったのだ。

現実の金融システムに向けた新しいアプローチ

伝統的な数理経済学や、従来の統計的仮定に基づく金融モデルはもはや目的に合わないことが明らかになりつつある。明らかでないのは、この問題にどう対処すればよいかだ。そこで、ここでは二つの異なるアプローチを概観することにする。個々のディーラーやトレーダーの行動をモデル化する「ボトムアップ」アプローチと、市場全体の状態を見て、株価の急落が起こらないように制御する「トップダウン」アプローチだ。ここで紹介するのは膨大な文献から選んできたわずかの例であり、他にもさまざまの研究が存在する。

1980年代になると、科学や数学の分野では「複雑系」研究に対する関心が高まった。複雑系では、多数の個々の存在が比較的単純なルールを介して相互作用することにより、予期しない「創発的」な挙動をシステム全体のレベルで引き起こす。100億個のニューロン（神経細胞）を持つ脳は、現実世界における複雑系の例だ。各ニューロンはきわめて単純で、ニューロン間を伝わる信号もシンプルだが、多数のニューロンが適切に組み上げられると、ベートーベンやオースティン、アインシュタインなどの知性が創発するのだ。別の例として、混雑したサッカー競技場を、10万人の個人からなる群衆のシステムとしてモデル化してみよう。個々の人はそれぞれが独自の意思と能力を持ち、互いの通行を妨げたり、チケット売り場で静かに並んだりしている。そうすると、群衆の流れがどのようになるか、きわめて現実的な予測ができるはずだ。たとえば、廊下で向こう側へ歩く人とこちら側へ歩く人がぎっしり密集しているとき、群集は「きっちりとはまり合い」、向きを交互に入れ替えながら並行して進む2本の長い流れになる。群衆を流体として扱う従来型のトップダウンモデルでは、この挙動を再現できない。

株式市場の状態も同じ構造をしており、多数のトレーダーが利益を上げようとして競い合っている。W・ブライアン・アーサーをはじめとする経済学者たちは、経済および金融システムにおける複雑系の研究を始めた。その結果生まれたモデリングの方法論は、現在「エージェントベース計算経済学（ACE）」と呼ばれている。ACEの枠組みはきわめて一般的だ。多数のエージェントが相互作用するモデルを設定し、相互作用について妥当なルールを定め、大量のコンピュータシミュレーションを行い、何が起こるかを調べる。古典的な経済学は、完全な合理性（誰もが自らの効用を最適化しようとする）を前提としていたが、ACEではその代わりに、「限定合理性」を持つエージェントが市場の状態に適応する。エージェントはいつも市場の動向に関する自分の限られた情報と推量に基づいて、自分にとって合理的と思われる行動をとる。エージェントは、誰の目にも見える登山道に沿って遠くの山頂を目指す登山家ではない。霧が立ちこめるなか、斜面を手探りで模索し、だいたい上向きと思われる方角に進んではいるものの、実のところはそこに山があるかどうかすら定かではなく、注意を怠れば崖から落ちるのではないかと危惧しているのだ。

1990年代半ばに、ブレイク・ルバロンは株式市場のACEモデルを研究した。このモデルでは、古典経済学が想定するようにすべてが均衡状態に落ち着くのではなく、エージェントが市場の動向をうかがい、それに応じて戦略を変えると、価格は変動する。まさに実際の市場と同様だ。このような定性的挙動だけでなく、市場における価格の揺らぎの統計的性質全般を再現したモデルも存在する。1990年代後半、ニューヨークのナスダック証券取引所は、価格の表示方法を分数（$23\frac{3}{4}$など）から小数（23・7あるいは23・75など）に変更した。これによって、より正確な価格設定が可能になるが、価格がほんのわずかずつ変動するため、トレーダーの戦略に影響を及ぼす恐れもあった。そこで証券取引所は、BiosGroupの複雑系研究者を雇ってACEモデルを開発し、統計的性質を正確に再現できるモデルを構築した。そのモデルによれば、あまりにも細かい株価設定が可能になると、トレーダーはすばやく利益を上げるように行動できたが、市場の効率は低下した。どうやら小数での価格表示はあまりいいアイデアではないらしいことを、ナスダックは理解した。

このようなボトムアップ・アプローチとは対照的に、イングランド銀行のアンドリュー・ホールデンと生態学者のロバート・メイは、２００１年に研究チームを組んで、銀行取引は生態学から教訓を学ぶことができると提唱した。[5] 彼らの観測によると、複雑なデリバティブに想定されるリスク（あるいは、リスクの欠如）に重点を置いてしまうと、そうした金融商品が銀行システム全体の安定性に及ぼす協働効果が見過ごされてしまう。たとえるならば、ゾウが繁栄したとしても、個体数が増えすぎると多くの樹木を破壊してしまうので、他の種が苦しむことになる。経済学者は、ヘッジファンド（つまり経済界のゾウだ）の大幅な増加が、市場を不安定化させることをすでに示していた。[6] ホールデンとメイは、相互作用する種と生態系の安定性を研究するために生態学者が用いる単純化されたモデルを、銀行システムに適用した。それが食物連鎖のモデルだ。食物連鎖は、どの種がどの種を捕食するかを表すネットワークである。ネットワークのノード（結節点）は個別の種を表し、ノード間をつなぐリンクは、どちらの種がもう一方を餌食にするかを示す。同じ考え方を銀行システムに適用するには、個々の主要銀行をノードとし、ノードをつなぐリンクを流れるのは食物ではなくお金だと考えればよい。悪くないアナロジーだ。イングランド銀行とニューヨーク連邦準備銀行はこのようなネットワークを開発し、一つの銀行の破綻が銀行システム全体に及ぼす影響を調べた。

こうしたネットワークの主要な数理構造は、「平均場近似」を用いて捉えることができる。平均場近似では、すべての銀行が全銀行の平均として振る舞うと想定する（ケトレーの用語に倣えば、すべての銀行を「平均銀行」と想定するわけだ。大手銀行は互いを真似るので、それほど不合理な考えで

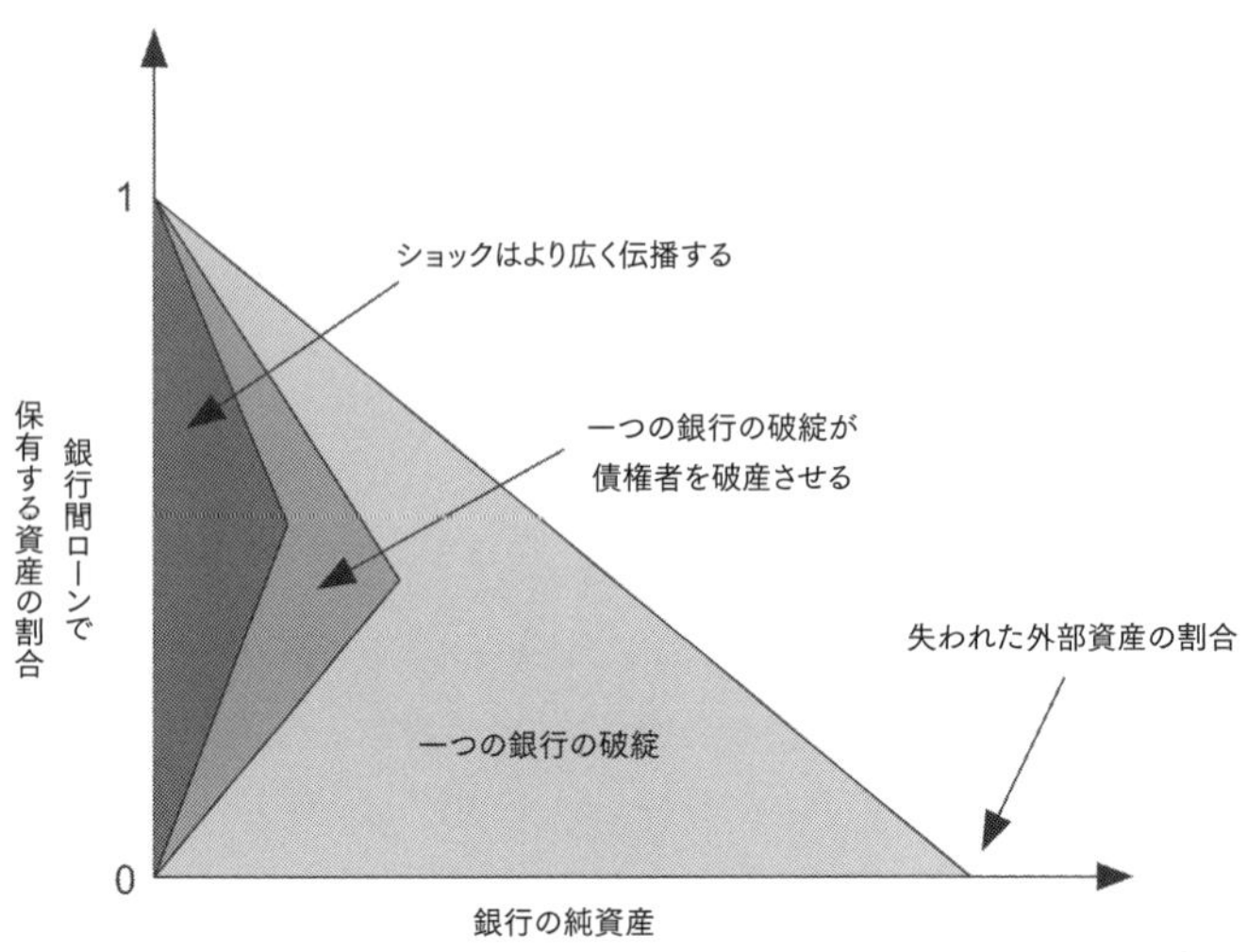

外部資産の損失によって引き起こされた銀行破綻が、債権者あるいはシステム全体に伝播する様相。各領域は、対応する二つのパラメータ（銀行の純資産と、銀行間ローンで保有する資産の割合）の組み合わせで、何が起こるかを示す。

はない）。ホールデンとメイは、二つの主要なパラメータに注目し、銀行システムの挙動がそれらにどう関係しているのかを調べた。その二つとは、銀行の純資産と、銀行間ローンで保有する資産の割合である。後者にはリスクが伴う。なぜなら、ローンは返済されない可能性があるからだ。一つの銀行が破綻するとそのような事態が生じ、その影響はネットワークを通じて伝播する。

　モデルの予測によると、最も脆弱なのは、リテール・バンキング（中小企業を対象に金融取引を行う業務、いわば繁華街）とインベストメント・バンキング（投資業務、いわばカジノ）の両方を活発に行っている銀行だ。金融危機以降、遅ればせながら多くの政府は、主要銀行にこれらの二つの業務を分割することを要求した。そうすれば、カジノに失敗しても、繁華街がその巻き添えを食うのを防げる。ホールデンとメイのモデルでは、銀行システムを通じてショックが伝播するもう一つの仕組み（２００８年の金融危機で顕著だった）も示されていた。それは、銀行が自分の殻に閉じこもり、互いに貸しつけをしなくなるという行動である。専門用語では、これを「流動性ショック」という。プラサンナ・ガイとスジット・カパディア[6]は、この行動がドミノ効果で銀行から銀行へと急速に広がる危険性があり、中央政府の政策による介入で銀行間ローンを復活させない限り、長引く傾向にあることを示した。

この種の単純なトップダウンモデルは、政策立案者に情報を提供するのに役立つ。それによって当局は、たとえば自己資本と流動資産を増やすよう銀行に要請することもできる。こうした形の規制は、個々の銀行があまりに多くのリスクを負いすぎるのを防ぐ方法だと従来考えられてきた。生態学のモデルは、この規制にははるかに重要な機能があることを示している。それは、一つの銀行の破綻が銀行システム全体に波及するのを防ぐという機能だ。モデルはさらに、システムの一部を他から分離する「防火帯」が必要だと示唆している（それはまさしく、１９８０年代に政治主導の規制緩和によって廃止されたものにほかならない）。モデルの伝える全般的なメッセージは、「金融規制当局は、もっと生態学者のようにならねばならない」というものだ。個々の種だけでなく、生態系全体の健康状態を気にかけなければならないのだ。

14　ベイズの脳

かつて私は優柔不断だった。
だが今では、そうだかよくわからない。

Tシャツのメッセージ

2章で私は次のような問いかけをした。なぜ人間は、それを裏付けるまともな証拠がないのに、とんでもない主張をいとも簡単に受け入れてしまうのだろう？　そしてなぜ、明らかにそれと食い違う証拠があっても、非合理な信念をためらうことなく受け入れるのだろう？　当然ながら、どの信念が非合理で、どれがそうでないかについては、人それぞれの見解がある。だが、私たちは皆、自分以外の人間について、こうした疑問を抱いたことがあるはずだ。

その答えの一部は、私たちの脳が何百万年もの時間をかけて進化する過程で、不確実だが生命を脅かす可能性のある物事に対して、すばやく判断を下すようになったことにあると思われる。もちろん、このような進化論による説明は推量にすぎない。脳は化石化しないし、私たちの祖先の心の中で起こったことを調べ上げる手立てがない以上、この進化説を検証するのは難しい。とはいえ、この説明は妥当に思える。しかし、もっと確信が持てるのは、現代人の脳の働き方についてだ。なぜなら、脳の構造と機能を関連づけたり、それを遺伝学と結びつけたりする実験を行うことができるからだ。

とはいえ、脳を理解することの難しさを過小評価してはならない。非常に複雑なヒトの脳は言うまでもなく、ショウジョウバエの脳でさえも理解するのは難しい。キイロショウジョウバエは遺伝子研究に不可欠な生物だ。その脳には約13万5000個のニューロン（神経細胞）が含まれており、ニューロン同士は電気信号を伝達するシナプスでつながっている。科学者は現在、ショウジョウバエの「コネクトーム」と呼ばれる、このネットワーク構造を調べている。現時点では、脳の76の主要領域のうち、二つの領域の配線図が描けたにすぎない。したがって、これまでのところは、ショウジョウバエの脳の機能は言うまでもなく、コネクトームの構造についてもよくわかっていない。数学者ならよく知っているように、8個か10個のニューロンからなるネットワークであっても、非常に複雑な現象が起こることがある。最もシンプルで現実的なネットワークのモデルだとしても、それは非線形動力学系だからだ。ネットワークには一般の力学系にはない特別な性質があり、自然がネットワークを多用する理由はここにあるのかもしれない。

ヒトの脳には、約1000億個のニューロンと100兆を超えるシナプスがある。ニューロン以外の脳細胞も脳の働きに関与している可能性があり、特にグリア細胞はニューロンとほぼ同数存在するが、その機能はよくわかっていない。[1] ヒトの脳のコネクトームをマッピングする研究も進行中だが、これは脳をシミュレートするためではなく、将来の脳研究にとって信頼できるデータベースを作成するのが目的だ。

数学者が10個のニューロンからなる「脳」ですら理解できないのに、1000億個のニューロンからなる脳を理解するなどありえようか？　天気と気候を区別したときのように、私たちがどのような疑問を持つかによって研究対象は変わる。10個程度のニューロンからなるネットワークであれば、かなり詳細に理解することが可能だ。それゆえ、脳全体が依然として複雑で不可解であったとしても、その一部を理解することはできるし、脳を組織する一般原理のいくつかを解き明かせる可能性はある。いずれにせよ、このような「ボトムアップ」アプローチでは、構成要素とその結合の仕方を列挙した上で、システム全体の理解を目指すが、これが脳を研究する唯一の方法ではない。別の方法として、「トップダウン」アプローチがある。これは、脳の大規模スケールの特徴や振る舞いを基にして研究を進めるアプローチだ。実際に研究するときには、両方のアプローチを複雑に組み合わせて用いることができる。事実、ヒトの脳についての理解は急速に深まっている。それは、ニューロンのネットワークの連結様式と動作を明らかにする技術革新のおかげであり、そうしたネットワークの動作を解析する新しい数学のアイデアのおかげでもある。

脳はベイズの意思決定マシン

脳機能の多くの側面は、ある種の意思決定とみなすことができる。外の世界を見るとき、私たちの視覚システムは見ている対象を把握し、それらがどのように振る舞うかを推量し、それが脅威なのか報酬なのかを見極め、その判断に従って自身を行動させなければならない。心理学者、行動学者、人工知能研究者は、脳がいくつかの重要な点でベイズの意思決定マシンとして働いているらしいという結論に達した。脳は、世界に関する信念を短期的にあるいは長期的に脳の配線に組み込み、それに従って決定を下す。その決定は、ベイズの確率モデルで得られる結果と非常に似ているのだ（私は以前の章で、確率に対する私たちの直感は概してかなり貧弱であると述べた。これは今述べたことと矛盾しない。なぜなら、こうして脳内部で確率モデルが働いていても、意識の上でそれを使うことはできないからだ)。

脳をベイズの意思決定マシンと捉えると、不確実性に対する人々の姿勢の多くの特徴を説明できる。特に、迷信が私たちの生活に、なぜすんなり根づいたかが説明できる。ベイズ統計では、確率を**信念の度合い**と解釈する。私たちが「確率は五分五分だ」と見積もるとき、実質的には「それが起こると信じてもいいし、信じなくてもいい」と言っているのだ。したがって、私たちの脳は世界に関する信念を具現化するように進化し、これらの信念は短期的にあるいは長期的に脳の構造に配線される。

このように機能するのはヒトの脳だけではない。私たちの脳の構造は、太古の哺乳類や爬虫類の祖先にまで遡る。これら祖先の脳も「信念」を具現化していた。ここでの信念とは、私たちが言葉を使って口にする「鏡を割ると不幸が7年続く」といった類のものではないし、私たちの脳における信念の大部分もまた、そうしたものではない。ここで述べているのは、たとえば「このように舌をチョロチョロ出せば、ハエを捕まえる可能性が高くなる」という信念がコード化されて、関係する筋肉を活性化する脳領域に配線された、ということだ。そして、人間の話し言葉によって信念には新たな階層が加わり、言葉で表現したり、他者に伝えたりできるようになった。

単純だが役に立つモデルを考えるために、いくつかのニューロンを持つ脳の領域を想像してみよう。ニューロンはシナプスでつながっており、シナプスには「結合強度」がある。つまり、弱い信号を伝えるシナプスもあれば、強い信号を伝えるシナプスもある。シナプスが存在しない場合には、信号は伝達されない。信号が強くなるほど、それを受け取るニューロンの応答は大きくなる。この強度に数値を割り当てると、数理モデルを構成する際に役立つ。たとえば、弱い結合には0・2、強い結合には3・5、結合が存在しない場合には0など、適切な数字を設定することができるだろう。

信号が入力されると、ニューロンは電位を急激に変化させて応答する。これを「発火」と呼ぶ。発火によって、ニューロンでは電気パルスが生成され、他のニューロンに伝達される。それがどのニューロンに伝わるかは、ネットワークの結合によって決まる。入力された信号によってニューロンの電位が閾値を超えると、発火が起こる。さらに、信号には二つのタイプが存在する。ニューロンを発火させる興奮性の信号と、発火を止める抑制性の信号だ。ニューロンは、興奮性の信号を正、抑制性の信号を負として、すべての入力信号の強度を足し合わせ、その合計が十分大きい場合にのみ発火するのだ。

新生児では多くのニューロンがランダムに結合されているが、時間が経つにつれて、シナプスの結合強度は変化する。完全にシナプスが取り除かれる場合もあれば、新しいシナプスが生じる場合もある。ドナルド・ヘッブは、ニューロンのネットワークにおける「学習」と言えるものを発見した。それは今では、ヘッブの学習則と呼ばれている。それによると、「一緒に発火するニューロン同士の結合は強まる」。つまり、つながっている二つのニューロンがほぼ同時に発火すると、両者の結合強度が強まるというのだ。ベイズ推定のたとえで言うなら、結合の強さは、「一方のニューロンが発火したら、もう一方も発火すべきだ」と考える脳の信念の度合いを表している。ヘッブの学習則によって、脳の信念構造は強化される。

事実はなぜ信念を変えられないのか

新しい情報が伝えられたとき、人はそれをただ記憶にしまい込むわけではないことに、心理学者は気づいた。もしそうだったら、進化の上では大変なことになっていただろう。言われたことをすべて信じるのは、得策でない。人は嘘をつくし、しばしば他者を自分の支配下に置こうとして、間違った情報を与えて欺こうとする。自然の世界も嘘をつく。たとえば、ヒョウが尻尾を振っていると思っていたが、よく見るとブドウの実とツルがぶらぶら揺れていただけだったりする。小枝に擬態するナナフシもいる。このように私たちは新しい情報を受け取ると、それを既存の信念に照らして評価する。賢い人なら、その情報の信頼性も評価する。信頼できる情報源から来たものなら、その情報を信じる可能性は高くなるし、そうでなければ信じる可能性は低くなる。新しい情報を受け取ると、現在抱いている信念や、新情報がそれとどう関わるか、どれくらい新情報が真実だと確信できるかなどについて、心の中で必死になって吟味する。その吟味の結果、新しい情報を受け入れ、自分の信念を修正するかどうかが決まる。多くの場合、この吟味は潜在意識下のものだが、新しい情報について意識的に判断することもできる。

ここで起こっていることをボトムアップ的に記述するなら、複雑に配置された多数のニューロンがすべて発火し、互いに信号を送り合っているという状態だ。これらの信号が互いを打ち消し合うか強め合うかによって、新しい情報が定着するか、そしてそうなるように結合強度が変わるかが決まる。「熱狂的な信者」に彼らが間違っていることを説得するのは、それ以外の人の目には疑う余地のない証拠があったとしても、非常に難しい。その理由がこのことから説明できる。たとえば、ＵＦＯの存在を強く信じている人がいるとしよう。アメリカ政府が報道発表で、目撃されたのは実際には気球の実験だったと説明すると、UFO信者のベイズ脳はほぼ確実に「その説明はプロパガンダだ」と疑ってかかる。この問題について政府の言うことは信じないという彼らの信念は、報道発表によって強まり、政府の嘘を信じるほどだまされやすくない自分に得意になることだろう。その一方、反対派の信念も強まる。多くの場合、UFOを信じない人は、自分で検証したりはせずにこの説明を事実として受け入れ、UFOマニアを信頼しないという信念を強める。彼らは、UFOを信じるほどだまされやすくない自分に得意になることだろう。

人類は文化と言語を発展させることによって、ある脳の信念体系を別の脳に伝えることを可能にした。この伝達過程は完全に正確でもないし、信頼性も高くないが、効果的である。この伝達過程は、それを分析する人とその信念によって、「教育」「洗脳」「子供を良き人間に育てること」「唯一の真の宗教」など、さまざまな名前で呼ばれている。幼児の脳は順応性があり、証拠を評価する能力はまだ発達途中だ。たとえば、サンタクロース、歯の妖精、イースターのウサギを考えてみてほしい。子供たちが抜け目なく、ご褒美をもらうためにはこうした行事に参加するしかないと割り切っているならいいが、そうでない子供もいるだろう。イエズス会の標語「7歳まで私に預けてくれれば、敬虔な信徒に育てましょう」には二つの意味がある。一つは、若いときに学んだことは長持ちするということ。もう一つは、純真な子供を洗脳して、信念体系を植えつけると、成人してからもずっとそれが心の中に刻まれている、ということだ。おそらくどちらも真実だろう。そして、見方によっては、どちらも同じことを意味している。

脳のモデルと人工知能

ベイズ脳の理論は、さまざまな科学分野から生まれた。ベイズ統計はもちろんだが、人工知能や心理学もその一端を担っている。１８６０年代、物理学および知覚心理学の先駆者であるヘルマン・ヘルムホルツは、脳は外界の確率モデルを構築することによって、知覚をまとめ上げていると提唱した。１９８３年に人工知能の研究者であるジェフリー・ヒントンは、人間の脳は、外界を観察する際に遭遇する不確実性について判断する、一種の機械であるという説を提案した。１９９０年代にこのアイデアは確率論に基づく数理モデルに姿を変え、ヘルムホルツマシンに組み込まれた。これは機械装置ではなく、数学的にモデル化された「ニューロン群」の二つのネットワークで構成される抽象概念である。一つは、ボトムアップ的に機能する認識ネットワークだ。これは実際のデータで訓練され、データは隠れ変数の組という形で表される〔隠れ変数は、入出力を担うニューロンとは異なり、外部から観測できないニューロンの内部状態を指す〕。もう一つは、トップダウン型の「生成」ネットワークで、認識ネットワークの隠れ変数、すなわちデータの値を生成する。訓練のプロセスでは、データを正確に分類できるように、「睡眠・覚醒」と呼ばれる学習アルゴリズムを用いて二つのネットワーク構造を交互に修正する。

同様の構造でさらに多くの層を持つネットワークは、「ディープラーニング（深層学習）」と呼ばれ、目下のところ人工知能の分野で大成功を収めており、コンピュータによる自然発話音声の認識に応用されたり、囲碁でコンピュータの勝利に貢献したりしている。それ以前にも、コンピュータはゲームに応用されていた。たとえば、コンピュータがボードゲームのチェッカーの対戦をするとき、双方が最善手を指す場合には常に引き分けになることが証明されていた。ＩＢＭが開発したコンピュータのディープ・ブルーは、1996年にチェスのグランドマスターで世界チャンピオンのガルリ・カスパロフに勝ったものの、トータルでは6戦して4－2という結果で負け越していた。大幅のアップグレードのあと、次の対戦では3½－2½という結果で勝利した。ただしそのプログラムで用いられていたのは総当たりのアルゴリズムで、囲碁で勝利した人工知能のアルゴリズムではなかった。

2500年以上前に中国で発明された囲碁は、19×19の交点を持つ碁盤上で競われる一見シンプルなゲームだが、その奥深さは無限である。一人の棋士は白の碁石を、もう一人は黒の碁石を持ち、二人は碁石を交互に碁盤の目に置き、取り囲んだ相手の碁石をとることができる。最終的に、囲んだ陣地が最大となった方が勝つ。囲碁についての厳密な数学解析は、ごくわずかしか行われていない。デヴィッド・ベンソンは、対戦相手が何をしようとも、一団の碁石をとることが不可能になる局面を判定できるアルゴリズムを考案した。[2] エルウィン・バーレカンプとデヴィッド・ウルフは、終盤の入り組んだ状況を数学的に解析した。終盤では、碁盤の大半に碁石が置かれているので、次にどの手が打てるかについて、それまでよりもずっと迷うようになる。[3] この段階になると、碁盤は実質的に、相互作用することがほとんどないいくつかの領域に分割されており、棋士は次にどの領域に碁石を置くかを決めなければならない。バーレカンプらは、各交点に数値（あるいは、より難解な構造）を割り当て、それらの数値を組み合わせることで勝利できる数学的なルールを見出した。

2015年に、グーグル（Google）傘下のディープマインド社は、ディープラーニングを用いた二つのネットワーク（碁石の置かれた場所を評価する価値（バリュー）ネットワークと、次に打つ手を選択する方策（ポリシー）ネットワーク）を基にした囲碁アルゴリズム「アルファ碁」を開発した。二つのネットワークは、人間のプロ棋士の棋譜と、アルゴリズムの自己対局とを組み合わせて訓練された。[4] その後、アルファ碁はトップ棋士の李世乭と対戦し、4勝1敗で勝ち越した。プログラマーたちはなぜ1敗したのかを分析して、戦略を修正した。2017年にアルファ碁は、当時の世界ランキング1位だった柯潔と三番勝負をして全勝した。アルファ碁の棋風には興味深い特徴があり、それはディープラーニングによるアルゴリズムが、人間の脳のように機能する必要がないことを示していた。アルファ碁は、人間の棋士が想像すらしなかった手をしばしば使い、勝利した。柯潔は次のように述べている。「人類が数千年を費やして戦術の改良を重ねてきたにもかかわらず、コンピュータは人間が完全に間違っていることを明らかにした。……極端に言うなら、人間は誰一人として、碁の真理の縁にさえ到達していないのだ」

人工知能がヒトの知能と同じように機能しなければならないという論理的な理由はない。強いて挙げるなら、名前に「人工」という形容詞がついているから、というくらいだろう。しかし、電子回路に組み込まれた人工知能は、神経学者が開発した脳の認知モデルに似たところがある。このように、人工知能と認知科学は互いにアイデアを借り合い、両者の間には創造的なフィードバック・ループが生じている。実際に、私たちの脳と人工知能は、ときには、そしてある程度までは、同様の構造原理を用いて機能しているらしいことがわかってきた。もちろん、それぞれを構成する物質や信号の伝達方法の点では、両者はまったく違うのだが。

目の錯覚を考える

脳と人工知能の関係を具体的な例を用いて説明するために、目の錯覚について考えてみよう。片目（あるいは両目）に曖昧な（あるいは不完全な）情報が提示されたとき、視覚には不可解な現象が生

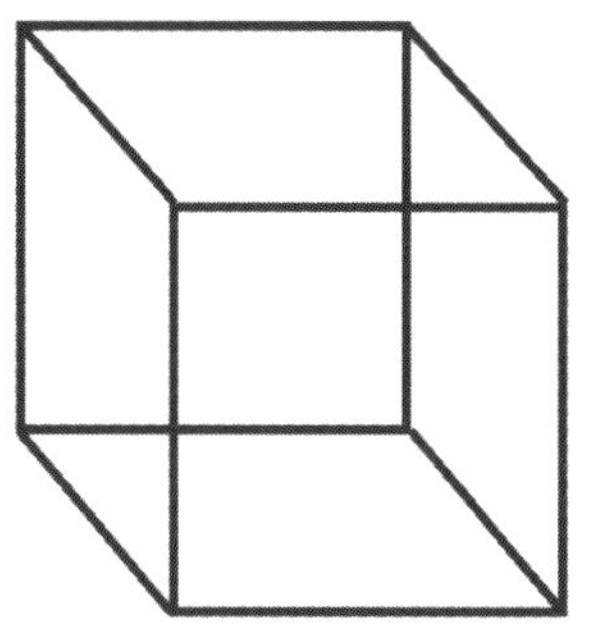

（左）ネッカーの立方体、（右）ジャストローのウサギとアヒル

じる。曖昧さとは不確実性の一種で、自分の見ているものに確信が持てない状況を指す。ここでは、二つの異なるタイプの現象について簡単に紹介しよう。

最初のタイプは、1593年にジャンバッティスタ・デッラ・ポルタによって発見され、「反射について」と題した光学の論文で発表された。デッラ・ポルタは、右目の前に本を置き、左目の前に別の本を置いた。彼の報告によると、一度に読めた本は1冊で、「視点」を一方の目から逸らしてもう一方の目に移すことによって、別の本に切り替えることができたという。この効果は現在、「両眼視野闘争」と呼ばれている。左右の目に異なる画像を提示すると、どちらか一方の画像が知覚表象（脳が見ていると信じるもの）になり、それが時間とともに切り替わるという現象だ。

二つ目のタイプは、錯視、または多義図形と呼ばれるものだ。一つの画像（あるいは動画）なのにいくつか異なる見え方ができる場合、錯視が生じる。有名な例としては、1832年にスイスの結晶学者ルイス・ネッカーが考案した「ネッカーの立方体」がある。この図では、異なる方向を向いた二つの立方体が、交互に反転するように見える。別の例は、アメリカの心理学者ジョセフ・ジャストローが考案したウサギとアヒルの錯視で、あまりウ

サギに見えないウサギと、それよりはアヒルに見えるアヒルの間で視覚が切り変わる。(5)

ネッカーの立方体を知覚する過程は、二つのノードを持つ単純なネットワークのモデルで説明することができる。二つのノードはニューロン(あるいはニューロン群の小さなネットワーク)を表す。とはいえ、このモデルは単に概念を表すためのものだ。一つのノードは、一方の向きの立方体を知覚することに対応し(そして、そのように訓練されていると仮定し)、もう一つのノードはもう一方の向きの立方体を知覚することに対応する。これら二つのノードは、抑制性結合で相互に結合されている。この「勝者総取り」構造が重要なのは、抑制性結合によって、一方のノードが活性化すると他方が不活性になることが保証されるからだ。したがって、ネットワークはいつも明確な決定を下す。そして、このモデルにはもう一つ仮定がある。それは「この決定は、活性度の高い方のノードが下す」というものだ。

最初は、どちらのノードも不活性状態にある。次に、ネッカーの立方体の画像が目の前に提示されると、二つのノードは入力を受けて活性化される。ただし、「勝者総取り」構造のせいで、両方のノードが同時に活性化することはできない。数理モデルでは、ノードは交互に活性化し、最初に一方のノードが活性化すると、次にはもう一方のノードが活性化する。理論的には、こうした交替が一定の間隔で繰り返されるが、それは実際に観察される現象とまったく同じではない。被験者はこれと同じような知覚の変化が起こることを報告しているが、それは不規則な間隔で起きる。この揺らぎは通常、脳の他の部位に起因するランダムな影響だと説明されているが、まだ疑問の余地がある。

同じネットワークを用いて、両眼視野闘争をモデル化することもできる。この場合、二つのノードは被験者に提示される二つの画像に対応する。一つは左目に提示される画像、もう一つは右目に提示

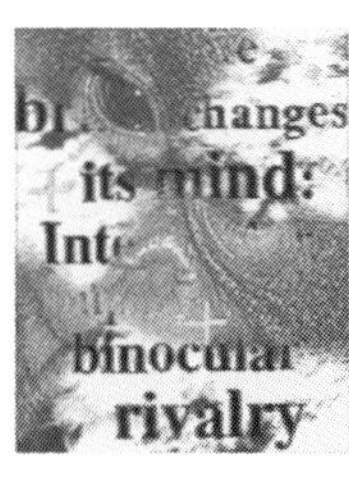

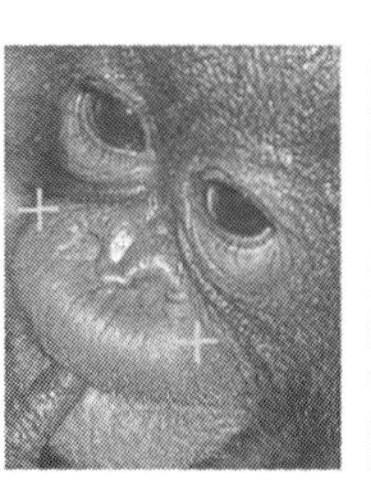
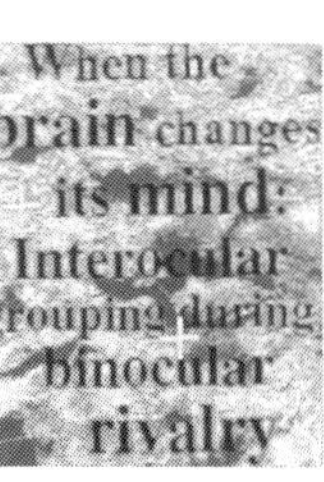

二つの「混ぜ合わされた」画像（左端とその右隣）を右の目と左の目に別々に提示すると、一部の被験者は二つの完全な画像（右端とその左隣）を交互に知覚する。

される画像だ。人は2枚の画像を重ね合わせて同時に知覚することはできない。その代わりに、右と左の画像を交互に見ることが繰り返される。先ほどと同様にこれはモデルでの話で、実際の視覚では知覚の切り替わりは不規則に起こる。

二つの知覚の切り替わりを予測するだけなら、数理モデルとしてはあまり面白くない。しかしもう少し複雑な状況で、これに似たネットワークは驚くべき動作を示す。古典的な例は、イロナ・コヴァーチュらのサルと文章の実験だ[6]。まず、サルの写真（若いオランウータンのように見える。それなら類人猿だが、誰もがサルと呼ぶ）を6片に切り分ける。同様に、緑の背景に青色の文章が描かれた画像も、同じ形の6片に切り分ける。次に、それぞれから3片を抜き取り、もう一方の対応する部分と入れ替えて、両者を混ぜ合わせた画像を作成する。そして、それを被験者の左目と右目に別々に提示する。

被験者には何が見えるだろう？　ほとんどの被験者は、混ぜ合わさった二つの画像が交互に見えると報告している。これは理にかなっている。ポルタの2冊の本の実験で起こったことと同じだ。まず片側の目が競り勝ち、次に反対側の目が競り勝つといった具合だ。しかし、完璧なサルの画像と完璧な文章の画像が入れ替わると報告した被験者もいた。これについては、お茶を濁すような説明がされている。被験者の脳は、完璧なサルと完璧な文章がどのように見えるはずか「知っている」ので、適切な画像片を組み合わせることができる。しかし、見ているのは混ぜ合わさった画像なので、どちらを見ているのか判断できず、それゆえ完璧なサルと文章の画像が切り替わるというのである。しかし、この説明はあまり満足のいくものではないし、被験者によって、混合画像が見える人がいたり、完璧な画像が見える人がいたりする理由が説明できない。

数理モデルはさらなるヒントを与えてくれる。ここで用いるのは、脳で高次の意思決定を下すネットワークに基づくモデルだ。神経科学者のヒュー・ウィルソンが提案したものなので、このタイプのモデルをウィルソン・ネットワークと呼ぶことにしよう。最も単純な（訓練されていない）ウィルソン・ネットワークでは、ノードが長方形に配列されている。これらのノードはニューロン（あるいはニューロン群）と考えることができる。ただし、このモデルでは、ノードに特定の生理学的解釈を与えることは重要ではない。この両眼視野闘争モデルでは、配列されたノードの各列は、目の前に提示される画像の「属性」を表す。属性とは、色や方向などの特徴のことで、さまざまな選択肢がある。たとえば色には、赤、青、緑、また方向には、垂直、水平、斜めがある。これらの選択肢は、その属性の「レベル」を表す。各レベルは、その属性の列のノードで表される。

任意の画像は、属性ごとにレベルを選び、それらを組み合わせたものとして表される。たとえば、赤の水平画像は、色の列の「赤」のレベルと、方向の列の「水平」のレベルを組み合わせたものだ。ウィルソン・ネットワークは、特定のレベルの組み合わせを「学習」し、その入力に対して強く反応することで、パターンを検出するよう設計されている。それぞれの列では、すべてのノードが抑制性結合で互いに結合されている。さらなる入力や修正がなければ、この構造によって各列では「勝者総

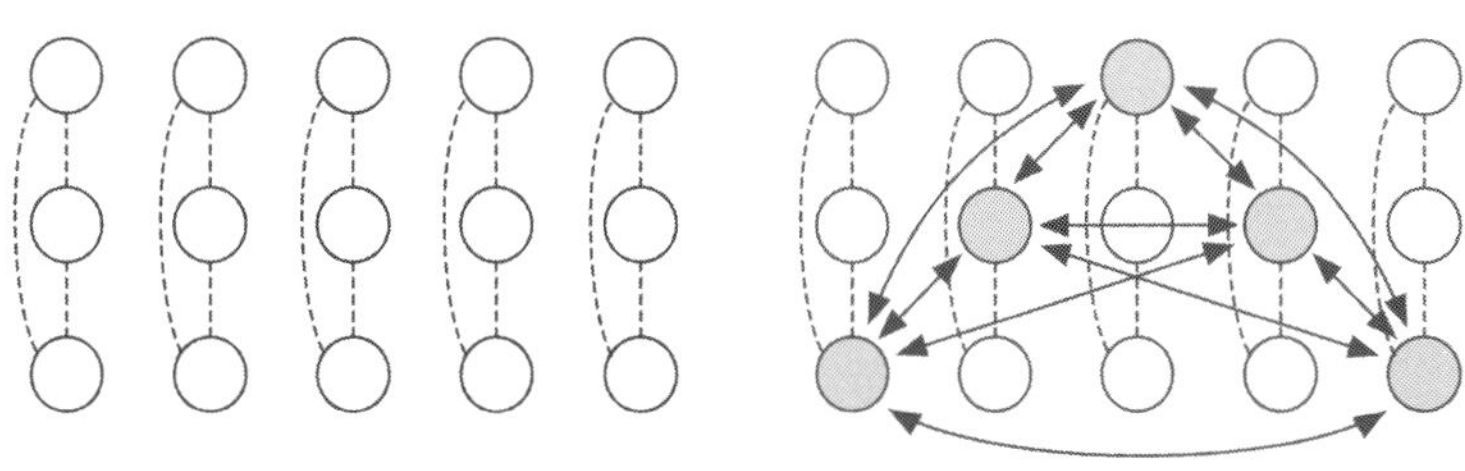

（左）五つの属性を列に持つ、訓練されていないウィルソン・ネットワーク。各属性には三つのレベルがある。破線は抑制性結合を表す。
（右）画像パターン（各属性に示された灰色のレベル）は、ノード同士をつなぐ興奮性結合（実線の矢印）で表される。これらの興奮性結合を元のネットワークに付加することにより、そのパターンを認識するようにネットワークを訓練できる。

取り」が起こるので、一つのノードだけが劇的に活性化される。したがって、各列では活性化されたノードに対応するレベルが属性として検出される。また、目の前に提示された画像を認識する訓練では、画像のレベルを表すノードとノードの間に興奮性結合を加える。このようにノード同士を結びつけ、レベルを適切に組み合わせることによって、提示画像の特徴が捉えられる。両眼視野闘争のモデルでは、2枚の画像に対してこのような興奮性結合を加える。

ケーシー・ディークマンとマーティン・ゴルビツキーは、ウィルソン・ネットワークの両眼視野闘争モデルが予期せぬ結果をもたらす場合があることを示した。[7] サルと文章の実験の場合、視覚は二つの異なる振動様式を生成する可能性があることを、動的ネットワークは予測したのだ。二つの振動様式とは、学習した二つのパターン（それぞれの目に提示された混ぜ合わされた画像）が交互に現れる場合と、完璧なサルと完璧な文章が交互に現れる場合だ。どちらの振動様式が起こるかは結合の強さに依存する。対応するニューロンの集団が、被験者の脳内で強く結合している場合もあれば、弱く結合している場合もあり、それによって被験者間で知覚される画像に違いが生じる。このことをネットワークモデルは示唆しているのだ。きわめて単純なウィルソン・ネットワークが、実験で観察された現象を正確に予測できるのは驚くべきことだ。

ウィルソン・ネットワークと一次視覚野

ウィルソン・ネットワークは概念的な数理モデルであり、その目的は、単純な動的ネットワークが外界から受け取った情報に基づいてどのように決定を下すかを明らかにすることだった。驚くべきことに、ウィルソン・ネットワークときわめてよく似た構造を持ち、同じようにして意思決定を行う領域が脳に存在するようだ。目から伝わる信号を処理して、私たちが何を見ているかを決める視覚野がその好例だ。

学校の教科書にどう書かれていようが、ヒトの視覚はカメラのように機能してはいない。公平を期すために言うと、目が画像を検出する仕組みはかなりカメラに似ていて、レンズが入ってくる光を調節し、後方に位置する網膜に焦点を合わせる。だが網膜は、昔ながらのカメラのフィルムよりも、デジタルカメラの電荷結合素子に似ている。網膜には、桿体（かんたい）と錐体（すいたい）と呼ばれる受容体が多数、離散的に存在している。桿体と錐体は、光感受性を持つ特殊なニューロン（視細胞）で、入ってくる光に反応する。錐体には三つの種類があり、それぞれが特定の範囲の波長を持つ光（一般用語で言うなら、赤、緑、青）に反応する。一方、桿体は弱い光に反応する。桿体は、シアンか「薄青」色の波長の光に最も強く反応するのだが、ヒトの視覚はその信号を白黒の濃淡として解釈する。私たちが夜間にあまり色が見えないのはこのためだ。

ヒトの視覚がカメラと大きく異なってくるのは、次の段階からだ。これらの入力信号は、視神経を通って視覚野と呼ばれる脳の領域に伝達される。視覚野は、ニューロンでできた薄い層が積み重なったものと考えられる。その役割は、目から受け取った信号のパターンを処理し、脳の他の領域が、見ているものを識別できるようにすることだ。視覚野の各層は、入力信号に動的に応答する。ウィルソン・ネットワークがネッカーの立方体や、サルと文章を混ぜ合わせた画像に応答するのと同じ要領だ。これらの応答は次の層に伝達され、次の層では層構造に応じて別の特徴に対する反応が起こり、そうした伝達がさらなる層に続く。信号は深い層から表面の層にも伝達され、次に入ってくる信号に対する反応の仕方に影響を与える。そして最終的に、このような信号の連鎖のどこかで、何かが「これはおばあさんだ」などと決定を下す。その「何か」とは一つの特定のニューロン（「おばあさん細胞」と呼ばれることが多い）かもしれないし、もっと複雑な仕組みによるのかもしれない。それについてはまだわかっていない。いったん脳がおばあさんを認識すると、他の領域から他の情報を引き出すことができる。たとえば、「おばあさんがコートを脱ぐのを手伝え」とか、「おばあさんは到着したら、紅茶を飲むのが習慣」とか、「今日のおばあさんは少し心配そうに見える」などといった具合だ。

カメラもコンピュータに接続されると、このようなタスクを遂行し始める。たとえば、顔認識アルゴリズムを用いて、写真に人物の名前をタグづけするなどの作業だ。視覚系はカメラとは異なるが、カメラはますます視覚系に近づいている。

神経科学者は視覚野の配線図を詳細に調べてきた。脳の結合を検出する新しい方法が開発されたおかげで、より精密な結果が爆発的に得られるようになるのは間違いない。電圧に対して高い感受性を持つ特別な色素を用いることによって、動物視覚野の最上層にある一次視覚野（Ｖ１）における結合の全般的な性質もわかってきた。大雑把に言うと、一次視覚野は、目が見ているものの直線部分を検出し、その線がどの方位を向いているかも分析する。これは、対象物体の境界を見つけるのに重要だ。そして判明したのが、一次視覚野はさまざまな方位を向いた直線を使って訓練されたウィルソン・ネットワークのような構造をしているということだった。ネットワークの各列は、一次視覚野の「ハイパーコラム」〔積層した視覚野を垂直方向に貫く、柱状構造をした視覚情報処理の最小単位〕に相当し、各列の属性は「その位置で見える線の方位」を表す。各列で属性のレベルを表すためには、直線の示す方位（連続した方位ではなく、不連続な値にしたもの）に対応するノードを集めればよい。

一次視覚野の本当に賢い部分は、ウィルソン・ネットワークの「学習されたパターン」に似ている。一次視覚野で、これらの学習パターンに相当するのは、視覚野の多数のハイパーコラムを横切る長い直線である。たとえば、一つのハイパーコラムがおよそ60度の方位を向いた短い線分を検出したとすると、この「レベル」に対応するニューロンが発火する。次にこのニューロンは、隣接するハイパーコラムのニューロンに興奮性の信号を伝達する。ただし、同じ60度のレベルのニューロンだけに送る。また、こうした結合でつながっているのは、この線分の続きの部分に沿って並んでいる一次視覚野のハイパーコラムだけだ。この結合はそれほど正確ではなく、他に弱い結合も存在するが、最も強い結合は、私が説明した状況にかなり近い。このように、一次視覚野の構造は、直線とそれが指している方位を検出するようにできており、線の一部が提示されると、一次視覚野はその線が続くと「仮定」して隙間を埋める。ただし、これは盲目的に行なわれるのではない。他のハイパーコラムが発した十分に強い信号がこの仮定と矛盾すると、強い信号の方が勝つ。たとえば、物体の境界を構成する二つの線が交わる「曲がり角」では、方位に矛盾が生じる。この情報を次の層に伝達すると、曲がり角と線分を検出できるシステムになるわけだ。そして最終的には、このように連鎖的に伝達されるデータのどこかで、あなたの脳はおばあさんを認識するのである。

格子細胞と空間認識

私たちのほとんどが何かの折に経験したことのある不確実性は、「自分は今どこにいるのか？」という状況だろう。２００５年、神経科学者のエドバルド・モーセルとマイブリット・モーセルらは、空間における位置を示す「格子細胞（グリッド細胞）」と呼ばれる特別なニューロンが、ネズミの脳にあることを発見した。格子細胞は、背尾側内側嗅内皮質と呼ばれる、舌を噛みそうな名前の脳部位に存在する。この部位は、位置記憶を司る中央処理装置（ＣＰＵ）のような場所だ。視覚野と同じく層状構造だが、発火のパターンは層ごとに異なる。

モーセルらはラットの脳に電極を埋め込み、広い場所で自由に走り回らせた。そして、ラットが動いているときに脳のどの細胞が発火するかを監視した。その結果、多数の小区画に分割された空間の一区画にラットがいるときに、常に特定の細胞が発火することがわかった（神経細胞を発火させる空間領域を「発火受容野」と呼ぶ）。また、空間を分割した小区画が、六角形の格子の形をしていることも判明した。モーセルらは、このように発火する神経細胞が、空間の心的表象（ある種の座標系を持つ認知地図）を作り出し、ラットの脳に自分の位置を伝えるのだと推論した。格子細胞の活性度は、ラットが移動するにつれて絶えず更新される。ラットが移動している方向には無関係に発火する細胞もあれば、向かっている方向に応じて反応する細胞もある。

格子細胞がラットにその位置をどのように伝えているのかは、まだ正確にはわかっていない。不思議なことに、脳における格子細胞の幾何学的配置は不規則だ。これらの格子細胞の層は、ラットが動き回るごとに、何らかの形でわずかな動きを積分して、ラットのいる位置を「計算」している。このプロセスを数学で行うには、ベクトル計算を使えばいい。つまり、大きさと向きを持つ微小な変位を多数足し合わせることによって、移動する物体の位置を決定するのだ。基本的には、現代のナビゲーション機器が考案される前に、船乗りたちが「推測航法」で行っていたやり方だ。

　完全な暗闇でもラットの発火パターンは変化しないので、格子細胞のネットワークは視覚入力がなくても機能することがわかっている。ただし、視覚入力に対して非常に強い反応も示す。たとえば、ラットが円筒容器の内側を走り、壁に基準点となる目印があるとしよう。そして、特定の格子細胞を選び、ラットが空間中のどの区画を通過したときに反応するかを測定する。次に、円筒容器を回転させて目印の位置を変え、同じ測定を繰り返す。すると、格子細胞の反応する区画も、同じ分だけ回転するのだ。ラットが新しい環境に移されても、反応する格子形の区画とその配置は変わらないのである。格子細胞がどのように位置を計算しているかは不明だが、その仕組みはとても頑健にできている。

　２０１８年にアンドレア・バニーノらは、ディープラーニング・ネットワークを用いて、同様のナビゲーションタスクを実行した結果を報告した。そこで使われたネットワークには、フィードバック・ループがたくさんあった。ナビゲーションでは、ある処理ステップで生じた出力を、次のステップの入力に用いることが必要だからだ。そのため、そのネットワークは実質的に、関数が反復される離散力学系になっていた。バニーノらは、さまざまな齧歯類（ラットやマウスなど）が餌を探すときにたどった経路を記録したパターンを用いてネットワークを訓練し、脳の他の部位が格子細胞に伝達すると思われる情報をネットワークに与えた。

　ネットワークはさまざまな環境下で効果的に移動することを学び、新しい環境に移されても成績は下がらなかった。研究チームは特定のゴールを設置し、より高度な設定の迷路を走らせて、能力をテストした（学習と同様、テストもすべてコンピュータシミュレーションで行われた）。そして、ベイズ推定を用いて、三つの正規分布からなる混合分布にデータを適合させ、その成績に統計的有意性があるかを判定した。

注目すべき結果の一つは、学習が進むにつれて、ディープラーニング・ネットワークの中間層の一つが格子細胞で観察される活動と同様のパターンを発達させ、ラットが六角形の形をした区画にいるときと同じように活性化したことだ。ネットワーク構造の詳細な数理分析によると、ネットワークはベクトル計算を模擬していることがわかった。ただし、数学者がベクトルを書き下して足し合わせるのと同じことをネットワークがやっていると考えられるわけではない。とはいえ、バニーノらの研究結果は、ベクトルに基づいたナビゲーションに格子細胞が重要な役割を果たしているという理論を裏付けている。

フェイクニュースにだまされる脳

より一般的な話をすると、脳が外の世界を理解するために用いている回路は、ある程度、外の世界を模倣していると考えられる。脳の構造は何十万年もの歳月をかけて進化し、環境に関する情報を「配線した」。また、私たちが学習するにつれて、脳の構造は進化よりもはるかに短期間で変わっていく。学習は、進化によって配線された構造を「微調整」するのだ。私たちが学ぶことは、私たちが教えられることによって条件づけられる。したがって、幼い頃から特定の信念を教えられると、脳にその信念が配線されることが多い。これは先ほど述べたイエズス会の標語を、神経学的に検証した見方だと言えるだろう。

それゆえ、私たちの文化的信念は、自分の育った文化に強く条件づけられている。たとえば、自分の知っている賛美歌や、応援するサッカーチーム、演奏する音楽によって、私たちは世界の中の自分の居場所やまわりの人との関係を確認する。ほとんどの人の脳に共通して組み込まれている信念や、証拠に基づいて合理的に議論できる信念であれば、あまり論争の的にはならない。しかし、そのような基盤を持たない信念については、私たちが互いの違いを認めない限り、問題が起こりかねない。そして残念なことに、そうした信念は文化の中で重要な役割を果たしている。それこそが、その信念の存在理由だとも言える。証拠ではなく信仰に基づく信念は、「私たち」と「彼ら」を区別するのに有効だ。たとえば、私たちはみな2＋2＝4であると「信じている」。この点については、私はあなたと何の違いもない。一方で、あなたは毎週水曜日に猫の女神に祈りを捧げるとしよう。私にはその習慣はない。そうだとすれば、あなたは「私たち」の一員ではない。

人類が小さな集団で生活していた時代なら、これで何の問題もなかった。顔を合わせるほぼすべての人が猫の女神に祈りを捧げていたし、そうでない人には祈るようにと警告すればよかったからだ。しかし、この小集団の人数が増えて部族になると、それは摩擦の原因になり、しばしば暴力沙汰にもなる。今日のように大勢がつながり合った世界では、この問題は大惨事になりつつある。

今日のポピュリズム政治では、かつて「嘘」や「プロパガンダ」と呼ばれていたものに新しい名前がつけられている。「フェイクニュース」というのがそれだ。本物のニュースとフェイクニュースとを見分けるのは、ますます難しくなってきている。数百ドルを支払えば、誰でも処理能力が高いコンピュータを手に入れることができる。最新のソフトウェアがどこででも入手できるおかげで、地球上のどこでもインターネットが見られるようになった。これは原則的には望ましいことだが、そのせいで真実と嘘を見分けるのがますます難しくなっている。

ユーザーは自分の好みに合わせて、どの情報を見るかを決めることができる。そのため、自分の嗜好が強化され、自分の知りたいニュースしか受け取らない「フィルターバブル」の中で生活することがますます容易になってきた。イギリスの作家チャイナ・ミエヴィルは、このような世相を『都市と都市』で極端まで突き詰めてパロディー化した。SF小説と犯罪小説を混ぜ合わせたこの物語では、都市国家ベジェルにある過激犯罪課のボルル警部補が殺人事件を調査する。ボルルは双子都市のウル・コーマを繰り返し訪れ、国境を越えて現地警察と協力する。読者は最初、ベルリンの壁崩壊前の東西ベルリンという印象を受けるが、実は二つの都市国家が同じ地理空間を占めていることに気づいてゆく。それぞれの都市の市民は、生まれながらにして互いの存在に気づかないように訓練されているので、建物や大衆の中を歩いていても互いのことがわからない。今日、私たちの多くはインターネットで同じことをしている。自分が正しいという見方を強化するような情報ばかりを受け取る「確証バイアス」にどっぷり漬かっている。

なぜ私たちはフェイクニュースで簡単に操られてしまうのだろう？　それは昔ながらのベイズ脳が、信念に基づいて作動しているためだ。私たちの信念は、マウスのクリックで簡単に削除したり置換したりできるコンピュータのファイルとは違う。ベイズ脳は、集積回路が配線されたハードウェアに近い。配線されたパターンを変更するのは大変だ。私たちが強く信じるほど、あるいはただ信じたいと思うだけで、変更するのが大変になる。私たちが信じるフェイクニュースはどれも、それが私たちの信念に合っているがゆえに、配線された結合をさらに強化する。一方で、信じたくないニュースはすべて無視される。

　どうしたらこれが防げるのか、私にはよくわからない。教育だろうか？　特定の信念ばかりを奨励する、特別な学校に子供たちが通えばどうなるだろう？　事実であることは明らかなのに、信念に矛盾するからという理由で、特定の科目を教えることが禁止されたらどうなるだろう？　科学とは、人間が作り話と事実とを見分けるために考案した最良の手段だ。だが、政府が不都合な事実をコントロールするために、科学研究の予算を削減したらどうなるだろう？　アメリカでは、銃の所持が及ぼす影響に関する研究に、連邦政府が資金提供することはすでに法律で禁じられており、トランプ政権は気候変動の研究に対しても同じことを検討している。

　そんなことをしても、気候変動が消えてなくなることはない。

　一つの提案は、新しいゲートキーパーを置くことだ。しかし、無神論者が信頼するウェブサイトは、信仰心の篤い人々には忌み嫌われるだろうし、逆もまた然りだ。また、悪意のある企業が、私たちの信頼するウェブサイトの支配権を握ったらどうなるだろう？　いつものことながら、これは新しい問題ではない。紀元１００年頃、ローマの詩人ユウェナリスは『諷刺詩集』の中で、「誰が見張り役を見張るのか？」と書いている。しかも、たった一言のツイートが地球全体に拡散する現在、問題は深刻度を増している。

　おそらく私は悲観的すぎるのだろう。概して教育を改善すれば、人々はより合理的に考えるようになる。急場をしのいで生き残ることを最優先するベイズ脳のアルゴリズムは、私たちが洞窟や樹林に住んでいたときにはとても役立った。だが、フェイクニュースの時代にはもはや適さないのかもしれない。

15　量子の不確定性

粒子の位置と、その速さと向きの両方を、同時に正確に決定することは不可能だ。

ヴェルナー・ハイゼンベルク『原子核の物理』

人間のほとんどの活動領域では、不確実性は無知から生じる。少なくとも原則としては、知識があれば不確実性の問題を解決できるはずだ。もちろん、現実的な障害はあるだろう。たとえば、民主的な投票の結果を予測するには、すべての有権者の気持ちを知る必要がある。だが、それさえわかれば、彼らが投票するかどうかや、誰に投票するつもりかを分析できる。

しかし、物理学のある分野では、「不確実性は自然に固有の性質である」という圧倒的なコンセンサスが得られている。知識をいくら付け加えていっても、起こる事象を予測可能にすることはできない。なぜなら、システム自体が、自分が何をするのかを「知らない」からである。システムは、することをするだけなのだ。こうした分野が量子力学である。量子力学には約１２０年の歴史があり、科学だけでなく、科学と実世界の関係についての考え方にも大革命を起こした。現実の世界が存在するとはどういう意味か、という哲学的な問いを抱くようになった人さえいた。ニュートンの最大の功績は、自然が数学のルールに従うことを示したことだった。だが量子論によれば、そのルールでさえ本質的には不確実かもしれない。少なくとも大半の物理学者がそのように主張し、その主張を裏付ける証拠はたくさんある。しかし、量子論のまとう確率の鎧にはいくつか弱点がある。量子の不確定性を予測可能にすることは今後も不可能だと思うが、決定論を用いて説明するのは可能ではないかと私は考えている。16章では、こうした推測について、さらに踏み込んで論じるつもりだ。だがここでは、まずは正統派の話を整理しておく必要がある。

マックス・プランクの閃き

すべては電球から始まった。天才が閃いたときに頭の上でピカッと光る電球が描かれるが、そうしたメタファーではなく、本物の電球の話だ。1894年に、いくつかの電気会社がドイツの物理学者マックス・プランクに、最も効率のよい電球を開発してほしいと依頼した。当然ながら、プランクは物理の基礎から研究を始めた。光は、人間の目が検出できる波長を持つ電磁波の一種である。物理学では、電磁エネルギーを最も効率的に放射する物体を「黒体」と呼んでいた。また、黒体にはそれと相補的な「あらゆる波長の電磁波を完全に吸収する」という性質もある。1859年にグスタフ・キルヒホフは、黒体放射の強度が放出される放射線の周波数と黒体の温度にどのように依存するかという問題を提起した。それに応じて実験が行われ、理論が編み出されたが、実験結果は理論と一致しなかった。当時はこのようにいささか混乱した状況だったので、プランクは理論を整理することにした。

彼の最初の試みはうまくいったが、その仮定がかなり恣意的だったので、彼は満足しなかった。そして1ヵ月後に、その仮定を正当化するよりよい説明を見つけた。それは「電磁エネルギーは連続的な量ではなく、離散的な量である」という過激なアイデアだった。それによると、電磁エネルギーは常に固定された微小量の整数倍になる。より正確には、与えられた周波数に対して、エネルギーは常に非常に小さな定数値に周波数を掛けた値の整数倍となる。この微小な定数は、現在はプランク定数と呼ばれ、記号hで表される。その公式の値は6.626×10^{-34}ジュール秒で、小数で表記すると0.0…0626となり、小数点のあとに33個のゼロがつく。1ジュールのエネルギーは、小さじ1杯の水の温度を約$\frac{1}{25}$℃上昇させる。したがって、hはごくわずかな量のエネルギーであり、あまりに小さいがゆえに、実験で測定されるエネルギーレベルは依然として連続的に見える。ともあれ、連続的なエネルギーを、微小な間隔をあけた離散的なエネルギーの集まりで置き換えることによって、間違った結果を導いていた数学上の問題は回避できた。

　当時のプランクは気づいていなかったが、エネルギーに関する彼の奇妙な仮定は、科学全体に大きな革命を引き起こそうとしていた。そして誕生したのが量子力学だ。「量子」は非常に小さいが、離散的な量である。量子力学は、微小スケールで物質がどのように振る舞うかについての、現時点で最上の理論だ。量子論は驚くべき精度で実験に適合するのだが、量子の世界について私たちが知っているのは、不可解なことばかりだ。偉大な物理学者のリチャード・ファインマンは、「もし自分が量子力学を理解していると思っているなら、あなたは量子力学をわかっていない[1]」と言ったそうだ。

　たとえば、プランクの公式の解釈としてまず考えられるのは、「光は小さな粒子（現在では光子と呼ばれている）からできており、光子のエネルギーはその周波数にプランク定数を掛けたものである」というものだ。そうだとすると、光は整数個の光子を持つはずなので、光のエネルギーは光子のエネルギーの整数倍になる。この説明は合理的だが、ここから別の疑問が生じる。どうすれば粒子は周波数を持てるのだろう？　周波数は波の特徴を表す量だ。では、光子は波（波動）なのか粒子なのか？

答えは、両方だ。

粒子説と波動説

ガリレオは、「自然の法則は数学の言語で書かれている」と主張し、ニュートンの『プリンキピア』はその考えの正当性を示した。その後の数十年間で、ヨーロッパの数学者はこの洞察を、熱、光、音、弾性、振動、電気、磁気、流体にまで拡張した。こうして各種の方程式が爆発的に生み出された結果、古典力学の時代が到来した。古典力学は、二つの重要な要素を物理学にもたらした。一つは**粒子**という概念である。粒子とは微細な物質のことで、非常に小さいので、モデルでは点とみなすことができる。もう一つの象徴的な概念は、**波**だ。海を横切って進む波を考えてみよう。風がほとんどなく、陸から離れている場合、波はその形状を変えることなく一定の速度で移動する。だがこのとき、波を構成する実際の水分子が、波とともに移動することはない。水分子はほとんど同じ場所に留まる。波が通過すると、水分子は上下左右に移動する。この動きが伝達されると、周辺の水分子も同じように動き、同じ基本形状を作り出す。したがって、波は移動するが、水は移動しない。

波は至るところに存在する。たとえば音は、空中を伝わる圧力波だ。地震は地中に波を作り出し、建物を倒壊させる。テレビ、レーダー、携帯電話、インターネットで使われている無線信号は、電磁波だ。

そして、光も波だということがわかった。

17世紀の終わりにかけて、光の性質は論争の的になっていた。ニュートンは、光が多数の小さな粒子からできていると考えていた。オランダの物理学者クリスティアーン・ホイヘンスは、光が波であるという強力な証拠を示した。ニュートンは巧妙な粒子論で対抗し、およそ1世紀の間、ニュートンの見解が優勢だった。しかしその後、ホイヘンスがずっと正しかったことが判明した。最終的に、波動説を支持する陣営にとって決定的な論拠になったのは、干渉現象だった。光がレンズを通過する、あるいはスリットを通過すると、あるパターンが形成される。大まかにいえば、明るい部分と暗い部分のある縞模様ができるのだ。このパターンは顕微鏡で簡単に見ることができ、特に単色光だと効果が顕著に現れる。

波動理論を使えば、こうした現象を簡単に、また自然に説明することができる。つまり、「干渉パターン（干渉縞）」だと説明するのだ。二つの波が重なるとき、波の山同士は互いに強め合い、波の谷同士も互いに強め合うが、山と谷は互いに打ち消し合う。これは、二つの石を池に投げ込むとすぐにわかる。それぞれの石は一連の円形のさざ波を作り出し、波紋は石が着水したところから外側に広がる。これらの波紋が交差する場所では、３１３ページの図のように、湾曲したチェッカーボードのようなな複雑なパターンが見られる。

この考え方には十分な説得力があったため、科学者は、光は粒子ではなく波であることを受け入れた。そして、光が波であることは自明になった。だがその後、プランクが登場すると、突如として光の波動説は自明ではなくなった。

ヤングの二重スリット実験

光には二重性があり、ときには粒子として、ときには波として振る舞う。そのことを証明した一連の古典論的な実験がある。1801年、トマス・ヤングは二つの平行な細いスリットに光線を通過させることを想像した。光が波であれば、細いスリットを通過すると光は「回折」するはずだ。つまり、池の表面に広がる円形の波紋のように、スリットの向こう側に広がるはずである。スリットが二つあると、二つの石を近づけて池に投げ込んだときのような、特徴的な干渉縞が回折によって生成されるはずだ。

ヤングの描いた図では、波の山が暗い領域として、谷が白い領域として示されている。AとBがスリットで、そこを起点として二つの同心円状の波の輪が広がり、重なり合って干渉しながら、波の山の線は右端のC、D、E、Fに向かっていく。図の右端を観察すれば、明暗の帯を交互に検出することができる。ヤングは実際にはこの実験を行わずに、穴から差し込む細い太陽光線を細く切ったカードで遮り、半分ずつに分割するという方法で、同様の実験を行った。その結果、回折による帯がきちんと現れた。ヤングは、光は波であると宣言し、帯の幅から赤色と紫色の光の波長を推定した。

この実験では、光が波であることが確認されただけだ。次の進展は遅く、そこで行われた実験の示す意味が十分に理解されるにはしばらく時間がかかった。1909年、当時学部生だったジェフリー・イングラム・テイラーは、きわめて弱い光源を用いて、縫い針の両側で光が回折するという、一種の二重スリット実験を行った。ヤングが用いたカードと同様、ここでは縫い針の両側の領域が「スリット」の役割を果たした。その干渉縞が写真乾板に感光するのに、3ヵ月以上もかかった。論文中では彼は光子については触れていないが、光は非常に弱かったため、ほとんどの時点で、針の向こう

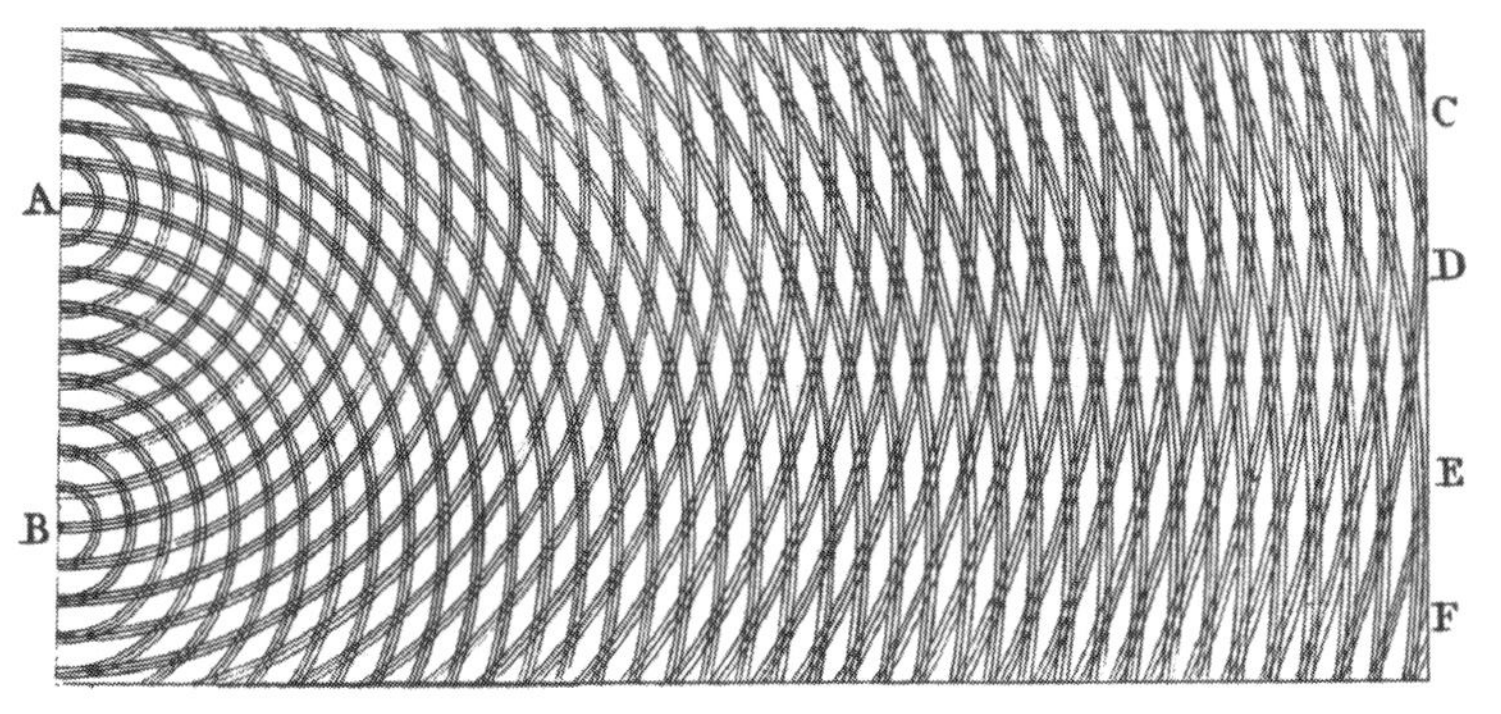

二つのスリットを通った光が干渉する様子。水面を伝わる波動に基づいてヤングはこの図を描いた。

に通り過ぎたのは単一の光子だけだったと思われた。そのためにのちにこの実験は、「干渉縞が生じるのは、二つの光子が互いに干渉するからではない」ことを示す証拠だと解釈された。もしそうならば、これは「単一の光子は波のように振る舞う」可能性を証明することになる。さらに年月を経てからファインマンは、検出器を配置して、どちらのスリットを光子が通過したかを観測すれば、干渉縞は消えるはずだと主張した。これは「思考実験」で、実際には実行されなかった。しかし、これらすべてをまとめると、光子は時には粒子のように、時には波のように振る舞うように思われた。

しばらくの間、いくつかの量子力学の教科書は、光子の持つ波／粒子の二重性を説明するために、二重スリットの実験とファインマンの思考実験を（どちらも実際には行われたことがないにもかかわらず）事実として示していた。現代ではこれらの実験を適切に実行できるようになり、光子は教科書に書いてある通りの挙動を示す。同様のことは、電子、原子、さらに810個の原子からなる分子（現在の最多記録だ）にも当てはまる。1965年にファインマンは、この現象は「古典論で説明することは不可能であり、量子力学の核心に触れるものだ[2]」と書いている。

量子力学が生み出す奇妙な現象については、同様の例が多数発見されている。光の波/粒子問題をはっきり際立たせる一組の実験をここで簡単に紹介しよう。ロジャー・ペンローズの論文[3]によるものだ。この論文では、一般的な観測方法やモデルの仮定についても説明されているので、あとで役に立つだろう。ここで使われている重要な機器が、実験家たちのお気に入りである「ビームスプリッター」だ。ビームスプリッターは光を分割する装置で、照射された光の半分を反射して直角に曲げ、残りの半分は透過させる。ビームスプリッターを実現する機器の一つが、ハーフミラー(銀メッキを施した半透鏡)だ。ハーフミラーでは、コーティングされた金属膜が非常に薄いので、一部の光は反射せずに通過する。ガラスの立方体を対角線上に切断して二つの直角プリズムを作り、両者の断面を接着して作られることが多い。このように作られたハーフミラーでは、接着剤の厚さによって、透過光と反射光の比率を制御することができる。

最初の実験では、レーザーから放出された1個の光子がビームスプリッターに当たる。最終的には、検出器AとBのどちらか一方が、光子を観測することになる。これは粒子的な挙動だ。光子は反射されてAで検出されるか、透過してBで検出されるかのどちらかだ(ここでの「ビームスプリッター」の「スプリット(分割する)」は、光子が反射されるか通過するかの確率を意味している。光子自体が分割されるわけではない。光子は無傷なままだ)。光子が波ならば、この実験は意味をなさない。

2番目の実験では、「マッハ＝ツェンダー干渉計」を用いる。この干渉計は、二つのビームスプリッターと二つの鏡を正方形に配置したものである。光子が粒子ならば、1番目のビームスプリッターで光子の半数は反射され、残りの半数は透過すると予想される。次に鏡によって、それらの光子は2

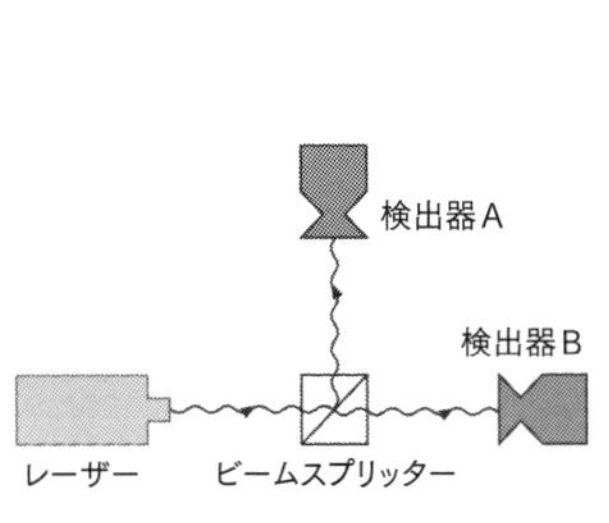

光は粒子である。

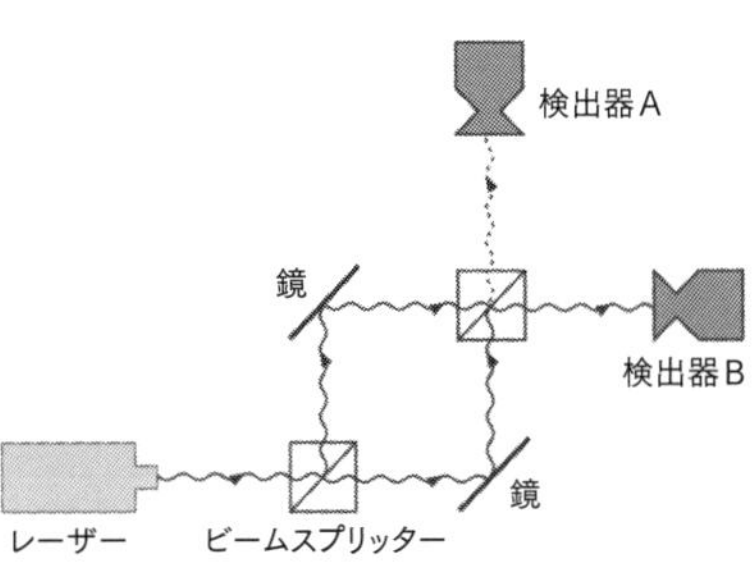

光は波である。

番目のビームスプリッターに送られる。ここでは、検出器Aに行く可能性は50％、検出器Bに行く可能性は50％となる。しかし、このようなことは観測されない。実際には、検出器Bが常に光子を検出し、検出器Aでは検出されないのだ。この挙動は、光子が波ならば、完全につじつまが合う。具体的に見ていくと、1番目のビームスプリッターで、1個の光子は二つの小さな波に分割される。それぞれの光は、2番目のビームスプリッターに当たり、再び分割される。あとで詳細な計算を示すが、それによれば検出器Aに向かう二つの波は、逆位相の関係（一方には波の山があり、もう一方には波の谷がある）にあり、互いに打ち消し合う。検出器Bに向かう二つの波は同位相の関係（二つの波の山は一致する）にあり、再結合して単一の波、すなわち1個の光子になる。

したがって、実験1は光子が波でなく粒子であることを証明し、実験2は光子が粒子でなく波であることを証明しているように見える。物理学者が困惑した理由がわかるだろう。だが驚くべきことに、彼らはこれらすべてが適合する合理的な方法を見つけた。以下が大まかな数学的説明だ（物理現象を正確に説明するものではないことに注意してほしい）。波動関数は、複素数を用いて表される。複素数は$a+ib$という形で表され、aとbは通常の実数で、iは虚数単位（−1の平方根）である。[4] 重要な点として、量子の波が鏡またはビームスプリッターで反射すると、その波動関数はi倍されることを覚えておいてほしい（これは自明ではないが、ビームスプリッターが無損失だという仮定から得られる。無損失とは、すべての光子が通過するか反射され、損失することがないということだ）。[5]

波には、波がどれほど「高い」かを表す振幅と、どこに波の山があるかを表す位相がある。山を少し移動すると、位相には「ずれ」が生じるが、このずれは波の周期に対する移動の割合として表される。位相が1/2ずれている波同士は互いに打ち消し合う一方、同じ位相の波同士は互いを強め合う。波動関数にiを掛けることは、波で言えば、位相が1/4ずれることと同じである（iを4回掛けると $i^4=(-1)^2=1$ で位相が元に戻るから、iを1回掛けたときに生じる位相のずれは1/4だ）。波が伝わり、反射されずにビームスプリッターを通過するとき、位相は変化しない。したがって、位相のずれは0だ。

続けて透過あるいは反射が起こると、そのたびに位相のずれは加算される。ビームスプリッターでは、波は半分ずつに分かれて、それぞれの方向に進む。反射された波では位相が1/4ずれるが、透過した波の位相は変わらない。左下の図は実験装置を通る経路を示しており、分割された波は灰色の線で、位相のずれの大きさは数字で示されている。経路に沿って反射されるたび、位相のずれの総量に1/4が加算される。経路を追跡して、反射の数を数えれば、検出器Aが分割された二つの波（位相が1/4ずれた波と、3/4ずれた波）を受信することが確認できる。この二つの波同士の位相のずれは1/2で、互いに打ち消し合うため、何も観測されない。検出器Bも分割された二つの波を受信するが、どちらの波も位相が1/2ずれている。二つの波同士の位相のずれは0になるので、両者は組み合わさっ

（左）二つの波の振幅とそれらの間にある位相のずれ。
（右）½の位相のずれ。一つの波の山は、もう一つの波の谷の位置にくる。二つの波を重ね合わせると、互いに打ち消し合う。

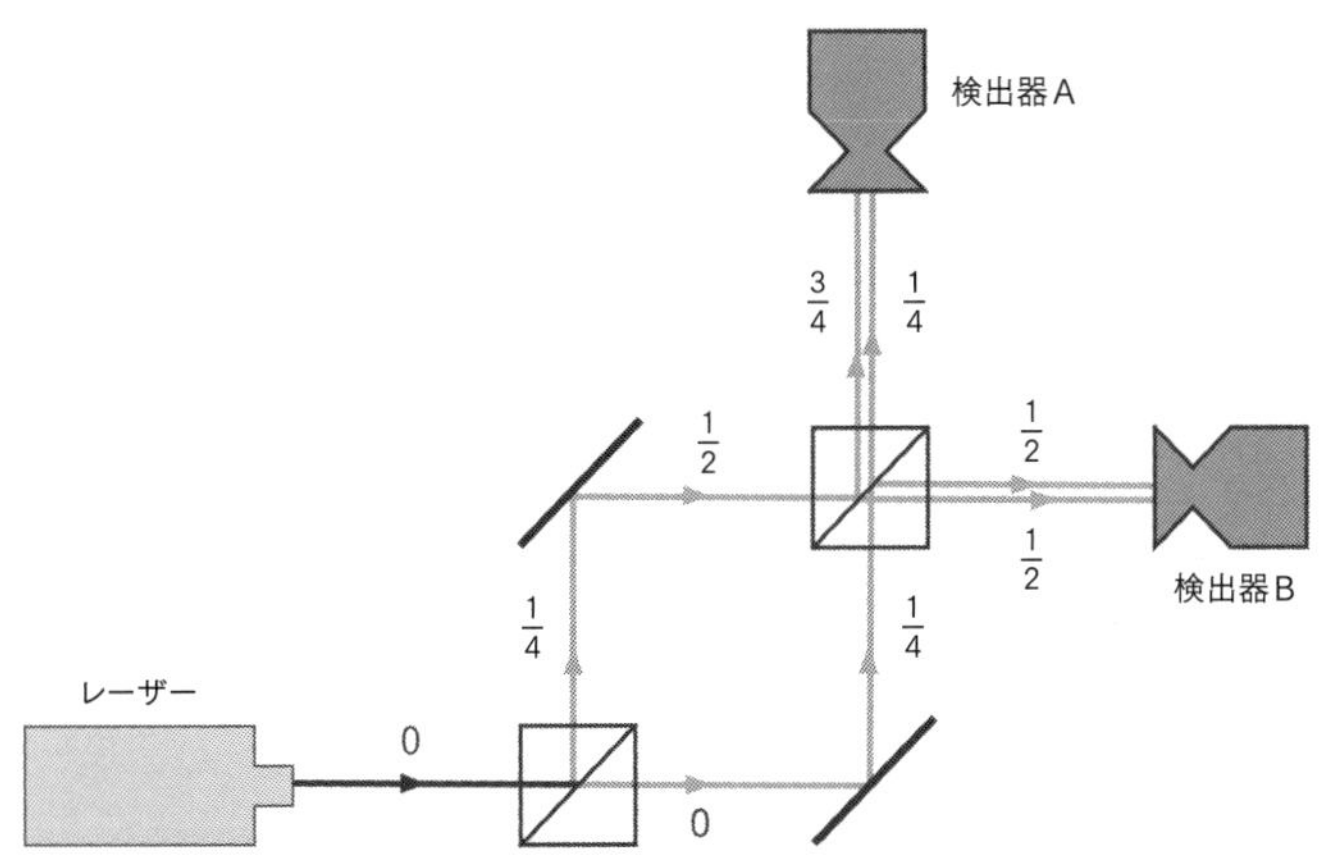

実験装置を通る経路。灰色の線は分割された波、数字は位相のずれを示す。

て単一の波となり、検出器Bは1個の光子を観測する。

手品のようだ！

すべての計算は、ペンローズの論文に記載されている。同様の計算方法が数え切れないほどの実験に応用され、計算結果が実験結果と一致することがわかっている。これは数学の素晴らしい成功だ。物理学者が量子論を人間の創造力の勝利と考えるのも当然のことだ。そしてまた、彼らが「非常に小さいスケールでは、自然はニュートンとその後継者の築いた古典力学とは似ても似つかない振る舞いをすることを、量子力学が証明した」と考えているのも、驚くには当たらない。

シュレーディンガー方程式と波動関数

どうすれば粒子でありながら波にもなることができるのだろう？

適切な種類の波は粒子のように振る舞うことができる、というのが量子論の通常の答えだ。確かに、単一の波は、少しぼやけた粒子のように見える。単一の波の山は形状を変えずに伝播するが、これはまさに粒子の動きだ。量子論の先駆者であるルイ・ド・ブロイとエルヴィン・シュレーディンガーは、小さな領域に集まって、上下に揺れながらひと塊で伝播する波の小さな束を波束と呼び、これを粒子と捉えた。１９２５年にシュレーディンガーは、量子の波の挙動を表す一般式を考え出し、翌年に論文を発表した。彼にちなんで命名されたこの方程式は、素粒子だけでなく、あらゆる量子系に適用できる。系の動作を調べるには、シュレーディンガー方程式を適切な形式に書き下し、式を解いてその系の波動関数を得ればよい。

数学用語で言うなら、シュレーディンガー方程式は線形である。つまり、方程式の解に定数を掛けたり、二つの解を足し合わせたりすると、それらの結果も元の方程式の解になる。このような性質は**重ね合わせ**と呼ばれる。古典物理でも同様のことが起こる。古典系では、二つの粒子が同時に同じ場所に存在することはできないが、二つの波は問題なく共存できる。最も単純な形式の波動方程式では、解を重ね合わせても元の方程式の解になる。これまでも見てきたように、重ね合わせの効果の一つは、干渉縞の生成だ。シュレーディンガー方程式がこのような線形の性質を持つことは、方程式の解を波と捉えるのが最も適切だということを意味する。このため、系の量子状態を表す用語には、「波動関数」という名前が用いられる。

量子の事象は非常に小さな空間スケールで起こり、直接観測することはできない。代わりに、私たちが観測できる量子効果から、量子の世界を推測するしかない。もしも波動関数（たとえば電子の波動関数）全体を観測することができたら、量子力学の多くの謎はなくなるだろう。しかし、これは不可能なようだ。波動関数には観測可能な側面もあるが、すべてがそうではない。事実、ある側面を観測してしまうと、その他の側面は観測できなくなるか、大きく変動してしまい、2番目の観測結果を最初の観測結果と有機的に関連づけることができなくなる。

波動関数のこうした観測可能な側面は、固有状態と呼ばれる。固有状態は、系の「特徴的な状態」を指し、数学的に厳密に定義されている。また、複数の固有状態を足し合わせることによって、任意の波動関数を作ることができる。同様のことがフーリエの熱方程式でも起こるが、視覚的に示すには、それと密接に関係する波動方程式（バイオリンの弦の振動を記述したもの）を使う方がわかりやすい。固有状態と類似しているのが、317ページの上の図のような正弦関数である。正弦関数を適切に足し合わせることによって、任意の形状の波を作ることができる。基本となる正弦波は、バイオリンの弦が生み出す基音（基本波）に相当し、より間隔の狭まった正弦波は倍音（高調波）を表す。古典力学では、弦全体の形状を測定できる。しかし量子系の状態を観測したい場合は、最初にある固有状態を選び、次に波動関数におけるその固有状態の成分だけを測定しなければならない。そのあとで別の固有状態を測定することもできるが、最初の観測によって波動関数は乱されるため、最初の固有状態はそのときまでに変化してしまっている可能性が高い。量子状態は（通常は）固有状態の重ね合わせになっているが、量子測定の結果として得られるのは、純粋な固有状態でなければならない。

　たとえば、電子は「スピン」と呼ばれる特性を持っている。当初、古典力学的な「自転」の回転運動にたとえてこう名づけられたが、内包している意味を損なうことなく、まったく別の名前をつけることもできただろう（それゆえ、これ以降は量子の特性に「チャーム」や「ボトム」といった名前がつけられるようになった）。電子のスピンは、古典力学のスピンと同じ数学的特性を一つ持つ。すなわち、スピンには軸があるということだ。地球は軸を中心に回転して、私たちに昼夜を与え、この回転軸は地球の公転軌道に対して23・4度の角度で傾いている。電子にも軸が存在するが、この軸は数学的に構成されたもので、いつでもどの方向にも向くことができる。一方、スピンの大きさは常に同じで、$\frac{1}{2}$である。これが「量子数」だ（量子数とは、量子状態を区別するための数である。どのような量子でも整数か半整数の値をとり、同じ種類の量子では常に同じ値になる[6]）。重ね合わせの原理によると、電子は同時に多くの異なる軸を中心にスピンできることになる。だが、それは測定するまでの話だ。軸を選び、それを中心に回転するスピンを測定すると、$+\frac{1}{2}$か$-\frac{1}{2}$のどちらかが得られる（各軸の指す方向は二つあるからだ[7]）。

　これは変だ。理論によると、電子はほぼ常に重ね合わせの状態にあるのだが、観測すると、そうではない。学問分野によっては、これは大変な不一致とみなされることだろう。だが、量子論では、これを受け入れなければどうしようもない。そして受け入れると、素晴らしい結果が得られるため、理論を拒絶するのが馬鹿げたことに思えてくる。その代わり、量子系を測定するという行為そのものが、測定対象の特性を何らかの形で破壊するという考えを受け入れることになる。

そのような問題に取り組んだ物理学者の一人が、ニールス・ボーアだ。ボーアは、1921年にコペンハーゲンに彼が創設した理論物理学研究所（ニールス・ボーア研究所）で研究を行った。1920年代にこの研究所でボーアと仕事をしたヴェルナー・ハイゼンベルクは、1929年にシカゴで「量子論のコペンハーゲン精神」と題する講演を（ドイツ語で）行った。そこから、1950年代には、量子観測の「コペンハーゲン解釈」という言葉が生まれた。この解釈では、量子系を観測すると波動関数が崩壊し、ただ一つの固有状態に収縮すると考える。

シュレーディンガーの猫

シュレーディンガーは、波動関数が崩壊することにあまり納得していなかった。波動関数を物理的実在だと考えていたからである。彼はコペンハーゲン解釈に反論するために、猫を主役にした有名な思考実験を思いついた。これには、量子の不確定性のもう一つの例である「放射性崩壊」が関わっている。原子内の電子は、特定のエネルギー準位をとる。電子がエネルギー準位を変えると、原子はさまざまな粒子の形でエネルギーを放出したり吸収したりする。そのような粒子の一つが光子だ。放射性原子では、このようなエネルギー準位の移動が激しく起こり、原子核から粒子が放出され、原子は別の元素に変わる。この現象は放射性崩壊と呼ばれる。核兵器や原子力発電所が機能するのは、放射性崩壊が起こるためだ。

放射性崩壊はランダムなプロセスなので、単一の放射性原子の量子状態は、そのとき観測されていなければ、「崩壊していない」状態と「崩壊した」状態の重ね合わせになる。古典力学に従う系はこのような振る舞いをせず、状態を明確に観測することができる。私たちの暮らす世界は、人間のスケールでは（ほとんど）古典力学に支配されているのだが、十分に微小なスケールでは、もっぱら量子力学に支配されている。どうすればこのようなことが起こるのだろう？　シュレーディンガーの思考実験では、量子論的な世界と古典力学的な世界とが対峙している。具体的には、まず箱の中に、放射性原子（量子論的な仕掛け）と猫、毒ガスの入ったフラスコ、粒子検出器、ハンマー（古典論的な仕掛け）を入れる。原子が崩壊すると、検出器がハンマーを作動させてフラスコを破壊し、悲しい結末を迎える。

箱がいかなる観測方法に対しても不透過性を持つ〔箱の内部が観測できない〕場合、原子は「崩壊していない」状態と「崩壊している」状態の重ね合わせになる。そうすると、猫も重ね合わせの状態になるはずだとシュレーディンガーは述べた。つまり、適切な比率で「生きている」状態と「死んでいる」状態が重なり合っているというのである。[8]箱を開けて内部を観測したときに初めて、原子の波動関数は崩壊し、したがって猫の波動関数も崩壊する。今や猫は死んでいるか生きているかのどちらかで、それは原子がどうなったかで決まる。同様に、開けて初めて原子が崩壊したかしなかったかがわかる。

この思考実験の全容についてここで細かく論じるつもりはないが、[9]シュレーディンガーは、半分生きていて半分死んでいる猫というのは意味をなさないと考えた。そして、彼がゆゆしき問題だと考えたのは、波動関数がどのように崩壊するのかを誰も説明できないことであり、大規模な量子系（たとえば猫は素粒子の巨大な集合とみなせる）が、なぜ古典力学に従っているように見えるのかわからないことだった。そこで、物理学者は重ね合わせが起こることを証明するために、もっと大きな量子系を用いて数々の実験を行ってきた。まだ猫まではいかないが、電子から微小なダイヤモンドの結晶に至るまで、あらゆるものを用いた。サイモン・グレブラッハーは、緩歩動物（「クマムシ」とも呼ばれる、きわめて強靭な微小な生物）を量子のトランポリン[10]に置いて、重ね合わせの実験を行おうとしている（真面目な話だ。この話題にはまたあとで触れる）。だが、これらの実験はシュレーディンガーの疑問に答えるものではない。

ここで中心となる哲学的な問題は、「観測とは何か？」だ。ここでの議論のためにシュレーディンガーのシナリオに従うとすると、箱の中の検出器が原子の崩壊を「観測」したとたんに、猫の波動関数は崩壊するのだろうか？ それとも波動関数が崩壊するのは、猫が毒ガスに気づいたときか？（猫は観測者になれる。私の飼っていた猫は、金魚を執拗に観測していた）。あるいは、人が箱を開けて中身を見るまで、波動関数は待つのだろうか？ これらの疑問について議論しても、箱が真の不透過性を備えているならば、答えを知る術はない。ビデオカメラを中に入れてはどうだろう？ ああ、でも私たちが箱を開けるまでは、何が録画されたのかはわからない。私たちが観測するまでは、「録画された生きている猫」と「録画された死んでいる猫」の重ね合わせだったのかもしれない。原子が崩壊した直後に、すでに猫の量子状態は崩壊していたかもしれない。二つの間のどこかの時点で、崩壊したのかもしれない。

「量子の観測とは何か？」という問題はまだ解決していない。数学では明快かつ整然とモデル化することができるが、それは実際の観測のプロセスとは似ても似つかない。なぜなら、実際の観測では、測定装置は量子系ではないと仮定するからだ。この問題をどう考えるべきかについては、大半の物理学者は無視しているが、激論を戦わせている者もいる。この問題については、16章で再び論じることにする。今のところ覚えておくべき重要な点は、重ね合わせの原理と、私たちが測定できるのは固有状態のみという事実、そして量子観測には未解決の性質があることだ。

量子の不確定性

こうした根本的な問題があったにもかかわらず、量子力学は実にうまくいった。才気溢れる数人の先駆者は、量子力学を使ってそれまでは不可解だった数々の実験を説明し、また量子力学に刺激されて数多くの新しい実験が行われた。アルベルト・アインシュタインは量子論を用いて、適切な金属に光を照射すると電気が生じる「光電効果」を説明した。この研究によって、アインシュタインはノーベル賞を受賞した。だが皮肉なことに、彼は量子論に完全には満足していなかった。彼の頭を悩ませていたのは、不確定性だった。彼の心の中が不確かだったという意味ではなく、量子論の主張する不確定性が気掛かりだったのだ。

（古典論でも量子論でも）力学量は、関連する他の力学量と対をなすようにできている。たとえば、位置は運動量（質量と速度を掛けた量）に関連づけられているし、速度は位置の変化率である。古典力学では、これらの量を同時に測定することができるし、原則として、好きなだけ正確にそれらの値を測ることができる。測定の際には、あまり粒子を乱さないように注意するだけでいい。しかし、1927年にハイゼンベルクは、量子力学はそのようなものではないと主張した。量子力学では、粒子の位置を正確に測定すればするほど、その速度は正確には決まらなくなる。逆もまた然りだ。

ハイゼンベルクは「観測者効果」の観点から、「観測する行為が、観測している対象を乱す」という非公式の説明を与えた。この説明は、ハイゼンベルクが正しいことを人々に納得させるのに役立ったが、実際にはあまりにも単純化されていた。観測者効果は古典力学でも生じる。動いているサッカーボールの位置を観測するには、ボールに光を照射すればよい。そうすると、衝突した光が反射して、ボールはごくわずかに減速する。そのあとでボールの速度（たとえば、ボールが1メートル移動するのにかかる時間）を測ると、速度は光が照射される直前よりも、ほんのわずかに遅くなっている。したがって、ボールの位置を測定することが、速度の測定値を変えてしまうことになるのだ。古典物理学では、注意深く測定すればこの変化は無視することが可能である、とハイゼンベルクは指摘した。しかし量子の領域では、測定はボールに強烈なキックを加えるようなものだ。このとき、蹴った足の位置でボールがどこにあったかはわかるが、ボールがどこに行ったかはわからない。

これはなかなかいいたとえだが、厳密には間違っている。量子測定の精度に関する「ハイゼンベルクの限界」は、もっと根が深い。この効果は、実際にはあらゆる波動現象で起こり、非常に小さなスケールでは物質は波動性を示すことについてのさらなる証拠となっている。そして、量子論の世界では「ハイゼンベルクの不確定性原理」として公式化されている。その数学的な定式は、1927年にヘッセ・ケナード、その1年後にヘルマン・ワイルによって導出された。不確定性原理によると、位置の不確定性と運動量の不確定性の積は $h/4\pi$ 以上である（hはプランク定数）。式で表すと次のようになる。

$$\sigma_x \sigma_p \geqq \frac{h}{4\pi}$$

ただし、σ_xは位置の標準偏差、σ_pは運動量の標準偏差を表す。

この定式は、量子力学には固有の大きさを持つ不確定性が存在していることを示している。科学では、理論が提案されると、実験で理論を検証する。実験では、理論で予測された量を測定し、それらが正しいかどうかを確認する。しかし、不確定性原理によると、ある組み合わせの量は測定が不可能となる。これは現在の測定装置から来る限界ではなく、自然から来る限界だ。したがって、量子論のいくつかの側面は実験で検証することができない。

さらに奇妙なことに、ハイゼンベルクの原理が適用される変数の組み合わせと、適用されない変数の組み合わせがある。ここからわかるのは、位置と運動量など、「共役」あるいは「相補的」な変数の組み合わせは、切り離せない関係にあるということだ。このような変数同士は数学的なつながりがあるせいで、一つの変数を非常に正確に測定すると、もう一方の変数を正確に測定することができなくなる。ただし、量子の世界でも、二つの異なる変数を同時に測定できる場合もある。

観測者効果と不確定性原理

現在では、ハイゼンベルクの説明に反して、不確定性原理で表される不確定性は観測者効果によって生じるわけではないことが判明している。2012年に長谷川祐司らは、中性子群のスピンを測定し、観測行為はハイゼンベルクの示した量の不確定性を生み出さないことを発見した[11]。同じ年に、エフレイム・スタインバーグの率いる研究チームは、光子群に対して非常に精巧な測定を行い、個々の光子の不確定性が、不確定性原理が規定する量よりも小さくなることを示した[12]。ただしそれでも、ハイゼンベルクの不等式は正しいままである。というのも、光子群を合わせた状態に関する不確定性を考えると、ハイゼンベルクの限界を依然として超えているからだ。

この実験では、位置と運動量ではなく、「偏光」と呼ばれるより繊細な特性が測定された。偏光とは光子の波が振動する方向のことで、上下、左右、その他の方向をとることができる。互いに直交する偏光は共役な変数なので、不確定性原理によれば、それらを同時に任意の高い精度で測定することはできない。実験で一つの平面に対して光子の偏光の弱測定を行ったところ、光子はあまり乱されなかった（たとえるなら、羽毛でサッカーボールをくすぐる程度）。測定結果はそれほど正確ではなかったが、これで偏光の方向をある程度推定できた。次に、2番目の平面に対しても同様の方法で、同一の光子の偏光を測定した。最後に彼らは、強い測定（たとえるなら、強烈なキック）を用いて、元々の偏光の方向を測定し、非常に正確な結果を得た。これにより、二つの弱測定がどれだけ互いを乱したかがわかった。最後の測定は光子を大きく乱したが、最初の測定結果には影響しない。

このような観測を何度も繰り返した結果、一つの偏光の測定は、ハイゼンベルクの原理が主張するほどには光子を乱さないことがわかった。実際の擾乱は、不確定性原理が示す限界の半分程度だった。ただし、両方（二つの平面）の偏光状態を十分正確に測定することはできないため、これは不確定性原理を否定するものではない。しかしこの実験は、不確定性を生み出すのは必ずしも測定する行為ではないことを示している。不確定性はすでに存在しているのだ。

EPRのパラドックスと不気味な遠隔作用

コペンハーゲン解釈はさておき、波動関数の重ね合わせが正しいと思われたのは、1935年までのことだった。この年に、アインシュタイン、ボリス・ポドルスキー、ネイサン・ローゼンの3人が有名な論文を発表したからである。現在それは、3人の頭文字をとって「EPRのパラドックス」と呼ばれている。それによると、コペンハーゲン解釈が正しければ、二つの粒子からなる系では、二つがどれだけ遠く離れていても、一方を測定すると他方に瞬間的な影響が及ぶはずである。そうでなければ不確定性原理は破れる、と彼らは主張した。だが、そうした瞬間的な影響は「いかなる信号も光より速く伝播することはない」とする相対性理論と矛盾するので、アインシュタインはそれを「不気味な遠隔作用」と呼んだ。彼は当初、EPRのパラドックスによってコペンハーゲン解釈が誤りであることが証明されたので、量子力学は不完全であると考えていた。

現代の量子物理学者の見解は大きく異なっている。EPRのパラドックスが指摘した作用は本当に存在する、という見方をしているのだ。この現象は、二つ（あるいはそれ以上）の粒子（あるいはその他の量子系）が「もつれた」、という非常に限定された状況で生じる。粒子がもつれると、個々の構成要素は観測不能となり、系全体の状態しか観測できなくなる。この意味で、粒子は独自性を失う。数学的には、組み合わされた系の量子状態は、構成要素の量子状態の「テンソル積」で与えられる（これについては、すぐに説明する）。対応する波動関数はこれまで通り、系の任意の状態が観測される確率を表す。しかし、この系の量子状態は、個々の構成要素の観測結果に分割することはできない。

テンソル積は、大雑把に言うと、次のようなものである。二人の人が帽子とコートを一つずつ持っているとしよう。帽子は赤か青のどちらかで、コートは緑か黄色のどちらかである。各人がそれぞれどちらかの色を選ぶため、服装の「状態」は（赤い帽子，緑のコート）や、（青い帽子，黄色のコート）などの組になる。量子の世界では、帽子の状態を重ね合わせることができるので、「$\frac{1}{3}$の赤い帽子＋$\frac{2}{3}$の青い帽子」といってもつじつまが合うし、コートについても同様の重ね合わせが考えられる。テンソル積は、このような重ね合わせを、（帽子，コート）の組に拡張する。数学規則によると、コートの色をたとえば緑に固定した場合、帽子のとりうる二つの状態の重ね合わせにより、系全体は次のように分解される。

$$\left(\frac{1}{3}\text{赤い帽子}+\frac{2}{3}\text{青い帽子}，\text{緑のコート}\right)$$
$$=\frac{1}{3}(\text{赤い帽子}，\text{緑のコート})+\frac{2}{3}(\text{青い帽子}，\text{緑のコート})$$

帽子の色を固定した場合にも、コートのとりうる二つの状態の重ね合わせに対して同じことができる。これらの状態は、実質的には帽子とコートの状態の間に有意な相互作用が起こっていないことを示している。しかし、次のような「もつれた」状態では、帽子とコートの間に相互作用が発生する。

$$\frac{1}{3}(\text{赤い帽子}，\text{緑のコート})+\frac{2}{3}(\text{青い帽子}，\text{黄色のコート})$$

二つの重ね合わせで帽子の色とコートの色の組み合わせが違うことに注意してほしい。この場合、量子力学の規則が予測するところでは、帽子の色を測定すると、帽子の状態だけでなく、帽子とコートを合わせた系全体の状態も崩壊する。これはすなわち、コートの状態が制約されていることを意味する。

二人の服装を例に説明したが、二つの粒子についても同じことが言える。一つの粒子が帽子、もう一つの粒子がコートに対応し、色はスピンや偏光などの変数に置き換えられる。二つの粒子の間に相互作用が存在するということは、測定された粒子は、何らかの方法でその状態をもう一方の粒子に伝達し、もう一方の粒子の測定に影響を与えることになる。ただしこの効果は、粒子が互いにどれだけ離れていても起こる。相対性理論によると、信号は光より速く伝播することはできない。それなのに、信号が光速の1万倍の速さで伝わったと考えなければ、この効果を説明できないという実験が存在するのだ。このような理由から、量子もつれの観測への影響は、「量子テレポーテーション」と呼ばれることもある。これは、量子の世界が古典物理学の世界とどれだけ異なるかを示す際立った特徴（もしかしたら、量子論にしかない特徴）だと言えるだろう。

隠れた変数理論

離れた場所の間で起こる不気味な遠隔作用に頭を悩ませたアインシュタインの話に戻ろう。彼は当初、もつれた状態の謎を解くために、「隠れた変数理論」と呼ばれる考え方を使うのを好んだ。これは、背後に決定論が隠れているという理論である。4章で扱ったコイン投げについて考えてみよう。表か裏のどちらかがランダムに現れるという状態は、コインの位置やスピンの回転速度といった変数を組み込んだ、詳細なコインの力学モデルを用いれば説明できる。これらの変数は、表が出るか裏が出るかを決める二値の変数とは、直接には関係していない。二値変数の値が決まるのは、私たちがテーブル、手、あるいは地面でコインの軌道を遮って、コインの状態を「観測」するときだ。コインは何の脈絡もなく、表と裏の間を揺らめいているわけではない。それとはまったく性質の異なることをしているのだ。

量子系のすべての粒子には隠れた変数が存在し、コイン投げと同様に、これらの変数が観測結果を決めると仮定しよう。さらに、二つの粒子が初期にもつれた状態にあるとき、それぞれの隠れた変数の挙動は同期していると仮定しよう。それ以降はどの瞬間でも、両方の隠れた変数の状態は同じになる。二つが分離されていても同様だ。測定の結果がランダムではなく、粒子の内部状態によって決まるならば、両方の粒子に対して同時に行われた測定結果は一致するはずだ。したがって、二つの粒子の間で信号をやりとりする必要はない。

たとえるならば、二人のスパイが待ち合わせをして、時計を同期させてから別れるようなものだ。その後、一方のスパイが時計を見たときに午後6時34分だったなら、その瞬間にもう一人のスパイの時計も午後6時34分のはずだと予測できる。二人は事前に決めておいた同じ時刻に、信号をやりとりしなくても同時に行動を起こすことができる。量子系の粒子においても、隠れた変数は同じように機能する。いわば時計のような働きをするわけだ。もちろん、同期は非常に正確でなければならない。さもなくば、二つの粒子は足並みを乱してしまう。ただし実のところ、量子状態は非常に正確だ。たとえば、すべての電子の質量は、小数点以下の多数の桁まで一致する。

これは素晴らしいアイデアだ。実験で、もつれた粒子が生成される様相に非常に近い[13]。これが示しているのは、決定論に基づく隠れた変数理論が「不気味な遠隔作用」なしで量子もつれを説明できるということだ。それだけではなく、「そうした理論は存在するはずだ」ということを立証できそうなのである。しかし、次の章で説明するように、物理学者は「隠れた変数理論は不可能である」と判断し、この考えは棚上げされてしまった。

16 サイコロは神を演じるか？

カオスはコスモスに先行した。そして私たちが陥ったのは、形も虚空もないカオスだった。

ジョン・リヴィングストン・ローズ『ザナドゥへの道』

物理学者は、物質が微小なスケールでは、独自の意志を持つことを認めるに至った。粒子から波へ、ある放射性元素からまったく別の元素へと変化することを、物質は自発的に決定できる。外からの働きかけは必要ない。ただ変わるだけだ。規則もない。これは、アインシュタインが呟いた「神はサイコロを振らない」〔観測された瞬間に結果が確率的に決まるという量子力学の考えを批判した言葉〕という問題とは少し違う。むしろ、それよりも悪かった。サイコロはランダムネス（偶然性）の象徴かもしれないが、4章で見たように、サイコロは実際には決定論的なのだ。このことを念頭に置くと、アインシュタインが本当に言いたかったのは、神は確かにサイコロを振るが、それがどんなふうに落下するかを決めるのは、サイコロの隠れた変数だったということに違いない。これに対する量子論の見解は、「神はサイコロを振らないが、あたかも振ったかのような結果を得ている」というものだ。より正確に言うと、サイコロは自分自身を投げ、その結果生じるのが宇宙だと量子論は考える。基本的に、量子のサイコロは神の役割を演じている。しかしそれは、真のランダムネスを具現化する象徴としてのサイコロなのか？　それとも、宇宙の至るところをカオス的に跳ね返っている、決定論的なサイコロなのか？

古代ギリシャの創造神話において「カオス」とは、コスモス（宇宙）が創造される以前に存在した、形のない原始状態のことだった。それは天と地が引き離されたときに生じた空隙であり、大地の下にあいた何もない空間であり、ヘシオドスの『神統記』においては原初の神だった。カオスはコスモスに先んじた。しかし、現代物理学の発展においては、コスモスがカオスに先んじた。具体的に言うと、決定論的カオスの可能性が正しく理解される半世紀前に、量子論はすでに発明され、発展していたのだ。したがって、そもそもの初めから量子の不確定性は純粋にランダムであり、宇宙の構造に組み込まれていると仮定されていた。

量子の不確定性は本質的にランダムであり、それを説明する深層構造は何もないし、そんな構造は必要ない。こうしたパラダイムが、カオス理論が広く知られる以前にすっかり定着してしまったので、それに対して疑問を投げかけることさえタブーになっていた。しかし、物理学者が量子について考え始める前に、数学者がカオス理論を考え出していたら——それも、ポアンカレが掘り出してきた奇妙な例としてではなく、高度に発達した数学の一分野としてカオス理論を考え出していたならば、すべてが変わっていたかもしれない。私はそう考えずにはいられないのだ。

問題は、量子のランダムネスがどこに起因するかだ。正統派の見方では、それは何にも起因せず、ただ存在するのだと考える。もしそうならば、なぜ量子的な事象はあれほど規則正しい統計性を示すのか、というのが問題になる。すべての放射性同位元素には正確な「半減期」がある（半減期とは、大規模標本の原子の半数が崩壊するのにかかる時間のこと）。放射性元素は、どんな長さの半減期になるべきかをどのようにして知るのだろう？　何が崩壊するタイミングを教えてくれるのだろう？それをすべて「偶然」で片付けるのは結構なことだが、一般に偶然とは「事象を生み出すメカニズムについて無知であること」か「そうしたメカニズムに関する知識に基づいて数学的に推論した結果」を表す。これに対して量子力学では、偶然がメカニズムそのものなのだ。

そうでなければならないと主張する数学の定理さえある。それがベルの定理だ。この業績によって、ジョン・ベルはノーベル物理学賞をとっていたかもしれない。彼は１９９０年にノーベル賞に推薦されていたというのが大方の見方だが、推薦されたかどうかは機密にされており、受賞者の発表前にベルは脳卒中で亡くなった。しかし、この定理も深く掘り下げてみると、万人が言うほど明解でないことがわかる（物理学原理主義者たちの言うことは、たいていそうなのだが）。ベルの不等式は、量子力学から隠れた変数理論をすべて排除したと言われているが、これは言いすぎだ。実際には、一部の隠れた変数理論は排除されるが、すべてが除かれるわけではない。定理の証明には一連の数学的な仮定が関与するのだが、そのすべてが明示されているわけではない。最近の研究では、あるタイプのカオス的挙動を用いることで、量子の不確定性の背後には決定論的なメカニズムが存在する可能性が示唆されている。現時点では、単なる手掛かりにすぎず、最終的な理論ではない。だが、ここからうかがえるのは、量子論以前にカオスが発見されていれば、決定論的な見方が正統派になっていたかもしれない、ということだ。

量子理論の問題

初期の頃ですら、数人の物理学者は、量子の不確定性という正統派の見方に異議を唱えていた。近年では、異端的な新しいアイデアが登場し、「開けない方がいいドアもある」という優勢な見方に取って代わる可能性を示している。世界屈指の物理学者であるロジャー・ペンローズは、量子の不確定性に対する現在の考え方を良しとしない数少ない研究者の一人だ。２０１１年に彼は次のように書いている。「量子力学では、深い謎の残る解釈だけでなく、……重大な内的不一致も受け入れなければならない。それゆえに、量子理論には何か深刻な問題があると考える人もいるだろう[1]」

正統派の量子論に代わるものを提案しようとする試みは、概して物理学界の大半から、根深い疑惑の目を向けられる。これは理解できる反応だ。基礎物理学は、何世代にもわたって変人奇人から攻撃されてきたからだ。ときおり哲学者も口撃を仕掛け、量子の謎について言葉だけで説明しろと求める一方、物理学者がすべてを誤解していると厳しい非難を浴びせてきた。こうしたすべての問題を回避できる簡単な方法があり、その誘惑には抗いがたい。その方法とは、「量子力学は奇妙だ」と割り切ることだ。物理学者でさえそう言う。彼らは量子力学の奇妙さが大好きなのだ。そしてもちろん、そのような物理学者に異議を唱えるのは、世界がそれほどに奇妙であることを受け入れるだけの想像力のない、根っからの古典力学の研究者だ。その結果、「馬鹿げた質問をするのをやめて、計算を続けよ」というのが、量子論派を支配する態度になった。

ただし、それに反対する勢力は常に存在していた。世界屈指の優秀で明晰な物理学者を含めた一部の人々は、とにかく馬鹿げた質問をし続けた。彼らには想像力が欠けていたのではなく、想像力が過剰にあったのだ。量子力学の世界が、正統派の描像よりもさらに奇妙なものなのかどうか、彼らは思案しているのだ。これまでにも馬鹿げた質問に関して深遠な発見がなされ、物理学の根幹を揺るがせてきた。それについての本が書かれ、論文が出版されてきた。量子は実際には深部でどのようになっているかを探る前途有望な試みも現れてきた。なかには非常に有効な試みもあり、量子論について現在知られているほとんどすべての知見に合致し、さらに新しい説明を加えている。この大成功は、正統派に対抗する武器として使われてきた。とはいえ、従来の実験では、こうした新しい理論と既存の理論を区別することができないので、新しい理論は無意味で、既存の理論を続けるべきだという議論に行き着いてしまう。だが、このような異様に非対称的な議論には反論の余地がある。同じ理屈でいけば、古い理論は無意味で、新しい理論に切り替えるべきだと言うこともできるからだ。このような主張をすると、正統派はそのベイズ脳のスイッチを切って、昔ながらのやり方に戻ってしまう。

それにもかかわらず……量子の世界に関する従来の描像には、未解決の問題があまりにも多すぎる。つじつまの合わないように思われる現象、矛盾する仮定、説明になっていない説明。そのすべての背後には、実に厄介なので大慌てで隠した「不都合な真実」がある。「黙って計算せよ」派は、このこともあまりわかっていない。実のところ、「黙って計算せよ」派の量子物理学者は、ただ計算だけをしているわけではない。複雑な計算をする前に、彼らは実世界をモデル化するために量子力学の方程式を作り出すが、方程式を選ぶ作業は、規則に基づいた単なる計算の域を超えている。たとえば、彼らはビームスプリッターを、方程式の外部因子で、イエスかノーかを示す明瞭な数学的実体としてモデル化する。ビームスプリッターは光子を透過させるか、あるいは反射させる。どちらの場合も、その後のビームスプリッターの状態は、奇跡的に変わらないままだ（反射された波の位相が1/4周期ずれることを別にすれば）。だが、ここまで明快な実体など存在しない。量子レベルで見た実際のビームスプリッターは、非常に複雑な素粒子の系である。通過する光子は、この系全体と相互作用する。この作用は、イエスかノーで答えられるような明瞭なものではない。しかし驚くべきことに、このような明瞭なモデルで考えると、万事うまくいくように見える。なぜうまくいくのか、本当に理解している人は一人もいないと思う。ビームスプリッターに含まれる粒子の数はあまりにも多いので、その動作を量子計算するのは不可能だ。黙って計算するしかない。

ほとんどの量子力学の方程式は、この種の仮定を必要とし、明快に定義された対象（曖昧な量子の世界には存在しないもの）を数式に取り込んでいる。式の内容ばかりが強調され、いわば文脈が無視されているが、本来ならば「境界条件」を指定した上で方程式を設定し、解くべきなのだ。量子物理学者はさまざまな数学のトリックを使う方法を知っている。彼らは優秀で、驚くほど複雑な計算を行い、小数点以下9桁まで正確な答えを導く。しかし、なぜそれがうまくいくのか、と疑問に思う人はほとんどいない。

波動関数とは何か？

波動関数は物理的実在なのか？　あるいは、波動関数という総体を観測できない私たちにとって、それは単なる数学的な抽象概念でしかないのか？　波動関数は実際に存在するのか、それとも都合のよい創作物（フィクション）で、ケトレーの「平均人」の物理学版なのか？　だが、平均人は存在しない。彼のいる部屋を見つけて、ドアをノックして、彼と向かい合うことはできない。それにもかかわらず、この架空の人物には、現実の人間に関する多くの情報が含まれている。波動関数はおそらくそのようなものだ。電子は実際には波動関数を持たないが、あたかも持っているかのように振る舞う。

古典的なアナロジーとして、コイン投げを考えてみよう。確率分布は、$P(\text{表}) = P(\text{裏}) = 1/2$だとする。この分布は、数学的な意味で存在する。つまり、この確率分布は明確に定義された数学的概念であり、コイン投げについて言えることのほぼすべてを説明できる。しかしこの分布は、物理的実体として存在しているのだろうか？　コインに分布の名前は刻まれていない。分布をいっぺんに測ることもできない。コインを投げるたびに、確定した結果は得られる。「表」、また「表」、今度は「裏」といった具合だ。コインはその確率分布が実在するかのように振る舞うが、その分布を測るには、コイン投げ「装置」を使って何度もコインを投げて、その結果を数えるしかない。そこから、分布を推論するしかないのだ。

もしもコインがテーブルの上に載っていて、何らかの手段でランダムに表になったり裏になったりするのだとしたら、すべてが謎めいてくるだろう。オッズを半々にする方法を、コインはどうして知っているのだろう？　何かがそれを教えているはずだ。つまり、確率分布がコインという実在に具現化されているのか、あるいは私たちにはわからないもっと深遠な何かがあって、確率分布はそこに奥深い真実があることを示す目印なのか、そのいずれかだ。

ただし、コインに関してはどんな動き方をするのかを、私たちは知っている。コインはただテーブルの上に載ったまま、表と裏の二つの状態を行き来し、私たちがそれを測定するわけではない。コインは空中で何度も回転するのだ。空中での状態は、表でも裏でもない。表の状態と裏の状態の半々の重ね合わせでもない。それとはまったく異なる。コインの状態を決めているのは、空間における位置と回転速度であって、テーブルの上で止まった「表」か「裏」の二択ではない。私たちは「測定装置」であるテーブル（あるいは人の手など、コインの降下を阻むものであれば何でもよい）とコインとを相互作用させることによって、表か裏のどちらが選ばれるかを「観測」する。そこには、テーブルにとっては見当もつかない、スピン（回転運動）の世界が背後に隠れている。その隠れた世界で、コインの運命は決まる。コインがテーブルにぶつかるときに表面が上向きになっていれば、ぶつかる角度に関係なく「表」が出る。そうでなければ「裏」が出る。空中での運動の詳細は、観測という行為によってすべて消し去られる。テーブルにぶつかる衝撃で、それまでの状態はリセットされるのだ。

量子の不確定性はこれに似てはいないだろうか？　これはもっともらしい考え方だ。このように考えて、アインシュタインは量子もつれを説明できると思ったのだ。回転している電子の内部には、ある種の動的な状態があるかもしれない。この状態が隠れた変数に対応し、直接は観測されることはないが、測定装置と相互作用する際に、電子のスピンに割り当てる値を決めるのではないか？　もしそうなら、電子はコインのようなものであり、電子の隠れた変数がその動的状態を規定していると考えればよい。ランダムに観測されるのは、テーブルにぶつかることによって「測定」された、最終的な静止状態にすぎない。同じアイデアを用いれば、どのようにして放射性元素がランダムに、ただし規則的な統計パターンを保ちながら崩壊するかを説明することができる。これに対応するカオス的な力学系を考案するのは簡単だろう。

古典力学では、そのような隠れた変数の存在を用いれば、隠れた力学規則とともに、どのようにコインが半々の確率で「表」と「裏」を出すのかを説明できる。それは、力学系の数学的な帰結、すなわち、「系が任意の状態に行き着く確率」である（この確率は不変測度に似ているが、技術的には異なる。「特定の観測結果に導く、状態空間の初期状態の分布」がここでの問題である）。コインが回転しているとき、私たちは数学的に先回りして、完全に決定論的な未来に駆け込み、テーブルにぶつかったコインが「表」と「裏」のどちらになるのかを計算できる。次に、そのようにして計算された「表」か「裏」の結果に基づいて、現在の状態をラベルづけする。「表」が出る確率を求めるためには、「表」のラベルがつけられた状態空間の割合を計算する。それだけだ。

力学系で起こるすべてのランダムネスは、実質的には、決定論的だがカオス的な力学系に関連する確率測度で説明することができる。では、量子系でもそうではないか？　だが、この疑問に対しては、隠れた変数理論を追求する研究者には残念な答えがある。

コペンハーゲン解釈と隠れた変数理論

コペンハーゲン解釈では、隠れた変数について推測することは無意味と考えられている。原子および素粒子のプロセスの「内部の動き」を観測する試みは、系を乱してしまい、観測には意味がないというのがその根拠だ。しかし、これは決定的な論拠にはならない。今日私たちは加速器を用いて、粒子の内部構造のいくつかの側面を、日常的に観測している。加速器は高価だが（ヒッグス粒子を発見した大型ハドロン衝突型加速器には、なんと80億ユーロもかかった）、隠れた変数の観測はありえない話ではない。18世紀に、オーギュスト・コントは星の化学組成を知ることは不可能だと主張したが、だからといって星に化学組成が存在し*ない*と言う者は誰もいなかった。その後、コントははっきりと（分光学的に）間違っていたことが判明した。化学組成は、私たちが星について観測*できる*主要な特徴の一つである。星から来る光のスペクトル線は、その内部の化学元素の情報を示しているのだ。

コペンハーゲン解釈は、論理実証主義の影響を強く受けた。論理実証主義は、20世紀初頭に普及した科学哲学の思想で、「測定できないものを、存在しているとみなすことはできない」と主張する。

動物行動学の研究者はこの見解を受け入れ、動物のあらゆる行動は、脳における何らかの機械的な「衝動」によって制御されていると考えるようになった。犬がボウルから水を飲むのは、喉が渇いているからではない。水分補給レベルが閾値を下回り、水を飲む衝動にスイッチが入ったからなのだ。動物行動学者が論理実証主義に傾倒したのは、「擬人観」(動物には人間と同じような感情や動機があるという考え方)に反発したからだった。しかしそれは過剰反応であり、知的な生物を、心を持たない機械に変えてしまった。現在の動物行動学では、もっと繊細な見方が受け入れられている。たとえば、ガリト・ショハット゠オフィールの行った実験では、オスのショウジョウバエが交尾中に喜びを経験することが示唆されている。「性的報酬システムは太古からあるメカニズムである」と彼は述べている。(2)

量子力学の創始者たちもおそらく過剰反応したのだろう。ここ数年の間に、量子系を調べる巧妙な方法がいくつも発見され、その内部の仕組みについて、ボーアの時代に想定されていたより多くのことが明らかになってきた。15章で紹介したエフレイム・スタインバーグの研究もその一例で、不確定性原理を破っている。今日では、波動関数が物理的な実在であることが受け入れられているようだ。詳細を観測することはきわめて困難で、不可能かもしれないが、波動関数は単に便利な創作物(フィクション)ではない。したがって、「1920年代にコペンハーゲンで有名な数名の物理学者がありえないと判断したから、隠れた変数理論を否定する」というのは、「コントが星の化学組成を知ることができないと言ったから、星に化学組成があることを否定する」のと同じくらい不合理だ。

しかしながら、大多数の物理学者が隠れた変数理論を「量子の不確定性」の説明として認めないのには、もっと正当な理由があるのだ。どのような理論であれ、量子の世界について現在知られているすべての事柄と整合しなければならない。ここでジョン・ベルの発見した素晴らしい不等式が登場する。

ベルの不等式

1964年にベルは、量子力学の隠れた変数理論に関する最も重要な業績の一つと考えられている論文『アインシュタイン＝ポドルスキー＝ローゼンのパラドックスについて』[3]を発表した。ベルがこの論文を書くきっかけとなったのは、ジョン・フォン・ノイマンが1932年の著書『量子力学の数学的基礎』で発表した先駆的な試みだった。そこでは、量子力学において隠れた変数理論は不可能であることが証明されていたのである。

数学者のグレーテ・ヘルマンは、1935年にこの証明の問題点を指摘したが、彼女の研究は何の影響も及ぼさなかった。そして、物理学界は何十年もの間、フォン・ノイマンの証明を疑うことなく受け入れていた。[4]アダム・ベッカーは、彼女の性別がその一因ではないかと考えている。[5]当時、女性が大学で教えることはほとんど禁じられていた。ヘルマンは、当時屈指の女性数学者だったゲッティンゲン大学のエミー・ネーターの博士課程学生だった。ネーターは1916年から大学で講義を始めたが、名目上は「ダーフィト・ヒルベルトの助手」であり、1923年になるまで講義の報酬は支払われなかった。いずれにせよ、ベルはヘルマンとは独立に、フォン・ノイマンの証明が不完全であることに気づいた。彼は隠れた変数の理論を追究したが、その代わりに、はるかに強力な不可能性の証明を発見した。その主要な結果によると、次の二つの基本条件が満たされるとき、いかなる隠れた変数モデルも不可能になる。どちらの基本条件も、古典力学ではまったく理にかなったものだ。

実在性　微視的（ミクロ）な物体には、量子状態の測定結果を決める性質が実在する。
局所性　任意の場所における実在は、離れた場所で同時に行われる実験の影響を受けない。

ベルはこれらの仮定を前提として、ある不等式で測定値が関係づけられることを証明した。その不等式によれば、観測可能な量のある組み合わせは、他の組み合わせよりも小さいか、あるいは等しくなる。したがって、実験で得られた測定結果が不等式を破ったとしたら、次の三つのいずれかが生じているはずだ。⑴実在性の条件が満たされていない、⑵局所性の条件が満たされていない、⑶想定されていた隠れた変数理論が存在しない。実験でベルの不等式を破る結果が出たとき、隠れた変数の理論は死んだと宣言された。量子物理学者は「黙って計算せよ」状態に戻り、こう考えて悦に入った。量子の世界はとても奇妙だから、これ以上できることなどないし、さらなる説明を探そうとしても時間の無駄だ。

数学的な詳細にあまりこだわりたくはないのだが、ベルの証明がどのように進むかについては、大まかに知っておく必要がある。証明は何度も修正され、手直しされたが、そうした変形版もまとめて「ベルの不等式」と呼ばれている。現在の標準的な設定を説明するため、暗号通信を説明するときによく使われる有名なキャラクターの「アリス」と「ボブ」に登場してもらおう。二人は、もつれた粒子の組（相互作用してから引き離された粒子の組）を観測している。アリスは一つの粒子を測定し、ボブはもう一方の粒子を測定する。話をわかりやすくするために、彼らはスピンを測定しているとしよう。主な構成要素は次の通りである。

隠れた変数の空間　各粒子の内部の仮想的なメカニズムのこと。測定結果を決めるのは粒子の内部状態だが、それが直接観測されることはない。この空間には固有の測度が存在すると仮定されており、それによって隠れた変数が特定の範囲に存在する確率がわかる。この設定は決定論的ではないが、すでに述べたように、隠れた変数の従う力学規則を指定して、確率に不変測度を用いれば、決定論的モデルを含めることができる。

設定　アリスとボブはそれぞれ検出器を持っており、次の設定を選ぶ。設定 a は、アリスが測定するスピンの軸、設定 b は、ボブが測定するスピンの軸を表す。

アリスが測定したスピンとボブが測定したスピンの間に観測される相関　どちらも同じ結果（両方とも「上向きのスピン」か、両方とも「下向きのスピン」）になる頻度と、別々の結果になる頻度とを比較し、定量化したもの（統計の相関係数とまったく同じではないが、同じ役割を果たす）。

ここでは、三つの相関を想定することができる。つまり、観測された相関、標準的な量子論によって予測された相関、何らかの「隠れた変数理論」によって予測された相関だ。ベルは三つの軸 a、b、c について検討し、一対の軸の相関（$C(a, b)$ というふうに表記する）について、隠れた変数理論が予測する結果を計算した。これらの相関を、隠れた変数空間で推定される確率分布に関係づけることにより、隠れた変数理論がどのようなものであれ、相関は次の不等式を満たさなければならないことを、ベルは数学的に示した。[6]

$$C(a,c) - C(b,a) - C(b,c) \leq 1$$

この不等式は、隠れた変数理論に特有のものだ。標準的な量子論では、この不等式は成り立たない。実験でも、現実の世界ではこの不等式は成り立たないことが確認されている。したがって、量子論と隠れた変数理論の勝負は、1対0だ。

なぜこうした一般的な不等式が成り立つのだろう。それと似た古典的な例を使えば、説明の助けになるかもしれない。3人の実験者がコイン投げをしていると考えよう。結果はランダムだが、コインまたはコインを投げる装置のいずれかには何らかの細工が施されているので、高い相関を持つ結果が出る。アリスとボブは、試行回数の95％で同じ結果を得る。ボブとチャーリーは、試行回数の95％で同じ結果を得る。つまり、アリスとボブ、ボブとチャーリーの結果が異なるのは、それぞれ試行回数の5％だ。したがって、アリスとチャーリーが異なる結果を得るのは、最大で試行回数の5＋5＝10％となるので、少なくとも試行回数の90％で同じ結果を得なければならない。これは、ブール＝フレシェの不等式の一例だ。ベルの不等式は、ほぼ同様の論法を量子系の問題に適用したものだ（ただし、それほど単純な計算ではない）。

ベルの不等式は、隠れた変数理論の研究に致命的な影響をもたらした。それによって、それぞれの理論の主要な特徴が選別され、あまりに多くのことを試みた理論は排除された。量子もつれのパラドックスを説明するアインシュタインのシンプルな説（粒子同士が隠れた変数を同期させている）も、台無しになった。隠れた変数がなければ、何も同期させることができない。

それでも、ベルの定理を回避することができれば、量子もつれをもっと合理的に説明できるだろう。

このゲームは、やってみる価値がありそうだ。抜け穴がないか検討してみよう。

油滴の示す量子現象

二つの小さなスリットが隣接して配置された障壁に向かって、波が進んでいる。波の異なる領域が各スリットを通過し、障壁の向こう側に現れ、広がっていく。現れた二つの波は重なり合い、山と谷が交互に現れる複雑なパターンを形成する。これは回折パターン（干渉縞）であり、波に生じると考えられているものだ。

二つの小さなスリットはとても近くに配置されているため、微粒子は一方のスリットを通過するか、もう一方を通過するかのどちらかだ。どちらのスリットを通過しても、粒子はランダムに方向を変えることができる。しかし、何度も繰り返し粒子の位置を観測して平均をとると、それらは規則的なパターンを形成する。奇妙なことに、これも波の干渉縞と非常に似ている。この現象は、粒子で生じるとは考えられていないのに、どうも変だ。

これは、量子の世界がどれだけ奇妙かを明らかにした最初の実験の一つだ、と読者はおわかりになったことだろう。すなわち、光子がある状況では粒子のように振る舞い、別の状況では波のように振る舞うことを示した、有名な二重スリット実験を説明したものである。

しかし、この説明は、量子論とはまったく関係のない最近の実験にも当てはまる。さらに奇妙な実験だ。

この実験では、油の小滴が粒子の役割を果たし、同じ油でできた浴〔浴槽のような開放された容器に溜まった油〕の表面を波が伝搬する。驚くべきことに、油滴は波の頂点で跳ね返る。通常、油滴が同じ流体でできた浴にぶつかると、浴に溶け込んで消えると予想される。しかし、非常に小さな油滴は、同じ油で満たされた浴に飲み込まれることなく、その上に留まることができる。その秘訣は、たとえば油槽をスピーカーの上に置いたりして、浴を垂直方向に急速に振動させることだ。流体には表面張力があり、ある程度まで油滴が融合するのを阻むことができる。流体の表面は、薄くて柔らかい弾性膜のように振る舞う。柔らかいゴムボールのようなものを想像すればよい。油滴が浴に触れると、表面張力が二つを分離しようとする一方で、重力などの力は二つを融合させようとする。どちらの力が勝るかは状況に依存する。浴を振動させると、表面に波が発生する。下降する油滴が上がってくる波に当たると、その衝撃が融合しようとする動きに打ち勝ち、油滴は跳ね返るのだ。適度に小さい油滴を用い、振動振幅と周波数を適切に設定すると、油滴は波と共振して跳ね返る。この効果は、浴が40ヘルツ（1秒あたり40回）の周波数で振動するとき、とても頑強になる。このとき油滴は、1秒あたり20回跳ね返る（これは浴の周波数の半分に相当する。その数学的な理由には、ここでは触れないことにする）。何百万回跳ね返っても、油滴は損なわれない。

2005年、イヴ・クデのグループは、このように跳ねる油滴の物理について研究を始めた。浴に比べて油滴は非常に小さいため、顕微鏡と高速ビデオカメラで観測する。振動の振幅と周波数を変えると、油滴を「歩かせ」、ゆっくりと直進させることもできる。これは、油滴と波の位相がわずかにずれ、油滴が波の頂点にぶつかる代わりに、少しずれた角度でぶつかって跳ね返るために起こる。波のパターンも移動し、位相のずれが適切ならば、次にぶつかるときにもまったく同じことが起こる。このとき油滴は、移動する粒子のように振る舞う（そしてもちろん、波は進行波のように振る舞う）。

ジョン・ブッシュのグループはクデの研究をさらに進め、二つのチームはとても興味深い発見をした。特筆すべきは、跳ね返って歩く油滴はまさに量子系の粒子のように振る舞うことができるのだが、それなのに関連する物理は完全に古典論的であり、この振る舞いを再現する数理モデルは、ニュートン力学のみに基づいているということだ。２００６年にクデとエマニュエル・フォールは、油滴が二重スリット実験（量子論の創始者たちが頭を悩ませた実験だ）によく似た振る舞いをすることを示した。[7] 彼らは二重スリットに類似したものを振動する浴に備えつけ、二つのスリットに向かって油滴を繰り返し歩かせた。油滴は粒子のようにどちらかのスリットを通過し、向こう側ではランダムな方向に現れて進んだ。このように出てきた油滴の位置を測定し、それらを統計のヒストグラムで描いたところ、結果はまさに干渉縞のようになった。

　これは、二重スリット実験は古典論では説明できないというファインマンの主張に疑問を投げかけるものだ。ブッシュは、粒子がどちらのスリットを通り抜けたかを観測する際に光を用いたが、これで量子系の観測と同等の状況が作れるわけではない。量子の観測には、はるかに多くのエネルギーが伴うからだ。ファインマンは思考実験で、スリットを通過する際に光子を検出すると、干渉縞は台無しになると推測した。ファインマンの思考実験の意図に従うなら、量子の測定のアナロジーとして適切なのは「油滴に強打を加える」ことだ。そうすれば、干渉縞は間違いなく台無しになるだろう。

　量子力学との類似性を示す、さらに驚くべき実験が他にもある。油滴が障壁にぶつかると、そこで動きは止まるはずだ。にもかかわらず、奇跡的に障壁の向こう側に出現する油滴がある。これは、エネルギーが足りないにもかかわらず、粒子が障壁を通過する「トンネル効果」のようだ。また、水素原子では一つの陽子のまわりを一つの電子が回っているが、それと同じように、二つの油滴は互いの周りを回ることができる。ただし、太陽を周回する惑星とは違い、油滴間の距離は量子化されている。

つまり、油滴間の距離は特定の離散的な値になる。原子核のエネルギー準位で起こる量子化と同じだ(原子核は、特定の離散的エネルギー状態のみをとる)。さらに、油滴は単独で円軌道を描き、角運動量を持つこともできるが、これは大雑把に言うなら量子のスピンと同じである。

この古典論的な流体系で、量子の不確定性を説明できると考える人はいない。電子は、宇宙を満たす宇宙流体の浴の上を跳ねる微視的な油滴とは考えられないし、油滴は量子系の粒子とは何もかもが異なる。しかし、油滴の系は、この種の流体のうち最も単純なものにすぎない。量子効果が奇妙に見えるのは、私たちが間違った古典力学モデルと比較しているからだということを、油滴の実験は示唆している。粒子は小さな固体のボール以外の何ものでもないし、波は水の波紋のようなもの以外の何ものでもないと考えるならば、波と粒子の二重性は確かに奇妙だ。波か、粒子か、そのどちらかになるはずだ。そうじゃないか？

油滴の実験は、この考え方が間違っていることをはっきりと示している。油滴は波と粒子の両方の性質を持ち、二つは相互作用しているのかもしれない。私たちは油滴の粒に気をとられがちだが、油滴は波と密接に関係している。私たちに見える側面は変わる。どの特徴を観察しているかによって、私たちはある意味で、油滴(強調するためにここでは「粒子」と呼ぶ)は、粒子がどのように振る舞うべきかを系に伝えるのに対して、波は、波がどのように振る舞うべきかを系に伝える。たとえば、二重スリットの実験で、油滴を**粒子**と捉えれば、粒子はただ一つのスリットを通過するが、**波**と捉えれば、波は両方のスリットを通過する。数多くの試行を行って統計平均をとると、粒子のパターンに波の干渉縞が現れるのは驚きではない。

「黙って計算せよ」派の冷めた方程式の奥深くにある量子力学は、実際にはこうしたものなのだろうか？

そうかもしれない。でも、それは新しい理論ではない。

ボーム＝ド・ブロイのパイロット波理論

マックス・ボルンは１９２６年に、量子系の粒子の波動関数に関する現在の解釈を発展させた。この解釈によれば、波動関数は粒子がどこに存在するかを示すものではなく、任意の場所に粒子が存在する確率を示している。現在の量子力学で注意しなければならないのは、粒子が実際には位置を持たないという点だろう。波動関数が示すのは、観測によってある位置に粒子が存在しているのが見つかる確率なのだ。観測される前に粒子がその位置に「本当に」存在していたかどうかは、せいぜい哲学的な考察でしかなく、最悪の場合は誤解を招く。

１年後にド・ブロイは、ボルンの考えを再解釈した。それによれば、おそらく粒子には位置があり、しかも適切な実験を行えば、粒子は波に似た挙動を示すことができる。おそらく、粒子には目に見えない相棒、つまり、「パイロット」波が付随していて、波のように振る舞うように導いてくれる、というのである。波動関数は物理的実在であり、その振る舞いはシュレーディンガー方程式で決まる、というのがド・ブロイの提案だった。粒子にはいつでも明確な位置があり、したがって粒子は決定論的な経路を描くが、それは波動関数に導かれている。複数の粒子からなる系があるとき、それらの粒子を組み合わせた波動関数は、適切な形のシュレーディンガー方程式を満たす。粒子群の位置と運動量は隠れた変数を構成し、波動関数とともに測定結果に影響を与える。特に位置の確率密度は、ボルンの解釈に従って波動関数から推定される。

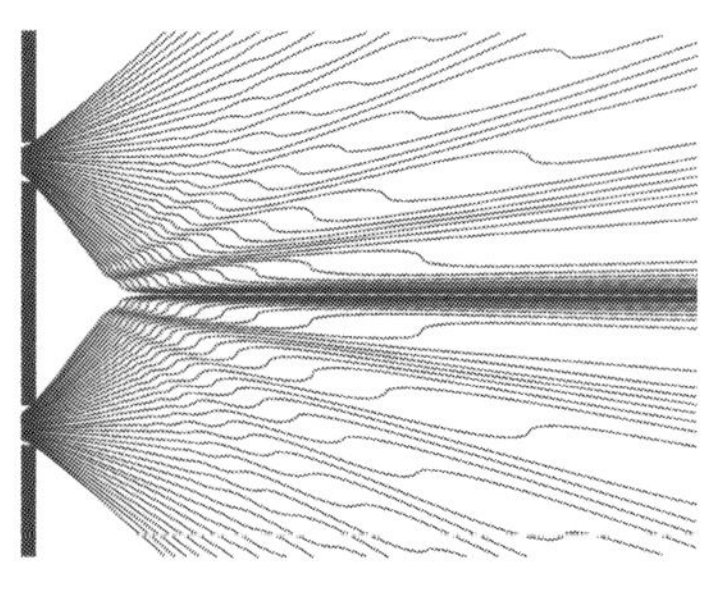

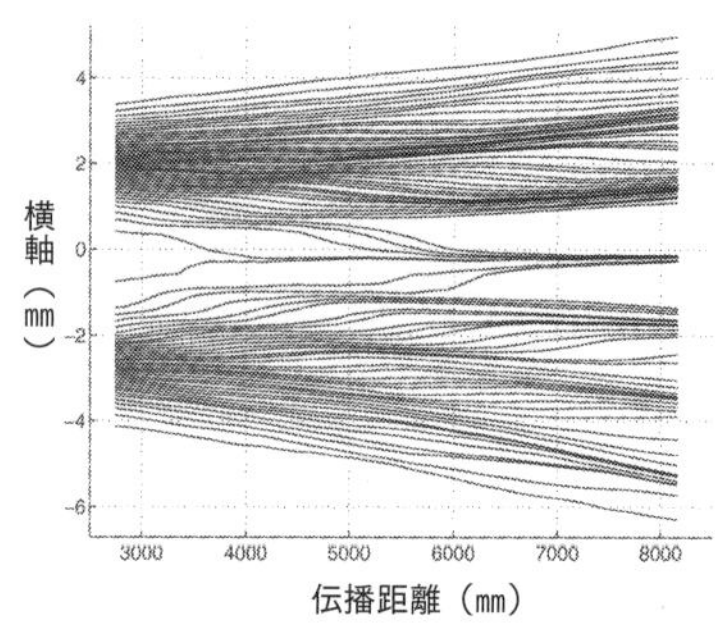

（左）二重スリット実験で電子が進む経路。ボームのパイロット波理論で得られた結果。
（右）単一光子の弱測定実験で得られた平均経路。

ヴォルフガング・パウリは、パイロット波理論に一致しない粒子の散乱現象があると述べ、ド・ブロイの考えに反対した。ド・ブロイは満足のいく答えを即座に思いつけなかったので、このアイデアを諦めた。ともかく、確率分布を測定することはできるが、粒子とそのパイロット波の両方を同時に測定することは不可能に思われた。そして、波動関数は全体としては測定できず、測定できるのはほんの一部だけというのが一般的な見解となった。フォン・ノイマンが隠れた変数の理論は不可能であるという、誤りを含む証明を発表したとき、パイロット波理論は跡形もなく消え去ってしまった。

だが1952年になると、デヴィッド・ボームという異端の物理学者がパイロット波理論を再発見し、パウリの反論には根拠がないことを示した。彼は、隠れた変数に支配されたパイロット波の決定論的な系を用いて、量子論の体系的な解釈を発展させた。ボームの枠組みでは、量子系で測定される標準的な統計的性質はすべて満たされるので、パイロット波理論はコペンハーゲン解釈と整合している。図は、ボームの理論を用いた二重スリット実験の予測と、最近の測定結果（状態を乱さない弱測定を用いた、個々の光子の測定結果）である。[8] 両者の類似度は際立っている。滑らかな曲線を適合させて光子の確率分布を推定し、パイロット波理論を用いて干渉縞を再現することもできる。

ボームの提案は、量子論の専門家には受け入れられなかった。その一因は物理学とは無関係な理由で、ボームが若い頃に共産主義者だったからだった。そして、より正当な理由は、パイロット波理論が本質的に非局所的であるからだった。粒子集団は局所化されているのに対して、粒子集団の挙動を決める波動関数は局所化されていないのだ。波動関数は空間全体に広がり、粒子および境界条件に依存する。

ジョン・ベルは、ボーム゠ド・ブロイのパイロット波理論を肯定的に捉え、発展させようとした。当初、彼は非局所性を取り除くことができるのではないかと考えていた。しかし、結局のところ、彼が考え出した有名な証明によって、それが不可能なことが示されたのである。にもかかわらず、非局所性を取り除く理論を研究し続けた物理学者もいる。これは口で言うほど愚かな試みではなかった。その理由を見てみよう。

ベルの不等式の抜け穴を探す

あらゆる数学の定理は、仮定に基づいている。これはIF-THEN形式の言明である。つまり、もし(IF)ある仮定が正しければ、結果として(THEN)ある帰結が論理的に生じなければならない、という考え方だ。そして、その帰結がどのように生じるかを説明するのが証明である。定理ではすべての仮定を列挙しなければならないが、暗黙の仮定もしばしば存在する。そうした仮定は、その分野では非常に標準的なので、わざわざ明示する必要がないとされている。だが、証明を詳しく検証すると、その証明が依存している仮定が標準的でもないし、明示されてもいないことが明らかになる場合がある。これはいわば論理の抜け穴であり、定理の帰結はその穴から抜け出せるのだ。

ベルは、ヘルマンが見つけたものと同じ抜け穴をフォン・ノイマンの証明に見つけ、それを修復することで彼の定理を発展させた。しかし、頑固な物理学者やら、こだわりの強い数学者は往々にしているものだ。折に触れて、ベルの定理にまだ気づかれていない抜け穴があるのではないかと探す研究者が現れた。抜け穴を見つけたとしても、それだけで隠れた変数の理論が量子力学に適用できるようになるわけではないが、そのような理論が存在するかもしれないという手掛かりになる。

物理学者から気象学者に転身したものの、物理学への興味を失わなかったティム・パーマーは、1995年にそのような抜け穴を一つ発見した。決定論的だがカオス的な隠れた力学系があると仮定しよう。彼は、このような系が病的な振る舞いをする場合、ベルの不等式の証明が破綻することに気づいた。これは、ベルの不等式で扱われる相関が計算不可能になるためである。たとえば、電子のスピンをモデル化するとしよう。すでに説明したように、スピンは指定された方向に対して測定でき、常に（適切な単位で）$\frac{1}{2}$か$-\frac{1}{2}$の値をとる。正負どちらの符号がつくかはランダムに見える。ここで隠れた変数が、二つのアトラクタを有する非線形動力学系を形成すると考えよう。アトラクタの一つは$\frac{1}{2}$のスピンに対応し、もう一つは$-\frac{1}{2}$のスピンに対応する。与えられた初期条件から、スピンは二つの値のいずれかに時間発展する。どちらに吸引されるだろう？　各アトラクタには、独自の吸引流域がある。一つ目のアトラクタの吸引流域から変数が始まると、それらは$\frac{1}{2}$のスピンのアトラクタに引きつけられる。もう一方のアトラクタの吸引流域から始まると、$-\frac{1}{2}$のスピンのアトラクタに引きつけられる。

吸引流域が単純な形をしていて、性質のよい境界を持つならば、ベルの定理の証明は有効で、二つのアトラクタの考え方は失敗に終わる。ただし、吸引流域は非常に複雑になりうる。だが、10章で述べたように、二つ（あるいはそれ以上）のアトラクタがリドルド吸引流域を持つことがあり、そうすると複雑に絡み合うため、わずかな擾乱で一方の吸引流域から他の吸引流域に状態が切り替わる。この場合、ベルが議論した相関は、適切な数学対象としては存在しなくなるので、ベルの定理の証明は破綻する。

　このように相関が「計算不可能」であることは微妙な意味を持つ。計算不可能だからといって、そのような系が自然界に存在できないわけではないのだ。結局のところ、コペンハーゲン解釈（「波動関数はただ崩壊し、それがどのように崩壊しているかはわからない」）は、波動関数崩壊の数学的過程を一切規定していないため、さらに計算不能だ。一方で、$\pm\frac{1}{2}$の状態の統計分布は、リドルド吸引流域の統計的性質に関係するが、これらの性質は計算可能で意味があり、したがって実験で観測された分布と比較することもできる。

　パーマーは詳細な計算を行い、このモデルを支持した。さらに彼は、波動関数の崩壊の原因が重力である可能性さえ示した。同様の考えを抱いた物理学者はこれまでにもいた。なぜなら、重力は非線形なので、重ね合わせの原理を破るからだ。パーマーのモデルでは、重力が推進力となって、電子の状態はどちらかのアトラクタに向かって進む。パーマーはそれ以来、一連の論文を発表して、ベルの定理の他の抜け穴を検証してきた。それらはまだ、決定論的なカオスに基づいて量子力学全体を説明する「隠れた変数の力学系」を提案するには至っていないが、その可能性を探る上で価値のある研究だ。

ベルの不等式の抜け穴をさらに考える

ここからは推論をたくましくして、ベルの定理にその他の抜け穴がないか考えてみたい。

ベルの証明は、三つの相関を比較することに基づいている。ベルは、隠れた変数空間上で仮定された確率分布を用いて三つの相関を計算することで、それらの間の関係を導き出した。そこで、期せずして得られたのがベルの不等式だった。ここでは、隠れた変数の部分空間上で、確率分布を積分することによって相関同士の関係性が導かれ、ベルの不等式は証明される。

すべてがとてもエレガントだが、隠れた変数の空間が確率分布を持たない場合はどうなるだろう？このとき、不等式を証明するために用いられた計算は意味がなくなる。確率分布は特別な種類の測度であり、適切な測度を持たない空間は、数学で数多く存在する。特に波動関数が作る空間は通常、無限次元（無限に存在する固有状態のすべての組み合わせ）である。これらはヒルベルト空間と呼ばれ、適切な測度を持たない。

ここで「適切」とはどういう意味かを説明する必要がある。すべての空間は少なくとも一つの測度を持つ。空間上の1点を選んで、これを「特別な点」としよう。この特別な点を含むすべての部分集合に測度1を割り当て、残りに測度0を割り当てる。この測度（特別な点を原子として持つため「原子測度」と呼ばれる）は有用だが、体積とはまったく異なる。体積のような自明な測度を除外するため、ある物体を三次元空間で横に動かしても、その体積は変化しないことに気づいてほしい。このような性質は、並進不変性と呼ばれる（物体を回転しても体積は変化しないが、その性質はここでは必要ない）。先に述べた原子測度は、並進不変ではない。これは、横に動かすことによって特別な点

（測度1）が他の場所（測度0）に移動する可能性があるからだ。量子の問題に対して、類似した並進不変な測度をヒルベルト空間上に探すことは自然だろう。しかし、ジョージ・マッケイとアンドレ・ヴェイユの定理は、ヒルベルト空間が有限次元であるという稀な場合を除いて、そのようなものは存在しないことを示している。

　隠れた変数の空間全体は適切な確率測度を持たないが、それでも、観測された変数同士の相関には意味がある可能性がある。観測は、波動関数の空間から単一の固有状態への射影であり、各固有状態は、測度を持つ有限次元の空間に存在する。したがって、量子系に隠れた力学機構が存在する場合、隠れた変数が無限次元の状態空間も持つことは、理にかなっているように思われる。結局のところ、隠れた変数でないものは、そのように機能する。実質的には、波動関数が隠れた変数なのだ。「隠れた」と書くのは、波動関数を全体としては観測できないからである。

　これは別に新しい提案ではない。ローレンス・ランダウは、古典的な（コルモゴロフによる）確率空間に基づいて隠れた変数の理論を仮定すると、アインシュタイン＝ポドルスキー＝ローゼンの実験はベルの不等式を導くが、無限の独立した隠れた変数を仮定すると、確率空間が存在しなくなるため、ベルの不等式を導き出せないことを示した。これは一つの抜け穴だ。

　もう一つの抜け穴は、パイロット波理論に対する反論で指摘された非局所性だ。パイロット波（波動関数）は宇宙全体に広がり、どれだけ遠くに離れていても即座に反応する。この意味で非局所的であり、粒子の局所性と整合しないとして批判された。しかし、この批判は誇張されていると思う。油滴の実験を考えてみよう。油滴は決定論的な系であるにもかかわらず、量子論によく似た現象を生み出す。これは、パイロット波に対する巨視的な物理系のアナロジーとして有効だ。油滴はほぼ間違いなく局所的である。対応する波は局所的ではないが、もちろん宇宙全体に広がるわけではなく、実験皿内に収まっている。二重スリット実験を説明する場合に必要なのは、二つのスリットに気づく程度に広がる波である。何らかの準非局所的な「ハロ」（太陽や月のまわりにできる淡い光の輪）のようなものがないと、光子は通過するスリットがあることを知ることができず、ましてや二つの選択肢があることなどわからない。数理モデルのスリットの幅はきわめて薄くすることが可能だが、実際のスリットの幅は光子よりもはるかに広い（これも明瞭な境界条件と混乱した現実との不一致の一例だ）。

3番目の抜け穴は、隠れた変数の確率空間が非文脈依存的、すなわち、行われている観測には依存しないという暗黙の仮定だ。隠れた変数の分布が観測に依存するなら、ベルの不等式の証明は破綻する。だが、非文脈依存的な確率空間を仮定するのは不合理に思われる。隠れた変数は、自分がどう観測されるかをどうやって「知る」ことができるというのか？　コイン投げの場合、コインはテーブルにぶつかるまで、ぶつかることを知らない。しかし、量子系の観測は、どうやってだかベルの不等式を回避している。だから、量子論の枠組みではベルの不等式を破る相関が成り立つのだ。では、どうやってベルの不等式を回避できたのだろう？　それは、量子状態が文脈依存的だからだ。あなたの行う測定は、量子系の実際の状態だけでなく（状態が一つあると仮定して）、測定のタイプにも依存する。そうでなければ、ベルの不等式が実験で破られることはないだろう。

これは変ではなく、まったく自然なことだ。「コインは自分がテーブルにぶつかることを知らない」と私は述べたが、これは問題にならない。コインは知る必要はない。測定の文脈を与えるのはコインの状態ではなく観測であり、それはコインとテーブルの相互作用である。測定結果は、コインの観測方法、およびコインの内部状態に依存する。話を単純にするため、無重力で回転するコインをテーブルで受け止めるとしよう。その結果は、私たちがいつ受け止めるかと、コインの回転軸とテーブル平面の間の角度に依存する。テーブルの面がコインの回転軸に平行な場合、その面から観測すると、コインは表と裏を交互に入れ替えている。テーブルの面がコインの回転軸に垂直な場合、その面から観測すると、コインは端を回転させている。

このように、量子の波動関数は文脈依存的であるので、隠れた変数も文脈依存的だと考えるのは妥当だと思われる。

統一場理論の探求

量子現象の意味を哲学的に考察するという目的以外にも、決定論的な隠れた変数理論を考える理由がある。量子理論と相対性理論を統一したいという欲求も、その理由の一つだ[9]。アインシュタイン自身、何年もかけて量子論と重力を組み合わせる統一場理論を探求したが、実ることはなかった。このような「万物の理論」は依然として、基礎物理学の聖杯のままである。その最有力候補であった弦理論は、近年人気に陰りが出ている。超弦理論が予測していた新しい素粒子が、大型ハドロン加速器で検出されなかったが、この失敗のせいで形勢逆転できないのかもしれない。ループ量子重力理論などにも信奉者がいるが、主流派の物理学者を満足させるものはまだ現れていない。数学的に見れば、両者にはかなり基本的なレベルで不整合がある。すなわち、量子理論は線形（状態は重ね合わせ可能）だが、一般相対性理論はそうではない（重ね合わせが成り立たない）。

統一場理論を作り出そうとするほとんどの試みでは、量子力学を聖域として手をつけず、量子力学に適合させるために重力の理論に手を加える。１９６０年代には、このアプローチが成功しそうに見えた。アインシュタインの一般相対性理論の基礎方程式は、重力系における物質の分布が、時空の曲率とどのように相互作用するかを表す。ここでの物質の分布は、明瞭な物理的解釈を持つ、明瞭な数学的対象である。準古典的なアインシュタイン方程式では、物質の分布は量子物体で置き換えられ、平均的な物質の分布は、多数の観測で予想される分布と定義される（つまり、物質がどこにあるかを正確に言明するのではなく、うまく推量する）。これにより、時空を古典論的なままにする一方で、物質を量子にすることができる。このアインシュタイン方程式の変形は有効な折衷案であり、多くの成功を収めた。ブラックホールが熱放射するというスティーヴン・ホーキングの発見もその一つだ。しかし、悩みの種である量子観測の問題に直面すると、うまくいかなくなる。波動関数が突然崩壊すると、方程式の生み出す結果は整合性がとれなくなってしまうのだ。

ロジャー・ペンローズとラヨシュ・ディオーシは、１９８０年代に独立にこの問題の修正を試み、相対性理論をニュートン力学の重力（万有引力）で置き換えた。この試みでわかったことがあるとすれば、運がよければ相対性理論の重力に拡張できるかもしれないということだった。ここで生じた問題は、「シュレーディンガーの猫」が「シュレーディンガーの月」という、さらに極端な形で現れたことだった。月は二つの重ね合わせ状態に分かれ、一つは地球を周回し、もう一つは別の場所で運動することが可能となる。さらに悪いことに、そのような巨視的な重ね合わせ状態が存在すれば、光よりも速く伝搬する信号の存在を許すことになる。

ペンローズは、これらの失敗の原因が、量子力学に手を加えない点にあることを突き止めた。おそらく問題なのは量子力学で、重力ではない。問題全体の鍵となるのは、「コペンハーゲン解釈を受け入れている物理学者でさえ、波動関数がどのように崩壊するのかよくわかっていない」という単純な事実だった。測定装置が他の粒子と同様の小さな量子系であれば、波動関数の崩壊は起こらないように思われる。しかし、標準的な装置で光子のスピンを測定すると、重ね合わせではなく、特定の結果が得られる。それでは、測定装置が観測している対象の波動関数を崩壊させるには、装置はどのくらいの大きさでなければならないのだろう？　ビームスプリッターを介して光子を伝搬しても光子の量子状態は乱されないのに、粒子検出器に光子を伝搬すると量子状態が乱されるのはなぜだろう？　標準的な量子論では答えられない問題だ。

この問題は、宇宙全体を研究する段階になるといっそう深刻になる。時空の起源に関するビッグバン理論によって、量子観測の特性は宇宙論にとってきわめて重要な問題となった。もし量子系の波動関数が崩壊するのが、外部の何かによって観測されたときに限られるなら、宇宙の波動関数はどのように崩壊して、すべての惑星や恒星、銀河を生み出したのだろう？　これには宇宙の外から観測することが必要となる。何もかもが混乱していた。

シュレーディンガーの猫を考察した研究者のなかには、「観測」という用語から、観測には観測者が必要であると推論する者もいた。それによると、波動関数が崩壊するのは、意識を持った知的な存在が観測したときに限られる。したがって、人間が存在するのは、人間がいなければ宇宙自体が存在しなかったからかもしれない。これは私たちの存在理由となり、私たちの人生に目的を与えてくれる。しかし、このような考え方は人類に特権的地位を与えることになる。これは傲慢であり、科学史を通じて人間が犯してきた定番の誤りの一つだ。また、宇宙が約130億年以上前から存在しているという証拠とも合わない。私たちの観測なしでも、宇宙が今と同じ物理法則に従ってきたのは明らかだ。そのうえ、この「説明」には奇妙な自己言及性が含まれている。私たちが存在するゆえに、私たちは宇宙を観測し、宇宙を存在させることができる……そして今度は、宇宙があるがゆえに私たちは存在することができる、というわけだ。ここでは、私たちが存在することが、一巡して私たちが存在する理由になっている。このような反論を回避する術がないわけではないが、この考えはそもそも、人類と宇宙の主従関係を逆転させている。私たちがここにいるのは、宇宙が存在するからであり、その逆ではない。

冷静な研究者は、「小さな量子系が十分大きな系と相互作用して、波動関数が崩壊する」という場合に的を絞って検討している。大規模な系は古典論的な物体のように振る舞うので、波動関数はすでに崩壊しているはずだ。もしかしたら、十分に大きな系では、波動関数が自動的に崩壊するのかもしれない。[10] ダニエル・スダルスキーは現在、「自発的崩壊」という考え方について研究を進めている。彼の見解によると、量子系はランダムに自発的に崩壊するが、一つの粒子が崩壊すると、それが引き金となって他のすべての粒子が崩壊する。粒子数が多くなるほど、一つの粒子が崩壊し、したがってすべての粒子が崩壊する可能性が高くなる。よって、大規模な系は古典論的となる。

マーネリ・デラクシャニは、自発的崩壊版の量子論の方が、ニュートン力学の重力にうまく適合する可能性に気づいた。2013年に彼は、ニュートン力学の重力を自発的崩壊理論に組み合わせると、「シュレーディンガーの月」のような奇妙な状態が消えることを発見した。だが、初期の試みでは光よりも高速な信号が含まれており、これは問題だった。この問題の一因は、ニュートン力学は相対性理論と違って、光速を上回る信号が自動的には禁じられていない、ということにある。アントワーヌ・ティロワは自発的崩壊理論を修正し、時空のランダムな場所で自発的崩壊が起こる可能性を追究している。その結果、以前は曖昧に分布していた物質が特定の位置を獲得し、それによって重力が生じるようになった。時空は古典論的なままであるため、「シュレーディンガーの月」の問題も生じない。光より高速な信号も除外される。とはいえ、真に大きな進展は、ニュートンをお払い箱にしてアインシュタインに置き換えること、すなわち、量子崩壊の理論を一般相対性理論と組み合わせることだろう。スダルスキーの研究グループは、今まさにその試みを行っている。

ああ、そうだ。クマムシの量子トランポリンについて説明する約束だった。グレブラッハーは、薄い膜を正方形の枠に広げて、1ミリ四方の小さなトランポリンを作り、量子崩壊の理論を検証する計画を立てている。トランポリンを振動させ、レーザーを用いてトランポリンを重ね合わせの状態(「上」の状態と「下」の状態の重ね合わせ)にする。さらには、クマムシをトランポリンに載せれば、クマムシの状態を重ね合わせることが可能かどうかわかるのだ。

「シュレーディンガーのクマムシ」、面白い!

量子論の抱える矛盾

どんどん奇妙になってゆく……。

ほとんどの物理学者は、コペンハーゲン解釈などを含めた量子論が、電子、クマムシ、猫だけでなく、あらゆる現実世界のどれだけ複雑な系に対しても適用できると考えている。しかし、2018年にダニエラ・フラウチガーとレナト・レナー[11]が発表した「シュレーディンガーの猫」に関する最新の見解では、この考え方に疑問が投げかけられている。フラウチガーらは「量子力学を使う物理学者の系を、他の物理学者が量子力学を使ってモデル化する」という思考実験を行った。すると、厄介なことが生じるのだ。

元々の考えは1967年に遡る。ユージン・ウィグナーは「シュレーディンガーの猫」のシナリオに手を加え、正統派の量子論の枠組みからは、現実に対して一貫性のない記述が生み出される可能性があると主張した。彼のシナリオでは、「ウィグナーの友人」である物理学者を箱の中に入れる。友人は猫の波動関数を観測して、猫が二つの状態のどちらにあるかを明らかにする。ところが、箱の外にいる観測者は依然として、猫が「生きている」状態と「死んでいる」状態の重ね合わせにあると考えているため、二人の物理学者の猫の状態に関する見解には食い違いが生じる。ただし、この議論には欠陥がある。ウィグナーの友人は、観測したことを外部の観測者に伝えることができない。このため外部の観測者は、ウィグナーの友人が「死んだ猫を観測した」状態と「生きた猫を観測した」状態の重ね合わせにあると考えることができる。これはつじつまが合っている。外部の視点から見ると、最終的に猫はとりうる二つの状態のうちの一つに収縮するが、そうなるのは箱が開かれたときだ。ウィグナーの友人が中で見ていたものと外部での見え方は異なるが、論理的な矛盾はない。

真の矛盾を捉えるために、フラウチガーとレナーはさらに一歩前進した。彼女らは猫の代わりに物理学者を用いた。これは（動物愛護の観点からも）倫理にかなっているし、それによってより複雑な設定が可能になる。物理学者のアリスは、粒子のスピンを上向きか下向きかのどちらかにランダムに設定し、その粒子を同僚のボブに送信する。ボブが粒子を観測するのは、彼とアリスと彼ら二人の研究室がすべて同じ箱の中にあり、もつれた状態にあるときだけだ。もう一人の物理学者アルバートは、量子力学を用いてアリスと彼女の研究室をモデル化する。そして、量子もつれに関する通常の理論によると、アルバートはときどき（常にではない！）ボブが観測した状態を確実に推定できる。アルバートの同僚であるベリンダは、ボブと彼の研究室に対して同じことを行う。そして同様の理論によって、ベリンダはときどき、アリスの設定したスピンの状態を確実に推定できる。当然、それはボブが測定した状態と同じでなければならない。しかし、正統派の量子論を使って計算すると、意外なことが判明する。このプロセスを何度も繰り返すと、アルバートとベリンダの推定（どちらもまったく正しいはずだ）が食い違う場合がわずかになければならないのだ。

（やや複雑な）詳細を無視すると、この論文では、正統派の量子論に則った三つの仮定に焦点が当てられている。

- 量子力学の標準規則は、いかなる実世界の系にも適用できる。
- 異なる物理学者がこの標準規則を同一の系に正しく適用する場合、矛盾した結果を得ることはない。
- 物理学者の測定結果は一意に定まる。たとえば、「上向き」のスピンを測定したなら、「下向き」のスピンという結果も（正当に）得られることはない。

フラウチガーとレナーの思考実験は、「NO-GO」定理、すなわち、「これら三つの仮定すべてが真であることが不可能である」ことを証明している。したがって、量子力学の正統派の枠組みには自己矛盾が存在する。

量子物理学者はこのニュースをあまり歓迎はしておらず、この思考実験の論理の抜け穴を見つけることに望みを託しているようだが、今のところ発見した人はいない。量子論を続けるには、三つの仮定のうち少なくとも一つを放棄する必要がある。犠牲になる可能性が最も高いのは最初の仮定だ。この場合、物理学者は、量子力学の標準規則から逸脱する系が実世界に存在することを受け入れなければならないだろう。二つ目あるいは三つ目の仮定を否定することは、さらにショッキングなはずだ。私は数学者として、「黙って計算せよ」の姿勢のせいで、何か重要なことを見逃している危険があると感じざるを得ない。そう感じるのは、黙ってしまえば、計算のつじつまは合っているからだ。量子論には美しい規則が存在し、それを使えばうまくいく。その背後にある数理は奥深くエレガントだが、その理論は既約なランダムネスを基礎に構築されていることを忘れてはならない。

では、どうして量子系は、自身がこれらの規則に従わなければならないことを知っているのだろう？

それを説明する深遠な理論があるのではないか、と考えているのは私だけではない。また、それが既約な確率過程に基づかなければならない理由もない。油滴の実験は、一見そうは見えないが、確かに量子の奇妙な振る舞いの謎に似ている。非線形動力学について知れば知るほど、量子の世界が発見される以前にこれが研究されていたら、歴史はまったく違っていただろうと思えてくる。

デヴィッド・マーミンによると、「黙って計算せよ」という態度をたどると、第二次世界大戦に行き着くのだという。当時、量子物理学は、原子爆弾を開発するマンハッタン計画と密接に関係していた。軍は物理学者たちに、どんどん計算して、その意味について頭を悩ますのはやめよ、とけしかけた。ノーベル賞を受賞した物理学者のマレー・ゲルマンは、1976年に次のように述べている[12]。「ニールス・ボーアは全世代の理論家を洗脳し、[量子論を解釈する]仕事は50年前に終わっている、と思わせた」。アダム・ベッカーは著書『実在とは何か』の中で、「黙って計算せよ」という態度の根源にあるのは、コペンハーゲン解釈に対するボーアのこだわりだと示唆している。前にも述べたように、実験結果だけが意味を持ち、その背後に深遠で根源的な現実など存在しないという主張は、論理実証主義に傾倒しすぎた過剰反応であったように思える。私と同様に、ベッカーも量子論がうまく機能することを認めているが、量子論を現状のままにしておくことは、結局は「世界についての私たちの理解に欠けているものを覆い隠すことであり、しかも、人間の営為としての科学という、より大きな物語を無視すること」になるのだと付け加えている(13)〔『実在とは何か』吉田三知世訳、筑摩書房〕。

こう言ったからといって、穴を埋める方法がわかるわけではないし、この章でもその答えは得られていない。ただし、ヒントはある。このことだけは確かだ。現実にはより深い層があるのに、探す価値はないと自らを納得させてしまったら、それを見つけ出せることは決してないだろう。

17 不確実性の活用

ハツカネズミと人間の　このうえもなき企ても
やがてのちには　狂いゆき

ロバート・バーンズ『ハツカネズミに』
（大浦暁生訳、スタインベック『ハツカネズミと人間』新潮文庫）

これまでの章ではおおむね、不確実性を厄介なものとして論じてきた。不確実性のせいで、将来に何が起こるかを把握するのが難しくなり、周到に練られた企てはどれも「狂って」しまう（つまり、失敗に終わる）。私たちはこの章まで、不確実性がどこから来るのか、どのような形をとるか、どのように測ればよいか、どうすればその影響を軽減できるかについて検討してきた。しかし、不確実性をどう活用するかについては、ここまで述べてこなかった。実際、ちょっとした不確実性が私たちの役に立つことも多い。だから、不確実性はたいてい問題とみなされてはいるが、解決策になることもあるのだ。

モンテカルロ法の誕生

ランダムネスをダイレクトに利用する状況としてまず挙げられるのは、直接法では手に負えない数学の問題を解くときだ。通常は、問題の解をシミュレートしてから多くの標本を抽出し、そこに含まれる不確実性を推定する。これに対して、このアプローチでは順序をすべて逆転させる。すなわち、多数のシミュレーションを実行して標本を取り出し、それらから解を推定する。これをモンテカルロ法という（有名なカジノにちなんで名づけられた）。

よく使われる簡単な例題として、複雑な図形の面積を計算する問題を考えよう。直接法では、図形をいくつもの部分にカットし、それぞれの面積を既知の公式を使って計算し、すべて足し合わせる。さらに複雑な図形ならば積分法を用いて処理できるが、本質的には同じことである。積分法では、面積を細長い長方形に刻んで足し合わせ、元の図形を近似するからだ。だが、モンテカルロ法のアプローチはまったく異なる。まず、面積のわかっている図形、たとえば長方形の内側に、面積を求めたい図形を配置する。それから、この図形に向けてたくさんのダーツをランダムに投げ、長方形全体に当たったダーツに対して、図形に当たったダーツの割合がいくつになるかを求める。たとえば、長方形の面積が1平方メートルだとしよう。図形に当たったダーツの割合が72％だった場合、その図形の面積は0・72平方メートル近辺になるはずだ。

ただし、この方法にはたくさんの注意事項がついてくる。第一に、この方法は大雑把な見積もりをするときに適している。得られる結果は近似であり、誤差の大きさを推定する必要がある。第二に、ダーツは長方形全体に一様に分布するように投げる必要がある。優秀なダーツ選手なら、図形を狙って投げ、毎回的中させるかもしれない。だが、私たちに必要なのは、下手くそなダーツ選手だ。一つの方向だけ狙ったりせず、至るところにダーツを撒き散らすような選手がいい。第三に、誤った推定結果が偶然に得られることがある。ただし、長所もある。下手くそなダーツ選手の代わりに、乱数表や、さらにはコンピュータでの計算が使えるのだ。また、この方法は高次元でもうまくいく。複雑な三次元空間の体積や、さらに高次元の概念的な「体積」も求められるのだ。数学では高次元の空間がたくさん登場するが、別に謎めいたものではなく、多変数の問題を記述するための幾何学的な用語にすぎない。そして最後に、モンテカルロ法はたいてい直接法よりもはるかに効率的だ。

モンテカルロ法は、1946年にスタニスワフ・ウラムが米国のロスアラモス国立研究所で核兵器開発に取り組んでいたときに発明した（ここでの「発明」は、一般的な手法としてハッキリと認識されたという意味）。彼は病気療養中、ソリティア（一人で遊ぶトランプ）の一種であるキャンフィールドをして、暇つぶしをしていた。数学者である彼は、組み合わせ論と確率論を応用すれば、勝つ確率を計算できるのではないかと思いついた。しかし、いろいろ試してもうまくいかなかったので、彼は「たとえば100回カードを並べて、勝った回数を単純に数える方が、『抽象的な思考』よりもうまくいくのではないかと考えた」。

当時のコンピュータには、こうした計算なら十分こなせる性能があった。しかし、ウラムは数理物理学者でもあったので、原子核物理学の進展を阻んでいた大きな問題（中性子がどのように拡散するかなど）について、すぐに考え始めた。そして、複雑な微分方程式をランダムな過程に再構築できるときには常に、このアイデアを使えば実用的な解が得られることに気づいたのである。彼はこのアイデアをフォン・ノイマンに伝え、彼らは現実の問題でそれを試してみた。暗号名が必要だったため、ニコラス・メトロポリスは、ウラムのギャンブル好きの叔父の行きつけの場所である「モンテカルロ」という名前を提案した。

モンテカルロ法は、水素爆弾の開発に不可欠だった。見方によっては、ウラムがこのような洞察をしていなければ、世界はもっと安全だったかもしれない。そして、私なら、数学を探究するために核兵器を開発するということに逡巡するだろう。しかし、この例は、数学のアイデアが持つ圧倒的な力と、ランダムネスの強力な活用可能性を示している。

コンピュータに擬似乱数を生成させる

皮肉なことに、モンテカルロ法の開発で大きな障害となったのは、コンピュータにランダムな振る舞いをさせることだった。

デジタルコンピュータは決定論的である。プログラムを一つ与えると、その指示を一字一句正確に実行する。この決定論的性質のせいで、コンピュータをランダムに動作させるのが難しくなるのだ。主な解決策には3通りある。一つ目は、予期しない動作をする非デジタル部品を設計すればよい。二つ目は、電波雑音など、予測できない実世界の信号を入力する。三つ目は、擬似乱数を生成するための指示を設定すればよい。擬似乱数は、決定論的な数学的手続きで生成されるにもかかわらず、ランダムに見える一連の数値のことである。擬似乱数は簡単に実装できるし、プログラムをデバッグするときには、まったく同じ乱数系列を再実行できる利点がある。

どのようなものかをざっと説明しよう。まず、コンピュータに「シード」と呼ばれる単一の数値を設定する。すると、アルゴリズムがそのシードを数学的に変換し、系列の次の数字を生成する。このプロセスを繰り返すのだ。シードと変換規則を知っていれば、乱数系列を再現することができる。知らなければ、どのような手続きで乱数が生成されるのか突き止めるのは難しいだろう。車のGPS（全地球測位システム）には擬似乱数が活用され、必要不可欠となっている。GPSでは、タイミング信号を送信する衛星がいくつか必要になる。車の装置がその信号を受信し分析することで、車の位置を割り出すのだ。干渉を避けるために信号は擬似乱数の系列になっており、そのおかげで車の装置は正しい信号を認識できるようになる。各衛星から届くメッセージが乱数列に沿ってどれだけ離れているかを比較することにより、装置はすべての信号間の相対的な時間の遅れを計算する。これにより、衛星との相対距離が得られるので、昔ながらの三角法を用いて車の位置を求めることができる。

カオス理論後の世界では、擬似乱数の存在はもはやパラドックスではなくなった。どのようなカオス的アルゴリズムを用いても、擬似乱数を生成できる。専門的に見ればカオス的でないアルゴリズムを用いても、擬似乱数は生成できる。実際に使われているアルゴリズムのほとんどは、最終的にはまったく同じ数列を何度も繰り返すようになる。ただし、この繰り返しが始まるまでに10億ステップかかるのであれば、気にする必要はないだろう。初期のアルゴリズムは、大きな整数のシードから始まる。たとえば、

554,378,906

としよう。これを二乗すると、

307,335,971,417,756,836

が得られる。

二乗された数の両端付近に、規則的な数字のパターンが見られる。たとえば、最後の桁に6が再び現れるが、これは$6^2 = 36$が6で終わるからだ。また、$55^2 = 3025$なので、最初の桁は3になるはずだと予測できる。この種のパターンはランダムではないので、規則性を回避するために両端を削除する（たとえば、左端の3桁と右端の6桁を削除し、その間の9桁だけを残すとしよう）。そうすると、

335,971,417

となる。これを二乗すると

112,876,793,040,987,889

が得られ、中央部分だけを残すと、

876,793,040

となる。これを繰り返すのだ。

この方法の理論的な問題は、アルゴリズムを数学的に解析して、それが生成する系列が本当にラン

ダムな系列のように振る舞うのかどうか、確認するのが非常に難しいことだ。そのため、確認作業は別の規則で代用するのが一般的である。最も普及しているのが線形合同法である。手順としては、乱数の数値にある定数を掛け合わせ、別の定数を加え、それを特定の大きな数で割って、その余りだけを残す。効率を上げるために、すべてを2進数でビット演算する。大きな進展をもたらしたのが、1997年に松本眞と西村拓士が発表した「メルセンヌ・ツイスタ」だ。この方法の基になるのは、$2^{19937}-1$という数値だ。これは、2の累乗数より1少ない素数で、メルセンヌ素数と呼ばれる（1644年に整数論への好奇心から、2^n-1が素数になる場合について議論した修道士マラン・メルセンヌに由来する）。2進数で表すと、1が連続して19937個並ぶ。この方法の変換規則は込み入っている。利点は、同じ数列の繰り返しが始まるのが、なんと$2^{19937}-1$（6002桁の数字だ）ステップ後だという点であり、最大623個の数からなる部分列が一様に分布している点である。

それ以来、より高速で優れた擬似乱数生成器が開発されている。同じ技術はインターネット・セキュリティにも役立ち、メッセージの暗号化に用いられている。その場合、乱数生成アルゴリズムの各ステップは、前の数値を「暗号化」するものとみなせる。目的は、暗号論的に安全な擬似乱数生成器を作ることだ。暗号化すれば、生成された数値からメッセージが解読されることはない。このような擬似乱数生成器を正確に定義するのは、さらに専門的な話題になる。

チャイティンのアルゴリズム情報量

ここまでは少々大胆に話を進めてきた。

統計学者は、ランダムネスとは生成過程の特徴であって、生成された結果の特徴ではない、と強調する。ランダムネスの象徴である公平なサイコロを10回続けて投げたとしても、6666666666という（ランダムに見えない）目が出る可能性もあるのだ。まあ実際のところ、こんな目が出るのは、平均して6046万6176回に1回なのだが。

しかし、「ランダム」を生成結果の特徴だと捉えると、少し意味が変わってくる。たとえば、2144253615のような系列は、6666666666という系列よりもランダムだ。両者の違いは、非常に長い系列で見るとはっきりしてくるし、ランダムな過程で生成される典型的な系列の特徴がどのようなものであるかもわかる。では、そうした特徴を考えてみよう。ランダムな系列には、期待される統計的性質がすべて存在しなければならない。たとえば、1から6の各数字は、およそ1/6の割合で現れなければならないし、連続する2桁の数列は、およそ1/36の割合で現れなければならない。さらに捉えがたい特徴として、長距離相関があってはならない。たとえば、ある位置とそこから1、2ステップ離れた位置で、特定の数字の組が他の場所よりも過度に頻繁に繰り返されるべきではない。したがって、奇数と偶数が交互に現れる3412365452のような系列は除外される。

数理論理学者のグレゴリー・チャイティンはアルゴリズム情報理論において、こうしたランダムネスの条件を非常に極端な形で導入した。従来の情報理論では、メッセージに含まれる情報量とは、メッセージを表すために必要な2進数（「ビット」）の数だった。したがって、メッセージ1111111111には10ビットの情報が含まれ、1100100100も同様である。チャイティンは系列ではなく、系列を生成する規則、すなわちアルゴリズムに焦点を当てた。アルゴリズムも（プログラミング言語によっては）2進数で正確に符号化できるが、系列が長くなると、言語はそれほど重要ではなくなる。たとえば、1が100万回繰り返されると、系列は111…111のようになり、100万個の1が並ぶ。「1

を100万回書き出せ」というプログラムを適切な方法で2進数に符号化すると、系列よりもはるかに短くなる。与えられた出力を生成できる最短のプログラムの長さが、その系列の持つアルゴリズム情報である。この説明ではいくつかの詳細を省いているが、ここでは十分だろう。

1100100100の系列は、1111111111よりもランダムに見える。それがランダムかどうかは、この系列がどう続くかに依存する。この系列は、2進数表示されたπの最初の10桁から選ばれたものである。この系列が100万桁続くと仮定しよう。とてもランダムに見えることだろう。しかし、「πの最初の100万桁を計算せよ」というアルゴリズムは、100万ビットよりもずっと短い。そのため、100万桁の系列の持つアルゴリズム情報は、100万ビットよりはるかに少ないことになる（πの桁は、乱数の標準的な統計検定にすべて合格するのだが）。ただ、この系列がまずいのは、「πの桁を使っている」ことだ。πの桁を暗号システムに用いるのは、正気の沙汰ではないだろう。敵はすぐに解読してしまう。しかし、もしπの桁から生成するのではなく、完全にランダムに系列が続くのなら、それを生成する（系列よりも）短いアルゴリズムを見つけることはおそらく難しいだろう。

チャイティンは、2進数の系列が圧縮できないとき、それはランダムであると定義した。つまり、ある位置までの系列を生成するアルゴリズムを作成するとき、もし桁数が非常に大きくなったとしても、アルゴリズムの長さが系列の長さを下回ることはない、ということだ。従来の情報理論では、2進数の系列の持つ情報量は、そのビット数（系列の長さ）である。これに対して、2進数の系列の持つアルゴリズム情報は、それを生成する最短のアルゴリズムの長さである。したがって、ランダムな系列に含まれるアルゴリズム情報はその系列の長さと同じだが、πの系列に含まれるアルゴリズム情報は、それを生成する最もコンパクトなプログラムの長さとなる。これは系列の桁数よりもはるかに小さくなる。

チャイティンの定義を用いると、特定の系列はランダムであると論理的に言える。彼はランダムな系列について二つの興味深いことを証明した。

・0と1のランダムな系列は存在する。実際のところ、ほとんどすべての無限の系列はランダムである。

・系列がランダムならば、それを証明することは不可能である。

最初の証明では、ある長さの系列がいくつあるかを数え、それらを生成する、より短い長さのプログラムの数と比較した。たとえば、10ビットの系列は1024個存在するが、それを生成する9ビットのプログラムは512個しかない。したがって、少なくとも半分の系列は、短いプログラムを用いて圧縮することはできない。2番目の証明は、簡単に言ってしまえば次のようなものだ。もし系列がランダムであることを証明できるなら、その証明は系列に含まれるデータを圧縮することになる。このため、系列がランダムであることは証明できない。

量子もつれを利用した乱数生成

ここで、あなたが「系列を一つ生成したい、そして、その系列が真にランダムだと確信したい」と考えているとしよう。たとえば、ある暗号化方式の鍵を設定しているところだ、と想定する。チャイティンの研究によれば、系列のランダムネスを証明するのは不可能ということになる。しかし、20

18年にピーター・ビアホーストらが発表した論文によると、量子力学を用いればこの制約を回避できるという[1]。ビアホーストらのアイデアは、基本的には次のようなものだ。量子の不確定性は特定の系列に変換することができ、それらの系列がチャイティンの言う意味でランダムであることが、物理的に保証される。つまり、いかなる敵も、その系列を生成した数学的なアルゴリズムを推定することはできない。なぜなら、そのようなアルゴリズムは存在しないからだ。

乱数生成器の安全性が保証されるのは、次の二つの条件が満たされたときだけだと思われる。第一に、ユーザーは数値がどのように生成されるかを知っていなければならない。そうでなければ、真の乱数が生成されるかどうか確信が持てないからだ。第二に、敵は乱数生成器の内部の仕組みを推測できてはならない。ただし、従来型の乱数生成器を用いて、第一の条件を満たすのは実際には不可能だ。なぜなら、どのようなアルゴリズムが実装されていようと、生成器が誤作動する可能性があるからだ。内部の働きを監視すればうまくいくかもしれないが、実際にはまず難しい。第二の条件は、ケルクホフスの原理と呼ばれる暗号の基本原理に反する。その原理とは、「敵が符号化システムの仕組みを知っている」と仮定しなければならない、というものだ。万が一、敵が符号化の仕組みを知っている場合に備えるわけだ。壁に耳あり、なのだから（敵に知られたくないのは、復号化の仕組みだ）。

量子力学は驚くべきアイデアを生んだ。決定論的な隠れた変数の理論が存在しないと仮定すると、この二つの条件が両方とも成り立たない形で、安全でランダムネスが保証できる、量子力学の乱数生成器を作成できるのだ。逆説的だが、ユーザーは乱数発生器がどのように機能するかまったくわからないのに対して、敵はこれを詳細まで知っている。

この装置には、もつれた光子、1台の送信機、二つの受信基地が用いられる。まず、一対のもつれた光子を何組か生成する。量子もつれにより、二つの光子の偏極は互いに強く相関している。次に、各組から一つの光子を1番目の受信基地に送信し、もう一つの光子を2番目の受信基地に送信する。そして各受信基地で偏極を測定する。二つの基地は十分に離れているため、測定中に信号は基地間を移動できない。しかし、もつれによって、基地で観測される偏極は強く相関しているはずである。

ここで量子もつれが俊敏なフットワークを披露する。相対性理論によると、光よりも速い伝達手段として光子を用いることはできない。つまり、二つの測定値は（強く相関するが）予測不可能であるはずだ。したがって、測定結果に差異が生じる稀な状況は、真にランダムであるはずだ。量子もつれに由来するベルの不等式の破れは、これらの測定結果がランダムであることを保証する。敵は、乱数生成器で使われている仕組みについて何を知っていようとも、結果がランダムであることに同意するはずだ。ユーザーは、乱数生成器の出力の統計を観察することによってのみ、ベルの不等式の破れを検証できる。この検証を行うために、内部の仕組みを知っている必要はない。

こうしたおおよそのアイデアはしばらく前からあったのだが、ビアホーストのチームはそれを実験で行ってみた。実験では、ベルの不等式で知られている抜け穴を回避する装置が使われた。この実験は細心の注意を要する上に、ベルの不等式の破れはごくわずかなので、ランダムネスが保証された系列を生成するには長い時間を要した。彼らの実験は、言ってみれば「99・98％の確率で表が出るコインを投げて、等確率で出る二つの結果がランダムに並ぶ系列を作る」ようなものだった。系列が生成されたあとにそれを分析するという方法を使えば、そのような乱数を生成することができる。どんなふうか紹介しよう。コインを投げた結果を系列に並べていき、連続する結果が初めて食い違う地点（「表裏」か「裏表」になる）のところまでコイン投げを進める。これらの食い違う結果が起こる確率は等しいため、「表裏」を「表」、「裏表」を「裏」と考えることができる。「表」の出る確率がとても大きい（あるいはとても小さい）場合、系列のほとんどのデータを棄却することになるが、残った部分は公平なコインのように振る舞う。

実験を10分間実行すると、5500万組の光子が観測され、1024ビットのランダムな系列が生成された。従来型の量子乱数生成器は、安全性は証明されていないが、毎秒数百万のランダムなビットを生成する。したがって現時点では、ビアホーストらの方法が保証するさらなる安全性は、まだ手間に見合っていない。もう一つの問題は、実験装置の規模だ。二つの受信基地は187メートル離れている。これは、手提げ鞄に入れて持ち運びできるサイズではないし、それを携帯電話に内蔵するなど到底考えられない。装置を小型化することは難しいようで、チップに焼きつけるのは、近い将来にはまず不可能だろう。それでもこの実験には、概念実証という意味で価値がある。

最適化問題への応用

乱数（ここでは「擬似」という語をつけない）は、さまざまな用途に使われている。工業やその関連分野では、手順を最適化すれば、最良の結果を得られる問題が無数にある。たとえば航空会社は、使用する航空機の数を最少に抑えたり、限られた航空機でできるだけ多くのルートをカバーしたりできるように、発着便の時刻表を組みたいだろう。より正確に言うなら、そうすれば、得られる利益を最大にすることができる。工場は「ダウンタイム」を最小限にするために、機械の保守点検を予定に入れる必要があるかもしれない。医師は、最も効果的になるようにワクチンを接種したいだろう。

この種の最適化問題は、数学では「ある関数の最大値を見つける」という形で表すことができる。

幾何学的な見方をすれば、ある地形のなかで一番高い山の頂を見つけるようなものだ。関数の作り出す地形は一般に多次元だが、私たちが日ごろ目にする「三次元空間における二次元の表面」が作り出す地形をイメージしてもらえばわかるだろう。最適な戦略は、最も高い山の頂点の位置に相当する。どうすれば見つけられるだろう？

最も簡単なのは、山登り法だ。どこでも好きな場所を選んで山登りを始める。最も傾斜の急な登り道を見つけ、それに沿って登っていく。そうすれば、最終的にそれ以上高くは登れない場所に到達する。これが頂点だ。でも、そうではないかもしれない。確かに頂点ではあるが、最も高い頂点だとは限らない。あなたがヒマラヤにいて、一番近くの山に登ったとしても、到達する頂上はおそらくエベレストではないだろう。

山登り法は、頂点が一つしかない場合にはうまくいくが、頂点が複数ある場合には、登山者が間違った頂点に行ってしまう危険がある。この方法だと、局所的な最大値（それより高いものが近隣にはない）は常に見つけられるが、大域的な最大値（それ以上高いものが他には存在しない）はおそらく見つからない。局所的な最大値に迷い込むのを防ぐためには、ときどき登山者に「キック」を加えて、ある場所から別の場所に瞬間移動させる、という方法がある。もし登山者が間違った頂点に行き着いていても、そうすれば別の山を登らせることができる。そして、新たに登る山の頂点が前よりも高く、すぐに別の山にキックされることがなければ、登山者は以前よりも高くまで登ったことになる。この方法は「焼きなまし法（シミュレーテッド・アニーリング）」と呼ばれている。液体金属が冷えて固化し、最終的に固体になるときの金属原子の振る舞いに似ているからだ。熱は原子をランダムに動き回らせ、温度が高くなるほど、原子はより広範に移動する。したがって、基本的な考え方としては、早い段階で大きなキックを加えて移動させ、それから温度が低くなるにつれて、キックの強さを弱めていく。最初、頂点の場所がどこにあるかわからない場合には、ランダムにキックを加えるのが最も効果的だ。したがって、適度なランダムネスを用いることで、焼きなまし法の効果は上がる。効果的な焼きなまし計画（つまり、キックの弱め方の規則）を定める数理研究が多くなされている。

遺伝的アルゴリズム

他のさまざまな問題を解決できる別の関連手法として、遺伝的アルゴリズムがある。ダーウィンの進化論からインスピレーションを受けて、生物の進化の過程を単純化して実装した方法だ。１９５０年にアラン・チューリングは、仮想的な学習機械としてこの方法を提案した。進化を模倣したモデルは次のように作動する。生物はその形質を子孫に伝えるが、形質にランダムな変異（突然変異）が起こることがある。生息環境にうまく適応した個体は、生き延びて次世代に形質を伝えるが、うまく適応していない個体は生き延びられず、次世代に形質を伝えることはない（適者生存、あるいは自然選択）。このような選択が何世代にもわたって行われると、生物は環境にきわめてうまく適応するようになる。つまり、最適に近づくのだ。

このように、大雑把に考えれば、進化は最適化問題としてモデル化することができる。生物の集団は、適応度地形〔遺伝子型と生殖成功率の関係を視覚化した数理モデル〕をランダムにさまよって局所的な頂点に登り、低地にいるものは死滅する。最終的に生き残ったものは、一つの頂点のまわりに群がることになる。他の頂点には、それぞれに対応した異なる生物種が集まる。実際の生物進化はこれよりもはるかに複雑だが、アルゴリズムを構築する動機づけとしては、単純なモデルで十分だ。生物学者は

「進化とは本質的にランダムだ」と声を大にして言っている。進化とは、ゴールありきで始まり、そこを目指すようなものではないというのが、彼らの（ごくまっとうな）主張である。何百万年も前に、人間に進化することが決められ、その理想に徐々に近づくように類人猿が選択され、最後に人間という完成形に到達したのではない。進化は、適応度地形がどのようなものか、事前に把握してはいない。実際のところ、時間が経って他の種も進化するにつれ、地形そのものも変わっていくので、「地形」という比喩はやや不自然だと言える。進化はさまざまな可能性を試す（現在の種とはわずかに異なるように、形質をランダムに置き換える）ことによって、より適した種を見つけ出す。そして、よりよい種を保持しながら、同じ手順を続ける。このようにして、生物は少しずつ改善し続けるのだ。進化は適応度地形の頂点を構築しながら、それと同時に頂点がどこにあるかを見つけ出し、そこに生物を生息させる。この意味で、進化はウェットウエア（生物という装置）に実装された確率的な山登りアルゴリズムだと言える。

このような進化を模倣したのが、遺伝的アルゴリズムだ。ある問題を解こうとするアルゴリズムの集団から始め、それらをランダムに変動させ、他よりも優れた成績を収めるアルゴリズムを選択する。次の世代のアルゴリズムについてもこの操作を繰り返し、満足な成績が得られるまで繰り返す。有性生殖を真似て、アルゴリズムを組み合わせることも可能だ。これにより、二つの異なるアルゴリズムのそれぞれの優れた特性を一つに統合できる。これは一種の学習過程とみなすことができ、アルゴリズムの集団は、試行錯誤を通して最良の解を発見する。アルゴリズムを生物に置き換えれば、進化は生物に適用される学習過程だとみなすこともできる。

遺伝的アルゴリズムの応用例は数え切れないほどあるが、どんなふうに使われているのかという雰囲気を伝えるために、一例だけ紹介しよう。大学の授業の時間割はとても複雑だ。何千人もの学生が多様な学修コースを履修できるように、何百もの講義を時間割に組み込まなければならない。一般的に、学生はさまざまな「選択科目」を受講することができる。アメリカの大学で採用されている「専攻(メジャー)」科目と「副専攻(マイナー)」科目がその一例だ。学生が同時に二つの講義に出席しなければならない「衝突」を回避しながら、同じテーマの講義が三つも続くような詰め込み方もしないようにして、時間割を組む必要がある。遺伝的アルゴリズムは、ある時間割から始めて、そのなかで衝突や3連続講義がいくつあるか調べる。それから、時間割をランダムに変更してよりよいものを探し、この操作を繰り返す。有性生殖を真似て、うまくいった二つの時間割の一部を組み合わせることもできる。このようにして最適な時間割が作られる。

カオスを制御する理論

天気予報には本質的に限界があることを11章で見たが、天気を**制御**することはできるだろうか? そうすれば、雨が降ってピクニックや侵攻作戦がダメになるだろうかと考えなくてもすむようになる。何しろ、確実に雨が降らないようにするのだから。

北ヨーロッパには、大砲を発射すると雹(ひょう)の嵐を防ぐことができるという言い伝えがあった。その効果を示す証拠が、ナポレオン戦争や南北戦争といった戦争のあとで見られたという。大きな戦闘があるたびに、その後に雨が降ったというのだ(これで納得するなら、あなたはだまされやすい)。19世紀の終わりにかけて、アメリカ合衆国陸軍省は9000ドルを費やし、テキサスで爆薬を爆発させたが、科学的な根拠のあるものは何も観測されなかった。最近では、ヨウ化銀の粒子を雲に散布して、雨を降らせようとする試みが広く行われている（ヨウ化銀の粒子は非常に細かく、理論の上ではそれが雨粒の核となり、周囲の水蒸気が液化して雨になる）。ただし、この方法で雨が降ったとしても、ヨウ化銀なしでもいずれは雨が降る成り行きだったのかもしれない。ハリケーンの目にヨウ化銀を散布することによって、ハリケーンの勢力を弱める試みもいくつか行われたが、決定的な結果はやはり得られなかった。アメリカ海洋大気庁は、ハリケーンを止める理論的なアイデアをいくつも検討してきた。一例を挙げれば、ハリケーンに成長するかもしれない暴風にレーザーを照射して雷放電を引き起こし、暴風エネルギーの一部を散逸させようというものがある。そして、気候変動は人間の作り出した二酸化炭素が引き起こしたのではなく、アメリカに損害を加えるために気象を制御する邪悪な秘密組織の仕業だと主張する陰謀論もある。

ランダムな現象はさまざまな形で姿を現し、カオス理論によると、蝶の羽ばたき一つで天気を根本的に変化させることができる。11章で論じた通り、このバタフライ効果で起こる「変化」は、実際にはエネルギーの「再配分と改変」を意味する。フォン・ノイマンはこの効果を知ったとき、そのせいで天気は予測不能であるが、同時にその効果のおかげで、天気を制御できるようになるかもしれない、と指摘した。ただしハリケーンを再配分するには、適切な蝶を見つけなければならない。

私たちが、ハリケーンや竜巻に対してこうした制御をすることは不可能だろう。小雨ですら難しい。しかし、心臓のペースメーカーの電波に対しては可能だ。また、この制御は、速さよりも燃料効率を重視する宇宙飛行を計画する際にも広く用いられている。どちらの場合でも、最も重要になるのは、適切な蝶を選ぶことだ。つまり、いつ、どこで、どのように系にごくわずかに干渉すれば、望ましい結果が得られるのかを選定するのだ。１９９０年にエドワード・オット、セルソ・グレボジ、ジェームズ・ヨークは、カオスを制御する基本的な数学理論を考案した。[2] カオスアトラクタには通常、膨大な数の周期軌道が含まれているが、これらはすべて不安定だ。そうした軌道の一つに乗っていた状態がわずかにずれると、そのずれは指数関数的に増大する。オットらは、力学系を正しく制御すれば、そのような軌道を安定化することができるのではないかと考えた。カオスに埋め込まれたこれらの周期軌道は、通常、鞍点（サドル）であるため、その近傍には周期軌道に引きつけられる状態もあれば、反発する状態も存在する。最終的には、ほとんどすべての近傍の状態は周期軌道に引きつけられなくなり、反発する領域に入ってしまうため、軌道は不安定になる。オットらのカオス制御法では、系を繰り返しわずかに変動させる。カオスの状態が周期軌道から逸脱し始めるたびにこうした変動を加えて、状態を周期軌道に戻すのだ。状態を移動させるのではなく、系を変更してアトラクタを移動させ、状態を周期軌道の入口集合に戻すのである。

人の心臓はとても規則的に、周期性を保って脈打っているが、細動が生じると、脈がひどく不規則になることがある。この場合、速やかに細動を止めないと死に至る危険性がある。細動が起こるのは、心臓の周期振動状態が壊れて、スパイラルカオスと呼ばれる特殊なタイプのカオスが生じるときである。通常、心臓を伝播するのは大域的な円形波だが、スパイラルカオスが生じると、それがたくさんの局所的なスパイラル（螺旋）状の波に崩れてしまう。[3] 不整脈に対する標準的な治療法は、ペースメーカーを装着して心臓に電気信号を送り、心拍を同期させることだ。しかし、ペースメーカーから供給される電気刺激はとても大きい。1992年にアラン・ガーフィンケル、マーク・スパノ、ウィリアム・ディット、ジェームズ・ワイスは、ウサギの心臓から摘出した組織を用いて実験を行った。[4] 彼らはカオス制御法を用いて、心臓組織を拍動させる電気パルスのタイミングを変えることによって、スパイラルカオスを規則的な周期振動の状態に戻すことができた。彼らの方法では、従来のペースメーカーよりもはるかに小さい電圧を用いて、規則的な拍動を回復させることができた。このやり方を応用できれば、理論的には、それほど破壊的な刺激を与えないペースメーカーを作ることができる。1995年には、人体での検証が行われた。

カオス制御は今や宇宙飛行でも使われている。それを可能にする力学的な特徴をたどると、ポアンカレが三体問題で発見したカオスに行き着く。宇宙飛行に応用する際には、太陽、惑星、そして惑星を周回する衛星を三体と捉える。1985年にエドワード・ベルブルーノは、太陽、地球、月の三体に対して、初めてカオス制御を成功させた。地球は太陽を周回し、月は地球を周回するので、重力場と遠心力が組み合わされてエネルギー地形が形成され、すべての力が打ち消し合う平衡点が五つ生じる。山が一つ、谷が一つ、鞍点が三つで、これらの点はラグランジュ点と呼ばれる。その点の一つであるL_1は、月と地球の間に位置し、ここでは重力場と、太陽を周回する地球の遠心力が打ち消し合う。この点周辺では、三体の挙動はカオス的になる。それゆえ、小さな粒子の経路は小さな変動に対して非常に鋭敏になる。

ここでは、宇宙探査機が「小さな粒子」と考えられる。1985年に、国際太陽地球間探査機ICEE－3は、軌道を変更するためにほとんどの燃料を使い果たしてしまった。燃料を使い切らずに探査機をL_1まで輸送できれば、バタフライ効果を用いてほとんど燃料を消費せずに、遠くに離れた目標に方向修正できる。この方法により、探査機はジャコビニ・ツィナー彗星とランデブーすることができた。1990年にベルブルーノは日本の宇宙科学研究所に呼びかけ、主要な任務を遂行するために燃料のほとんどを使い果たした探査機「ひてん」に対して、同様の手段を用いるように勧めた。そこで彼らは、月の周回軌道に探査機を乗せ、他の二つのラグランジュ点に向けて方向修正を行い、宇宙塵の観測に成功した。この種のカオス制御は、無人宇宙飛行で頻繁に用いられるようになり、速さよりも燃費やコストを抑えることが重要な場合には、標準的な手法となっている。

18 知らないのを知らないこと

知られていると知られていること、つまり、自分が知っているのを知っていることがある。また、知られていないと知られていることもある。つまり、自分が知らないのを知っていることだ。しかし、知られていないと知られていないことがある。つまり、自分が知らないのを知らないことだ。

ドナルド・ラムズフェルド（元米国国防長官）

２００２年２月12日、国防総省の記者会見での発言

ラムズフェルドがこの有名な発言をしたのは、彼がアメリカ国防長官として、イラク侵攻を支持した記者会見でのことである。２００１年にアルカイダのテロリストがマンハッタンの世界貿易センタータワーに旅客機を突入させた事件と、イラクとを結びつける証拠は何もなかったのに、イラク侵攻を支持すると表明したのだ。彼の言う「知らないのを知らないこと」とは、「どんなことか彼には見当もつかないが、イラクが企んでいたかもしれないこと」だった。それが軍事行動の理由として提示されたのである。[1] しかし、軍事関係の話を別にすれば、彼がこの発言で区別した点は、政治家として口にしたあらゆることのなかで、最も賢明なものだったと言えるだろう。自分の無知に気づけば、私たちは知識を深めようと努力することができる。私たちが無知で、しかも無知であることに気づいていないなら、私たちが感じている幸福は単なる幻かもしれない。

本書の大半では、人間がどのようにして「知らないのを知らないこと」に立ち向かい、「知らないのを知っていること」に変えてきたかを語ってきた。人間は自然災害を神のせいにする代わりに、災害を記録し、測定データをじっくり調べて有用なパターンを見つけ出した。絶対に外れない神のお告げを手に入れることはできなかったが、偶然任せの当て推量よりも正確に未来を予測する、統計のお告げを手に入れた。数は多くないけれども、「知らないのを知らないこと」を「知っているのを知っていること」に変えた事例もある。私たちは惑星がどのように運行するかを知ったし、なぜ私たちがそれを知ったのかも知った。このような自然の法則に基づいた新たなお告げが不十分であることが明らかになると、私たちは実験と明晰な思考とを組み合わせて、不確実性を定量化した。依然として私たちは不確実だったが、どれくらい不確実かということはわかるようになった。これによって、確率論が生まれた。

本書では6世代の不確実性を取り上げ、なぜ私たちは不確実なのか、そしてそのことについて何ができるかを理解する上で、最も重要な科学の進展について考えてきた。多くの異質な人々の活動が、大事な役割を果たした。賭博師は、数学者と力を合わせて確率論の基本概念を探り出した。数学者の一人は彼自身も賭博師であり、初めのうちはその数学知識を使って大儲けしたが、結局は一族の富を失うことになった。今世紀初頭には、世界中の銀行家に同じことが起きた。彼らは数学のおかげで自分の賭け事にはリスクがないと過信し、そのせいで一族の富を失った。だが、ここでの「一族」はいささか大人数だ。地球上の全人口なのだから。賭け事のゲームが投げかける問いは、数学者にとって魅惑的だった。サイコロやコイン投げのようなゲームは単純だったので、詳細に分析することができた。そして皮肉なことに、サイコロもコインも私たちが思っているほどにはデタラメでないことが判明する。ランダムネスのほとんどは、サイコロやコインを投げる人に起因するのだ。

このように数学的な理解が進むにつれて、同じような洞察を自然界に、さらには自分たち自身に応用する方法が発見されていった。天文学者は不完全な観測データから正確な結果を得るために最小二乗法を開発し、誤差を最小にするようにモデルをデータに適合した。コイン投げのようなトイモデルでは、誤差が平均化されて小さくなり、正規分布（二項分布を実用的に近似したもの）が導かれることがわかった。そして、小さな誤差がたくさん組み合わさると、個々の誤差の確率分布が何であろうと、正規分布が現れることが中心極限定理によって示された。

一方、ケトレーとその後継者たちは、天文学者のアイデアを人々の行動に適合させた。すると、瞬く間に正規分布は、統計モデルとして抜きん出た存在になった。そして「統計学」というまったく新しい分野が登場した。そのおかげで、モデルをデータに適合させるだけでなく、どれぐらい適合しているかを評価し、実験や観測の有意性を定量化できるようになった。統計学は、数で測れるものなら何にでも適用できた。その結果に対する信頼性と有意性には疑問の余地が残ったが、統計学者はそれを特徴づける量を推定する方法も見つけ出した。「確率とは何か？」という哲学的な問題では、データから確率を計算する頻度論者と、確率を信念の度合いと捉えたベイズ統計学者の間に深い亀裂が生じた。ベイズ本人が、今では彼の名前がついたこの考え方に賛同するとは限らないが、条件付き確率の重要性を認識していたこと、そしてその計算方法を編み出したことを彼の手柄にしても、きっと嫌がりはしないだろう。簡単なクイズの問題でわかったのは、条件付き確率がいかに把握しづらい概念であるか、それを考える際に人の直感がいかに当てにならないかということだった。医学や法律といった実世界の問題に条件付き確率を応用するときには、この懸念はさらに深刻なものになる。

うまく設計された臨床試験のデータに統計手法を効果的に用いることによって、疾病に関する医師の知見は大いに向上した。さらに、そうした手法のおかげで安全性について信頼できる評価を下せるようになり、それによって新しい薬剤や治療法を生み出すことができた。こうした統計的手法は古典的な統計の域をはるかに超え、膨大な量のデータを処理できる高速コンピュータができた今だからこそ可能となったものもある。金融の世界にも通用する予測方法の開発は依然として難航しているが、私たちは古典経済学や正規分布が、現実の市場には当てはまらないということを学びつつある。複雑系や生態学などの異分野の考え方は、新しい見方のヒントになり、次の金融危機を防ぐ賢明な方策を示唆している。心理学者や神経科学者は、私たちの脳がベイズ統計に従って機能していると考え始めている。そこでは、信念は神経細胞間の結合の強さとして具現化されている。私たちはまた、ときには不確実性が味方になることも知るようになった。不確実性を利用すれば、有益なタスク（非常に重要なタスクであることが多い）を実行することができる。宇宙飛行、心臓のペースメーカーにも応用されている。

不確実性は、私たちが呼吸できる理由でもある。気体の物理は、ミクロ（微視的）な力学の作り出す、マクロ（巨視的）な結果にほかならないことがわかった。なぜ大気が一箇所に集まることがないのかは、分子の統計的な性質として説明できる。より効率的な蒸気機関を開発しようとするなかで熱力学が生まれ、そこから「エントロピー」という、ややもすると捉えどころのない新しい概念が登場した。そのエントロピーによって、時間の矢が説明できるように思われた。時間の経過とともにエントロピーは増大するからだ。しかし、エントロピーによるマクロなスケールの説明は、「力学系は時間反転可能である」とするミクロなスケールの基本原理と矛盾する。このパラドックスは依然として不可解なままだ。私が論じたように、そのパラドックスを生み出す原因は、単純化された初期状態である。それが時間反転対称性を破るのだ。

不確実性が神の気まぐれによるものではなく、人類の無知によるものだと私たちが確信するようになった頃、最先端の物理学が新たに発見したことによって、そのような説明は打ち砕かれた。量子の世界では自然は既約化できないほどランダムで、たいていはきわめて奇妙な振る舞いをする。このことを物理学者は確信するようになった。光は粒子であると同時に波でもある。量子もつれ状態にある粒子は、「不気味な遠隔作用」によって、なぜだかつながっている。ベルの不等式によると、量子の世界を説明することができるのは、確率論だけである。

60年ほど前に、数学者は「ランダム」と「予測不能性」は同じでないことを発見し、問題をさらに混乱させた。カオスによって、決定論的な法則から予測不能な挙動が生み出されることがわかったのだ。予測には、その期間を過ぎれば予測が正確ではなくなる「予測可能領域」がありうるのである。その結果、天気予報の手法は様変わりし、複数の予報を行って、そこから最も確率の高いものを選び出すという方法をとるようになった。そして話が複雑になるのだが、カオス的な系には、非常に長い時間スケールでも予測可能な側面が存在する場合がある。天気（アトラクタ上の一つの軌道）は数日後には予測不可能になる。一方で、気候（アトラクタそのもの）は、数十年以上にわたって予測可能である。これらの違いを理解することは、地球温暖化とそれに伴う気候変動を正しく理解することにつながる。

カオスを含む非線形動力学は、ベルの不等式のいくつかの側面に疑問を投げかけている。ベルの不等式には論理的な抜け穴がいくつもあるので、今や攻撃にさらされているのだ。一時は量子系の粒子に特有のものだと考えられていた現象は、ニュートンの古典物理学の系にも現れることが判明した。量子の不確定性は、まったく不確定ではないのかもしれない。古代ギリシャで考えられていたように、カオスはコスモスに先んじて存在していたのかもしれない。「神はサイコロを振らない」というアインシュタインの言葉は、もしかしたら修正する必要があるかもしれない。神はサイコロを振るが、そのサイコロは隠されていて見えず、真にランダムではない。まさに現実のサイコロと同じように。

幾世代もの不確実性が、いまだにぶつかり合って火花を散らしているさまに、私は魅了される。確率やカオスや量子など、異なる世代の手法が一つに混ぜ合わされて用いられることが多々ある。予測不能性を予測するための飽くなき探求の末に、私たちは今では「知らないのを知らないこと」があることを知っている。ナシーム・ニコラス・タレブは著書『ブラック・スワン――不確実性とリスクの本質』において、それをブラック・スワン事象と呼んだ。2世紀のローマの詩人ユウェナリスは、「ありえないもの」をたとえて、「ブラック・スワン（黒い白鳥）のように、この地にめったにいない鳥」と（ラテン語で）書き記した。ヨーロッパでは、白鳥は常に白いと考えられていたが、それは1697年にオーストラリアでオランダの探検家が黒い白鳥の集団を発見したときに覆った。そのときになって初めて、ユウェナリスが知っていると思っていたことが、「知っているのを知っていること」ではなかった、と明らかになったのである。2008年の金融危機でも、同じ誤りが銀行家を苦しめた。彼らの考えていた「5シグマ（標準偏差五つ分のずれ）」レベルの危険性がある大惨事、すなわち、考える必要もないほど稀な事象が、実はありふれたことであることがわかった。ただ、それ以前に遭遇したことがなかっただけなのだ。

6世代の不確実性はすべて、人間のあり方に永続的な影響を及ぼしてきたし、今日でもそれは変わらない。干魃があれば、雨乞いをする人もいるし、その原因を理解しようとする人もいる。私たちが同じ過ちを繰り返さないように皆を止める人もいる。新しい水資源を探す人もいる。雨を望み通りに降らせることができないかと考える人もいる。電子回路の量子効果を用いて、干魃をより正確にコンピュータで予測する方法を模索する人もいる。

「知らないのを知らないこと」は依然として私たちを悩ませている（プラスチックゴミが海洋を汚染していることに遅ればせながら気づいたという失態を見ればそれがわかる）。それでも私たちは、世界が想像するよりもはるかに複雑で、すべてが相互に関連していることに気づき始めている。さまざまな形式と意味を持つ不確実性が、毎日新たに発見されていく。未来は不確実であるが、不確実性の科学は未来の科学なのだ。

訳者あとがき

イアン・スチュアートは数学をテーマにした数々のベストセラーを生み出してきた作家であると同時に、大学での教授職を退いた後も、一線で研究を続ける現役の数学者である。多くの著作のなかでも1989年に刊行された『*Does God Play Dice?: The New Mathematics of Chaos*』(日本語訳は、『カオス的世界像——神はサイコロ遊びをするか?』白揚社)はスチュアートの知名度を上げた初期の重要な著作である。本書の原題は『*Do Dice Play God?*』であり、名前の類似性からも初期の著作と対をなす、スチュアートの最新作といえよう。30年を経て、カオス理論を始めとする複雑系の科学が成熟した現在、スチュアートが改めて世界を支配する科学法則について論考した、いわば1989年の自分に対する回答書となっている。

本書を通底する概念は、「不確実性」である。日々変わる天気、唐突に崩壊するバブル経済、先行きの見えない感染症の蔓延、世界各地で頻発する異常気象とそれに付随する災害など、私たちの日常は不確実性で溢れている。このような予測のつかない世界を生きる術として、人類がどのような科学的手段を生み出してきたかが、6世代（神に支配される世界、自然を予測できると期待された科学、確率論と統計学、量子力学、カオス理論、不確実性の応用）に分けて描かれている。コインやサイコロを例にした確率論の基礎から始まり、直感と食い違う条件付き確率、理不尽な裁判の判例、統計学の概念を世に広めた「平均人」の概念、繰り返される金融問題、迷信や偏見から逃れられないベイズの脳、迫り来る気候変動の危機など、各世代の話題は読者を魅了して離さない。原書が出版されたのは２０１９年６月であり、COVID-19の世界的流行が始まったのはそれ以降のことであった。感染症の蔓延に加え、森林火災、大雨に伴う洪水、ハリケーン襲来など、世界各地で起こる異常気象に関するニュースは、２０１９年に比べて急増している。これらは、本書で扱われている不確実性の典型例であり、それゆえに関連する話題は私たちを切実な思いで引き込んでゆく。スチュアートの先見に驚くばかりである。

本書の読みどころを三つ挙げるならば、１点目は数学の奥深さであろう。6世代の不確実性の科学を支えてきたのは、数学という言語であり、これなしに人類の進展はなかったといっても過言ではない。スチュアートは、数学的な理解が可能となるように、数式を交えた解説を丁寧に行っている。特に、3章から6章にかけては、順列と組み合わせから始めて、確率論の基礎と応用が書かれている。大学の教養課程レベルの内容も含まれるが、クイズを交えた事例中心の議論は、数学のとっつきにくさを忘れさせてくれる。数学の面白さを一般にも広めたいというスチュアートの真意がここにある。

とは言え、数式に苦手意識を抱いている読者には、式の詳細はひとまず読み飛ばしても、物語の醍醐味は十分に伝わるはずである。不確実性の科学の面白さを味わった上で、数式については改めて読み返してみるのもよいであろう。本書をきっかけに、数学に親しみをおぼえてくれる読者が一人でも増えればよいと思う。

2点目は、人間という生き物の難しさである。不確実性を、神なる自然が決めたこととしてあるがままに受け入れていた時代が長く続いた後、人類は不確実性の分析を始め、確率論、統計学、古典力学、量子力学といった学問体系を次々に構築してきた。各世代で冷静に論理を組み立て、積み上げられた叡智を次の世代に伝承することで、不確実性の要因を明らかにし、それらに翻弄されない文明社会を作り上げてきた。一方で、個人レベルでみると、私たちは太古の時代と変わらずに頑固で、自分の信念を容易には変えられず、フェイクニュースに日々翻弄されている。スチュアートは、急場をしのいで生き残ることを優先するベイズ脳がその要因であると分析している。集団としての知性も心許ない。科学の知見を軽視して政治的な思惑を優先する為政者の姿勢は、昨今の感染症対策や気候変動問題への対策でも顕在化している。不確実性を飼いならそうと科学技術を高度に発展させた人類が、自らの不確実性で足踏みしているのは歯痒いばかりだ。人類は自らの不確実性にこれからどう対峙してゆくのだろう?

最後の点として、題目について考えてみたい。一般に作家は自分の一番主張したい点を題目にするものだ。冒頭に紹介したように、本書の原題は「Do Dice Play God?」であり、その背後には、アインシュタインの有名な言葉「God does not play dice（神はサイコロ遊びをしない）」がある。量子状態は重ね合わせで表され、観測によってある状態が偶然（確率的）に選ばれるとする量子力学に、アインシュタインは納得していなかったのだ。これに対して本書の原題を直訳すると、「サイコロは神の役割を演じるか？」となる。つまり、サイコロが、神すなわち自然の法則の役割を果たすかどうかを問うている。サイコロは偶然性の象徴であり、この疑問はアインシュタインの考えと相反するように見えるが、実はそうではない。4章でも詳細に解説されているように、よく考えると、サイコロは古典力学に従う決定論的なシステムであり、確率的な要素の入り込む余地はないのである。サイコロの結果に偶然性が入り込むのは、カオスの持つ予測不能性と、サイコロを振る人間の気まぐれのためなのだ。

カオスは、決定論的な力学系であり、初期状態が定まると、将来の状態は未来永劫、一意に定まる。この意味で、カオスのもつ偶然性の背後には明快な力学規則が存在する。量子系の示す偶然性はブラックボックスではなく、その背後にはカオスが潜んでいるのではないか、というのが、スチュアートの直感なのだ。スチュワート自身も非線形動力学（力学系の対称性、分岐理論、カオスなど）を研究テーマとしてきたことを考えると、この信念は理解しやすい。本書でも繰り返し現れるのは、「量子論に先んじてカオスが発見されていれば、決定論的な見方が正統派になっていたかもしれない」という思いである。一方で筆者を悩ませるのは、ベルの不等式である。これによって、隠れた変数の理論では説明のつかない実験結果が得られることが示され、決定論に基づく隠れた変数の理論としてのカオスは行き場を失ってしまったのだ。やわな研究者であれば、あきらめて正統派の量子理論に回帰するところであろう。それでも、筆者は自分の信念をあきらめない。ベルの不等式には抜け穴があり、現代の量子論にも説明のつかない問題が山積していることを指摘する。18章は、そんな筆者の想いに溢れている。少なくとも明らかになってきているのは、現代の量子力学にはブラックボックスがたくさんあり、矛盾の綻びも生じてきている、ということである。これらの現実に目を瞑り、慣れ親しんだ計算に甘んじる態度は、科学の進展の妨げになるとスチュアートは警笛を鳴らす。取り急ぎの成果と応用が求められ、時間を掛けて新しい試みに挑戦することが徐々に難しくなっている昨今の科学研究において、この言葉は重要な意味合いを持つ。科学でブレイクスルーを起こしてきたのは、「真実を探す価値がないと自らを納得させることのない」研究者たちであり、これからもその事実は変わらないであろう。

本書の翻訳にあたって、スチュアート独特の婉曲的な表現やシニカルな言い回しを表現しきれていない点があると思われるが、訳者の力量不足としてご容赦頂きたい。本書を企画段階から支援してくださった、白揚社の阿部明子氏に心より感謝します。一般読者にとって親しみのある用語や、分かりやすい表現について、原稿が真っ赤になるまで数々の手直しをしていただきました。第一稿で散見した翻訳の誤りについても正確に指摘してくださいました。最後に、パンデミックの最中でも、家族を暖かく見守り、翻訳作業に協力してくれた妻・智子に感謝します。

２０２１年９月

徳田功

9. この節は、Anil Anathaswamy, Perfect disharmony, *New Scientist*, 14 April 2018, pages 35–37 に基づいている。
10. 大きさだけではないのではないか？　ビームスプリッター（位相が1/4ずれる）と粒子検出器（波動関数を混乱させる）の影響を考えてみよう。どちらも明らかに巨視的（マクロ）な系だが、ビームスプリッターは自分が量子論に従うと「考えて」振る舞っているのに対して、粒子検出器は自分が量子論には従わないことを「知っている」。
11. D. Frauchiger and R. Renner. Quantum theory cannot consistently describe the use of itself, *Nature Communication*s (2018) 9:3711; doi:10.1038/S41467-018-05739-8.
12. A. Sudbery. *Quantum Mechanics and the Particles of Nature*, Cambridge University Press, Cambridge, 1986, page 178.
13. Adam Becker, *What is Real?*, Basic Books, New York, 2018.（アダム・ベッカー『実在とは何か』吉田三知世訳、2021年、筑摩書房）

17　不確実性の活用

1. Peter Bierhorst and 11 others. Experimentally generated randomness certified by the impossibility of superluminal signals, *Nature* 223 (2018) 223–226.
2. E. Ott, C. Grebogi, and J.A. Yorke. Controlling chaos, *Physics Review Letters* 64 (1990) 1196.
3. 心不全では、単なるランダムネスではなくカオスが生じていることが、ヒトに関する研究で報告されている。

   Guo-Qiang Wu and 7 others, Chaotic signatures of heart rate variability and its power spec trum in health, aging and heart failure, *PLoS ONE* (2009) 4(2): e4323; doi: 10.1371/jour nal.pone.0004323.
4. A. Garfinkel, M.L. Spano, W.L. Ditto, and J.N. Weiss. Controlling cardiac chaos, *Science* 257 (1992) 1230–1235.

   心臓の数理モデルに対するカオス制御の最近の論文については、次を参照。

   B.B. Ferreira, A.S. de Paula, and M.A. Savi. Chaos control applied to heart rhythm dynamics, *Chaos, Solitons and Fractals* 44 (2011) 587–599.

18　知らないのを知らないこと

1. 当時、ジョージ・W・ブッシュ大統領は、9.11同時多発テロへの報復としてのイラク攻撃は行わないとしていた。しかしその直後、サダム・フセインの「テロ支援」を理由にして、アメリカ合衆国とその同盟国はイラクを侵攻した。2003年9月7日付けの『ガーディアン』紙が発表した世論調査によると、イラクが関与したという証拠はないにもかかわらず、「アメリカ人の10人中7人は、サダム・フセインがテロに関与したと信じ続けて」いた。

   https://www.theguardian.com/world/2003/sep/07/usa.theobserver

ない。
9. シュレーディンガーの猫については、Ian Stewart, *Calculating the Cosmos* (Profile, London, 2017) で詳細に論じている。
10. Tim Folger. Crossing the quantum divide, *Scientific American* 319 (July 2018) 30–35.
11. Jacqueline Erhart, Stephan Sponar, Georg Sulyok, Gerald Badurek, Masanao Ozawa, and Yuji Hasegawa. Experimental demonstration of a universally valid error-disturbance uncertainty relation in spin measurements, *Nature Physics* 8 (2012) 185–189.
12. Lee A. Rozema, Ardavan Darabi, Dylan H. Mahler, Alex Hayat, Yasaman Soudagar, and Aephraim M. Steinberg. Violation of Heisenberg 's measurement-disturbance relationship by weak measurements, *Physics Review Letters* 109 (2012) 100404. Erratum: *Physics Review Letters* 109 (2012) 189902.
13. それぞれが非零のスピンをもち、両者の総スピンが零になるような一対の粒子を生成する場合、角運動量（スピンを表す別の言い方）の保存則によって、これらのスピンは、その後に分離されても、完全に反相関のままであり続ける（それらが他の副次的な力を受けない限り）。つまり、これらのスピンは同じ軸に沿って常に反対方向を指す。ここで一方の粒子を測定して、波動関数を収縮させると、その粒子のスピンの大きさと方向が確定する。したがって、もう一方の粒子の波動関数も収縮し、反対の結果になるはずだ。おかしな考えに思われるかもしれないが、この方法はうまくいくようだ。また、本文中に挙げた2人のスパイのたとえ話の変形版でもある。スパイが時計を逆相に同期したと考えればよい。

16　サイコロは神を演じるか？

1. 15章の原注3を参照。
2. Even male insects feel pleasure when they ‘orgasm’, *New Scientist*, 28 April 2018, page 20.
3. J.S. Bell. On the Einstein Podolsky Rosen paradox, *Physics* 1 (1964) 195–200.
4. ベルとヘルマンはフォン・ノイマンの証明を間違って解釈していた、とジェフリー・バブは論じている。彼によると、ノイマンの証明は、隠れた変数理論が完全に不可能であることを示すのが目的ではない。
Jeffrey Bub. Von Neumann’s ‘no hidden variables’ proof: A reappraisal, *Foundations of Physics* 40 (2010) 1333–1340.
5. Adam Becker, *What is Real?*, Basic Books, New York 2018.（アダム・ベッカー『実在とは何か』吉田三知世訳、2021年、筑摩書房）
6. 厳密に言うと、ベルのオリジナル版では、二つの検出器が互いに平行な場合は、双方の実験におけるスピンの測定結果は完全に反相関することも必要だとされている。
7. E. Fort and Y. Couder. Single-particle diffraction and interference at a macroscopic scale, *Physical Review Letters* 97 (2006) 154101.
8. Sacha Kocsis, Boris Braverman, Sylvain Ravets, Martin J. Stevens, Richard P. Mirin, L. Krister Shalm, and Aephraim M. Steinberg. Observing the average trajectories of single photons in a two-slit interferometer, *Science* 332 (2011) 1170–1173.

4. David Silver and 19 others. Mastering the game of Go with deep neural networks and tree search, *Nature* 529 (1016) 484–489.
5. L. A. Necker. Observations on some remarkable optical phaenomena seen in Switzerland; and on an optical phaenomenon which occurs on viewing a figure of a crystal or geometrical solid, *London and Edinburgh Philosophical Magazine and Journal of Science* 1 (1832) 329–337.
J. Jastrow. The mind's eye, *Popular Science Monthly* 54 (1899) 299–312.
6. I. Kovács, T.V. Papathomas, M. Yang, and A. Fehér. When the brain changes its mind: Interocular grouping during binocular rivalry. *Proceedings of the National Academy of Sciences of the USA* 93 (1996) 15508–15511.
7. C. Diekman and M. Golubitsky. Network symmetry and binocular rivalry experiments, *Journal of Mathematical Neuroscience* 4 (2014) 12; doi: 10.1186/2190-8567-4-12.

15 量子の不確定性

1. リチャード・ファインマンは「物理法則の性質」と題した講演中にそう言った。それ以前にニールス・ボーアは、「量子理論にショックを受けない者は、量子理論を理解していない」と言ったが、意味はちょっと違う。
2. Richard P. Feynman, Robert B. Leighton, and Matthew Sands. *Feynman Lectures on Physics*, Volume 3, Addison-Wesley, New York, 1965, pages 1.1–1.8.（ファインマン、レイトン、サンズ『ファインマン物理学　V　量子力学』砂川重信訳、1986年、岩波書店）
3. Roger Penrose. Uncertainty in quantum mechanics: Faith or fantasy? *Philosophical Transactions of the Royal Society* A 369 (2011) 4864–4890.
4. https://en.wikipedia.org/wiki/Complex number
5. Franois Hénault. Quantum physics and the beam splitter mystery: https://arxiv.org/ftp/arxiv/papers/1509/1509.00393.
6. スピン量子数がnの場合、スピンの角運動量は$S=(h/4\pi)\sqrt{n(n+2)}$（hはプランク定数）となる。
7. 電子スピンは奇妙だ。反対方向を向く二つのスピンの状態、すなわち「上向きのスピン」と「下向きのスピン」の重ね合わせは、ある軸に対して、単一のスピンの方向が重ね合わせの比率に関連していると解釈することができる。ただし、どの軸を測定しても、1/2か−1/2が得られる。これについては、本章の原注3に記したペンローズの論文に説明がある。
8. ここで検討されていない仮定を挙げておこう。古典力学的な要因が古典力学的な効果を生む場合、その要因の量子論的な部分（重ね合わせ状態の部分）は、同じ効果の量子論的な部分を作り出すというものだ。つまり、半分崩壊した原子は、半分死んだ猫を作り出す。この仮定は確率としてはある種の意味があるが、もしそれが一般に正しいならば、マッハ＝ツェンダー干渉計において、半分の光子波がビームスプリッターに当たると、半分のビームスプリッターを作り出すことになる（つまり、半分のビームスプリッターに光子波が当たり、半分のビームスプリッターには当たらない)。したがって、このような古典力学の描像の重ね合わせは、量子の世界での振る舞いでは

https://en.wikipedia.org/wiki/Kaplan%E2%80%93Meier_estimator

4. B. Efron. Bootstrap methods: another look at the jackknife, *Annals of Statistics* 7 B (1979) 1–26.
5. Alexander Viktorin, Stephen Z. Levine, Margret Altemus, Abraham Reichenberg, and Sven Sandin. Paternal use of antidepressants and offspring outcomes in Sweden: Nationwide prospective cohort study, *British Medical Journal* 316 (2018); doi:10.1136/bmj.k2233.
6. 信頼区間はわかりにくく、誤解されていることが多い。専門的には「95%の信頼区間」とは、無作為抽出された標本から信頼区間を計算するとき、抽出された標本の95%で、真の統計値がその区間内に存在するという性質のことである。「真の統計値が信頼区間内に存在する確率が95%であること」を意味しない。

13　金融占い

1. 「これらの人々には借金を返済する能力がないだろう」ということを表す銀行の婉曲表現。
2. 厳密には、1968年にスウェーデン国立銀行がアルフレッド・ノーベルを記念して設立した賞であり、1895年のノーベル本人の遺言によって設立されたノーベル賞には、経済学部門は含まれていない。
3. 専門的には、分布$f(x)$がファット・テールを持つのは、$f(x)$がべき則に従って減衰する場合である。つまり、xが無限に近づくとき、$f(x) \sim x^{-(1+a)}$ $(a > 0)$となる場合である。
4. Warren Buffett. Letter to the shareholders of Berkshire Hathaway, 2008: http://www.berkshirehathaway.com/letters/2008ltr.pdf
5. A.G. Haldane and R.M. May. Systemic risk in banking ecosystems, *Nature* 469 (2011) 351–355.
6. W.A. Brock, C.H. Hommes, and F.O.O. Wagner. More hedging instruments may destabilise markets, *Journal of Economic Dynamics and Control* 33 (2008) 1912–1928.
7. P. Gai and S. Kapadia. Liquidity hoarding, network externalities, and interbank market collapse, *Proceedings of the Royal Society A* (2010) 466, 2401–2423.

14　ベイズの脳

1. ヒトの脳にはニューロンの10倍のグリア細胞が存在すると長い間考えられていた。インターネットの信頼のおける情報源では、依然として4倍程度と記載されている。しかし、2016年に発表された総説では、ヒトの脳におけるグリア細胞の数はニューロンの数よりわずかに少ないと結論されている。

   Christopher S. von Bartheld, Jami Bahney, and Suzana Herculano-Houze, The search for true numbers of neurons and glial cells in the human brain: A review of 150 years of cell counting, *Journal of Comparative Neurology, Research in Systems Neuroscience* 524 (2016) 3865–3895.
2. D. Benson. Life in the game of Go, *Information Sciences* 10 (1976) 17–29.
3. Elwyn Berlekamp and David Wolfe. *Mathematical Go Endgames: Nightmares for Professional Go Players*, Ishi Press, New York 2012.

100日間すべての総和：1740　平均：1740/100＝17.4
したがって、100日間の平均は16℃より1.4℃高くなる。

8. 過去80万年の記録については以下の文献を参照。
E. J. Brook and C. Buizert. Antarctic and global climate history viewed from ice cores, *Nature* 558 (2018) 200–208.
9. この引用は、1977年7月号の『リーダーズ・ダイジェスト』に掲載されたが、出典の記載はない。1950年1月8日の『ニューヨーク・タイムズ』は、作曲家のロジャー・セッションズによる『「難解な」作曲家になる方法』と題した記事を掲載した。この記事には次のような下りがある。「アルベルト・アインシュタインが言ったことも覚えている。まさに、音楽にも当てはまる言葉だ。彼が言っていたのは、要するに、すべてはできる限り単純でなければならないが、単純すぎてもいけない！ということだった」
10. アメリカ地質調査所のデータによると、世界の火山が生成する二酸化炭素は、毎年2億トンである。人間による輸送や産業で放出される二酸化炭素は240億トンで、これは火山の120倍に相当する。
https://www.scientificamerican.com/article/earthtalks-volcanoes-orhumans/
11. The IMBIE team (Andrew Shepherd, Erik Ivins, and 78 others). Mass balance of the Antarctic Ice Sheet from 1992 to 2017, *Nature* 558 (2018) 219–222.
12. S.R. Rintoul and 8 others. Choosing the future of Antarctica, *Nature* 558 (2018) 233–241.
13. J. Schwartz. Underwater, *Scientific American* (August 2018) 44–55.

12　医療を統計する

1. E.S. Yudkowsky. An intuitive explanation of Bayes' theorem: http://yudkowsky.net/rational/bayes/
2. W. Casscells, A. Schoenberger, and T. Grayboys. Interpretation by physicians of clinical laboratory results, *New England Journal of Medicine* 299 (1978) 999–1001.
D.M. Eddy. Probabilistic reasoning in clinical medicine: Problems and opportunities, in: (D. Kahneman, P. Slovic, and A. Tversky, eds.), *Judgement Under Uncertainty: Heuristics and Biases*, Cambridge University Press, Cambridge, 1982.
G. Gigerenzer and U. Hoffrage. How to improve Bayesian reasoning without instruction: frequency formats, *Psychological Review* 102 (1995) 684–704.
3. カプラン＝マイヤー推定は触れておくべき方法だが、本文中では話の腰を折る恐れがあったため控えた。臨床試験では、一部の被験者が全期間を完了する前に（死亡またはその他の理由で）試験を脱落することがある。カプラン＝マイヤー推定法は、そうした途中で打ち切られたデータから生存率を推定するときに、非常に広く使われている。これはノンパラメトリックな方法であり、これを発表した論文は、数学の論文のなかでこれまでに引用された回数が2番目に多い。以下を参照。
E. L. Kaplan and P. Meier. Nonparametric estimation from incomplete observations, *Journal of the American Statistical Association* 53 (1958) 457–481.

Poincaré (2004) 203–233.
N. Simanyi. Conditional proof of the Boltzmann–Sinai ergodic hypothesis. *Inventiones Mathematicae* 177 (2009) 381–413.
出版されていない2010年の査読前の原稿もある。
N. Simanyi. The Boltzmann–Sinai ergodic hypothesis in full generality: https://arxiv.org/abs/1007.1206

4. Carlo Rovelli. *The Order of Time*, Penguin, London 2018.（カルロ・ロヴェッリ『時間は存在しない』冨永星訳、2019年、NHK出版）

10 予測可能性の撤回

1. この図はコンピュータによる数値計算の結果であり、同じ誤差が発生している可能性がある。ウォリック・タッカーは、ローレンツのシステムにカオスアトラクタが存在することを、コンピュータを援用して厳密に証明した。ここで生じる複雑性は現実に存在するものであり、コンピュータの処理過程で生じた数値的なアーティファクトではない。
W. Tucker. The Lorenz attractor exists. *C.R. Acad. Sci. Paris* 328 (1999) 1197–1202.
2. 専門的な話をすると、正しい確率を与える不変測度の存在が証明されているのは、特別な種類のアトラクタに限られている。タッカーは同じ論文で、ローレンツのアトラクタには不変測度が存在することを証明した。ただし、広範な数値計算の結果から、ほとんどのアトラクタには不変測度が存在することが示唆されている。
3. J. Kennedy and J.A. Yorke. Basins of Wada, *Physica* D 51 (1991) 213–225.

11 天気工場

1. P. Lynch. *The Emergence of Numerical Weather Prediction*, Cambridge University Press, Cambridge, 2006.
2. フィッシュは後日、電話の人が話していたのはフロリダのハリケーンだったと語っている。
3. T.N. Palmer, A. Döring, and G. Seregin. The real butterfly effect, *Nonlinearity* 27 (2014) R123–R141.
4. E.N. Lorenz. The predictability of a flow which possesses many scales of motion. *Tellus* 3 (1969) 290–307.
5. T.N. Palmer. A nonlinear dynamic perspective on climate prediction. *Journal of Climate* 12 (1999) 575–591.
6. D. Crommelin. Nonlinear dynamics of atmospheric regime transitions, PhD Thesis, University of Utrecht, 2003.
D. Crommelin. Homoclinic dynamics: a scenario for atmospheric ultralow-frequency variability, *Journal of the Atmospheric Sciences* 59 (2002) 1533–1549.
7. 次のような計算になる。
90日間の総和：90×16＝1440　10日間の総和：10×30＝300

5. 名前を挙げておくべき研究者がもう一人いる。フランシス・イシドロ・エッジワースである。彼にはゴルトンのような先見はなかったが、はるかに数学的技巧に長けており、ゴルトンのアイデアに確固とした数学的基礎を与えた。ただし、彼の話は専門的すぎるため、本文では割愛した。

6. 数式で書くと、

$$P\left(\left(\frac{X_1+\cdots X_n}{n}-\mu\right)<\beta\sqrt{n}\right)\to\int_{-\infty}^{\beta}\mathrm{e}^{-y^2/2}\mathrm{d}y$$

ただし、右辺は平均 0、分散 1 の累積正規分布を表す。

8 あなたには確信がある？

1. 条件付き確率の定義より、$P(A|B)=P$ (A かつ B)/$P(B)$ であり、$P(B|A)=P$ (B かつ A)/$P(A)$ である。ここで、事象 A かつ B は事象 B かつ A と同じである。一方の式をもう一方で割ると、$P(A|B)/P(B|A)=P(A)/P(B)$ となる。両辺に $P(B|A)$ を掛けると、本文のベイズの式が得られる。

2. フランク・ドレイクは 1961 年に、SETI（地球外知的生命体探査）の最初の会議で「ドレイクの方程式」を提案し、地球外生命体の存在可能性に影響を与える重要な要因をまとめた。銀河系における地球外文明の数を推定するためにしばしば用いられるが、多くの変数は推定が困難であり、その目的には適していない。また、モデルには想像力に欠ける仮定も含まれている。次を参照。https://en.wikipedia.org/wiki/Drake_equation

3. N. Fenton and M. Neil. *Risk Assessment and Decision Analysis with Bayesian Networks*, CRC Press, Boca Raton, Florida, 2012.

4. N. Fenton and M. Neil. Bayes and the law, *Annual Review of Statistics and Its Application* 3 (2016) 51–77.

   https://en.wikipedia.org/wiki/Lucia de Berk

5. Ronald Meester, Michiel van Lambalgen, Marieke Collins, and Richard Gil. On the (ab)use of statistics in the legal case against the nurse Lucia de B. arXiv:math/0607340 [math.ST] (2005).

9 法則と無秩序

1. 科学史家のクリフォード・トルスデルは、次のように述べたと言われる。「すべての物理学者は［熱力学］の第一法則と第二法則が何を意味するかを知っているが、問題は一つとして同じ見解がないことだ」。以下を参照。

   Karl Popper. Against the philosophy of meaning, in: *German 20th Century Philosophical Writings* (ed. W. Schirmacher), Continuum, New York, 2003, page 208.

2. フランダースとスワンの残りの歌詞は、以下で見ることができる。

   https://lyricsplayground.com/alpha/songs/f/firstandsecondlaw.html.

3. N. Simanyi and D. Szasz. Hard ball systems are completely hyperbolic, *Annals of Mathematics* 149 (1999) 35–96.

   N. Simanyi. Proof of the ergodic hypothesis for typical hard ball systems, *Annales Henri*

7)/3 となり、平均値となる。同様の計算により、有限のデータ集合ならばすべて、誤差の二乗和を最小にするのはデータの平均値になることがわかる。

3. 分布の式は、$\sqrt{2/n\pi}\exp[-2(x-\frac{1}{2}n)^2/n]$ となり、n 回のコイン投げで「表」が x 回出る確率を近似すると考えられる。

6 誤謬とパラドックス

1. 一度に一人ずつ部屋に入ると考えよう。k 人が入ったあと、すべての人の誕生日が異なる確率は

$$\frac{365}{365}\times\frac{364}{365}\times\frac{363}{365}\times\cdots\times\frac{365-k+1}{365}$$

である。新たに部屋に入った人の誕生日は、その前に入っていた $k-1$ 人の誕生日と異なっていなければならないからだ。この「同じ誕生日の人が誰もいない確率」は、1 から「同じ誕生日の人が少なくとも 1 組いる確率」を引いたものと等しい。したがって、この式が 1/2 よりも小さくなるような最小の k が、私たちの求めている値となり、$k=23$ であることがわかる。詳細は以下を参照されたい。

https://en.wikipedia.org/wiki/Birthday_problem

2. 分布が一様でない場合については、次を参照。M. Klamkin and D. Newman. Extensions of the birthday surprise, *Journal of Combinatorial Theory* 3 (1967) 279–282.

二人の誕生日が同じである確率は、一様分布で最小になるという証明については、次を参照。D. Bloom. A birthday problem, *American Mathematical Monthly* 80 (1973) 1141–1142.

3. 標本空間の図は本文の図と同じだが、この場合、各象限は 365×365 の格子に分割される。各象限の濃灰色の帯にはそれぞれ 365 個の正方形が含まれる。ただし、標的の領域内では 1 個の重なりがある。したがって、標的領域の内側には、365＋365－1＝729 個、標的領域の外側には、365＋365＝730 個の濃灰色の正方形がある。濃灰色の正方形の総数は、729＋730＝1459 個となる。したがって、標的に的中する条件付き確率は 729/1459、つまり 0.4996 となる。

7 社会物理学

1. ケトレーは 1000 回のコイン投げを計算する際には簡便化のために二項分布を使ったが、理論研究では正規分布の重要性を強調した。

2. Stephen Stigler, *The History of Statistics*, Harvard University Press, Cambridge, Massachusetts, 1986, page 171.

3. これは必ずしも正しくない。ここでは、すべての分布はベル曲線を組み合わせることによって得られると仮定している。ただし、ゴルトンの目的のためには、それで十分だった。

4. 「回帰」という用語は、ゴルトンの遺伝研究に由来している。背の高い両親あるいは背の低い両親から生まれた子供の身長は、概して長身と短身の中間になる傾向がある理由について、彼は正規分布を用いて説明し、これを「平均への回帰」と呼んだ。

近い結果が得られるはずだ。

異なる色のサイコロについて納得できない場合には、この二つの点を考慮することに加えて、異なる色のサイコロを使って実験を行えばよい。

4. 総和が10になる27通りは、以下の通り。

$1+3+6,\ 1+4+5,\ 1+5+4,\ 1+6+3,$

$2+2+6,\ 2+3+5,\ 2+4+4,\ 2+5+3,\ 2+6+2,$

$3+1+6,\ 3+2+5,\ 3+3+4,\ 3+4+3,\ 3+5+2,\ 3+6+1,$

$4+1+5,\ 4+2+4,\ 4+3+3,\ 4+4+2,\ 4+5+1,$

$5+1+4,\ 5+2+3,\ 5+3+2,\ 5+4+1,$

$6+1+3,\ 6+2+2,\ 6+3+1.$

総和が9になる25通りは、以下の通り。

$1+2+6,\ 1+3+5,\ 1+4+4,\ 1+5+3,\ 1+6+2,$

$2+1+6,\ 2+2+5,\ 2+3+4,\ 2+4+3,\ 2+5+2,\ 2+6+1,$

$3+1+5,\ 3+2+4,\ 3+3+3,\ 3+4+2,\ 3+5+1,$

$4+1+4,\ 4+2+3,\ 4+3+2,\ 4+4+1,$

$5+1+3,\ 5+2+2,\ 5+3+1,$

$6+1+2,\ 6+2+1.$

5. https://www.york.ac.uk/depts/maths/histstat/pascal.pdf

6. 勝つために、プレーヤー1があと r 点、プレーヤー2があと s 点必要なとき、賭け金が分配されるべき比率は

$$\sum_{k=0}^{s-1}\binom{r+s-1}{k} \text{ 対 } \sum_{k=s}^{r+s-1}\binom{r+s-1}{k}$$

で与えられる。本文の例題 $(r=3, s=6)$ では、この比率は以下となる。

$$\binom{8}{0}+\binom{8}{1}+\binom{8}{2}+\binom{8}{3}+\binom{8}{4}+\binom{8}{5} \text{ 対 } \binom{8}{6}+\binom{8}{7}+\binom{8}{8}$$

4 コイン投げ

1. Persi Diaconis, Susan Holmes, and Richard Montgomery. Dynamical bias in the coin toss, *SIAM Review* 49 (2007) 211–235.
2. M. Kapitaniak, J. Strzalko, J. Grabski, and T. Kapitaniak. The three-dimensional dynamics of the die throw, *Chaos* 22 (2012) 047504.

5 情報が多すぎる

1. Stephen M. Stigler, The History of Statistics, Harvard University Press, Cambridge, Massachusetts, 1986, page 28.
2. 誤差の二乗和 $(x-2)^2+(x-3)^2+(x-7)^2$ を最小化する。これは x の二次式で、x^2 の係数は3、すなわち正であるため、最小値がただ一つ存在する。最小値となるのは、導関数がゼロ、すなわち $2(x-2)+2(x-3)+2(x-7)=0$ の場合だ。したがって、$x=(2+3+$

原注

1　不確実性の六つの世代

1. この言葉はおそらくベラとは関係ない。古いデンマークのことわざに由来するかもしれない。https://quoteinvestigator.com/2013/10/20/no-predict/

2　腸を読む

1. エゼキエル書（21章21節）
2. Ray Hyman. Cold reading: how to convince strangers that you know all about them, *Zetetic* 1 (1976/77) 18–37.
3. 原文の「燃える炭」が何を意味するのかよくわからない。木炭のことかもしれない。これに関しては、いくつかの情報源で言及されている。

   John G. Robertson, *Robertson's Words for a Modern Age* (reprint edition), Senior Scribe Publications, Eugene, Oregon, 1991. http://www.occultopedia.com/c/cephalomancy.htm
4. 「宝くじを当てる」が「当選番号を入手する可能性を高める」ことを意味するなら、偶然以外にそのようなことは起こらない、というのが確率論の立場だ。「当たったときの金額を最大にする」ことを意味するなら、簡単な対策をいくつか講じることができる。主なものとしては、他の多くの人も選ぶ可能性が高い数字は選ばないことだ。その数字が当たった場合（確率は他の数字と変わらない）、賞金を分け合う人の数が減る。

3　サイコロの役割

1. 波動方程式がよい例だ。元々は、バイオリンの弦を平面内で振動する線分として記述したモデルだが、これが基になってより現実的な問題に応用されるようになった。今日では、ストラディバリウスの振動解析から、地震波記録から地球の内部構造の推定まで、さまざまに用いられている。
2. We ditched fate to make dice fairer, *New Scientist*, 27 January 2018, page 14.
3. 赤と青のサイコロには納得したが、まったく同じに見えるサイコロの場合でも、同様の議論が成り立つのが確信できない場合は、二つの点について考えるのが役立つだろう。第一に、サイコロの色が異なるからといって、サイコロが同じ色の場合に比べて、出る目の組み合わせが2倍になることがあるだろうか？　色がサイコロの振り方にそこまで影響を及ぼすことはない。第二に、どれがどれかわからないほど似た二つのサイコロを何度も投げて、4のゾロ目が出る回数の比率を数える。順序付けられていない組の場合、1/21に近い結果が得られるだろう。順序付けられた組の場合は、1/36に

図版出典

22頁　David Aikman, Philip Barrett, Sujit Kapadia, Mervyn King, James Proudman, Tim Taylor, Iain de Weymarn, and Tony Yates. Uncertainty in macroeconomic policy-making: art or science? *Bank of England paper*, March 2010.

215頁　Tim Palmer and Julia Slingo. Uncertainty in weather and climate prediction, *Philosophical Transactions of the Royal Society* A 369 (2011) 4751–4767.

295頁　I. Kovács, T.V. Papathomas, M. Yang, and A. Fehér. When the brain changes its mind: Interocular grouping during binocular rivalry, *Proceedings of the National Academy of Sciences of the USA* 93 (1996) 15508–15511.

352頁(左)　Sacha Kocsis, Boris Braverman, Sylvain Ravets, Martin J. Stevens, Richard P. Mirin, L. Krister Shalm, and Aephraim M. Steinberg. Observing the average trajectories of single photons in a two-slit interferometer, *Science* (3 Jun 2011) 332 issue 6034, 1170–1173.

〈マ行〉

〈ハ行〉

〈タ行〉

〈ナ行〉

〈サ行〉

索引

イアン・スチュアート（Ian Stewart）
数学者、ウォーリック大学名誉教授、王立協会フェロー。
2017年にアメリカ数学協会のオイラーブック賞受賞。ポピュラーサイエンスの著者としても有名で、多くがベストセラーになっている。『世界を変えた17の方程式』『数学で生命の謎を解く』（SBクリエイティブ）、『自然界に隠された美しい数学』（河出書房新社）、『対称性』（丸善出版）ほか邦訳多数。

徳田 功（とくだ　いさお）
立命館大学理工学部機械工学科教授。
筑波大学にて物理学専攻。東京大学にて博士号（工学）取得。著書に『機械力学の基礎』（共著、数理工学社）、訳書に『インフィニティ・パワー』『同期理論の基礎と応用』（丸善出版）など。

不確実性を飼いならす

予測不能な世界を読み解く科学

二〇二一年十一月三十日　第一版第一刷発行
二〇二二年二月十七日　第一版第二刷発行

著者　イアン・スチュアート
訳者　徳田功
発行者　中村幸慈
発行所　株式会社　白揚社

〒101-0062　東京都千代田区神田駿河台1-7
電話03-5281-9772　振替00130-1-25400

装幀　大倉真一郎

印刷・製本　中央精版印刷株式会社

ISBN 978-4-8269-0232-8